HEYNE
BÜCHER

Das Buch

Granada im Jahre 1499: Eine Epoche beispielloser Toleranz geht zu Ende. Nahezu achthundert Jahre hatten Moslems, Juden und Christen in Andalusien friedlich gelebt. Doch jetzt, nach dem Fall der Stadt, des letzten maurischen Königreichs, setzen religiöser Fanatismus, Machtpolitik und Geldgier der spanischen Herrscher Ferdinand und Isabella sowie der Inquisition alles daran, das endgültige Ziel der Reconquista zu erreichen: Alle Moslems müssen entweder zum katholischen Glauben übertreten oder unter Hinterlassen ihrer gesamten Habe das Land verlassen.

Vor dieser Alternative steht auch die Familie des aufgeklärten Mauren Umar, der in der Nähe von Granada ein Gut besitzt. Bücherverbrennung, Verfolgung, Vertreibung, Inquisition, kurz die Zerstörung der jahrhundertealten, von Toleranz geprägten islamischen Kultur werden an ihrem Beispiel deutlich. Jedes Familienmitglied bezeugt die dramatischen Umwälzungen dieser Epoche auf seine eigene Weise.

Tariq Alis Buch ist eine hinreißende Schilderung der maurischen Lebensart und gleichzeitig eine dramatische Parabel für alle jene, die in der Vergangenheit oder Zukunft die Zeichen der Zeit nicht deuten wollen. »Gerade die Konfrontation mit einem Fundumentalismus, der vorgibt, islamisches Gedankengut zu verbreiten, sollte sich der deutsche Leser mit diesem Roman beschäftigen, der ihm zeigt, wie der Islam einmal beschaffen war, dem die europäisch-christliche Kultur viel zu verdanken gehabt hat.«
FRANKFURTER ZEITUNG

Der Autor

Tariq Ali, Schriftsteller, Journalist und Filmemacher, wurde 1943 in Lahore (Pakistan) geboren. In Oxford studierte er Politik, Philosophie und Ökonomie. Er lebt heute in Londen, wo er erfolgreiche Kunstserien für das Fernsehen produziert. Nach zahlreichen Sachbüchern über historische Themen ist »Im Schatten des Granatapfelbaums« sein zweiter Roman.

TARIQ ALI

IM SCHATTEN DES GRANATAPFELBAUMS

Roman

Aus dem Englischen
von Margarete Längsfeld

WILHELM HEYNE VERLAG
MÜNCHEN

HEYNE ALLGEMEINE REIHE
Nr. 01/9405

Die Übersetzerin dankt Falih Al-Khannak
für seine Unterstützung.

Titel der Originalausgabe
SHADOWS OF THE POMEGRANATE TREE
erschienen bei Chatto & Windus, London

Wilhelm Heyne Verlag GmbH & Co. KG, München
Printed in Germany 1994
Umschlaggestaltung: Atelier Ingrid Schütz, München
Gesamtherstellung: Elsnerdruck, Berlin

ISBN: 3-453-08231-1

Für Aisha, Chengiz und Natasha

VORBEMERKUNG DES VERFASSERS

Im maurischen Spanien erhielten Kinder, wie heute in der arabischen Welt üblich, einen Vornamen, ansonsten wurden sie mit dem Namen ihres Vaters oder ihrer Mutter bezeichnet. Suhayr bin Umar ist in dieser Erzählung Suhayr, Sohn des Umar; Asma bint Dorothea ist Asma, Tochter der Dorothea. Der offizielle Name eines Mannes kann ihn schlicht als den Sohn seines Vaters bezeichnen Ibn Farid, Ibn Chaldun, Sohn des Farid, Sohn des Chaldun. Die Mauren in dieser Geschichte verwenden ihre eigenen Namen für Städte, die heute spanische Namen tragen, darunter etliche, die von den Mauren gegründet wurden. Diese Namen sowie einige allgemeine maurische Ausdrücke finden Sie auf den Seiten 286 und 287.

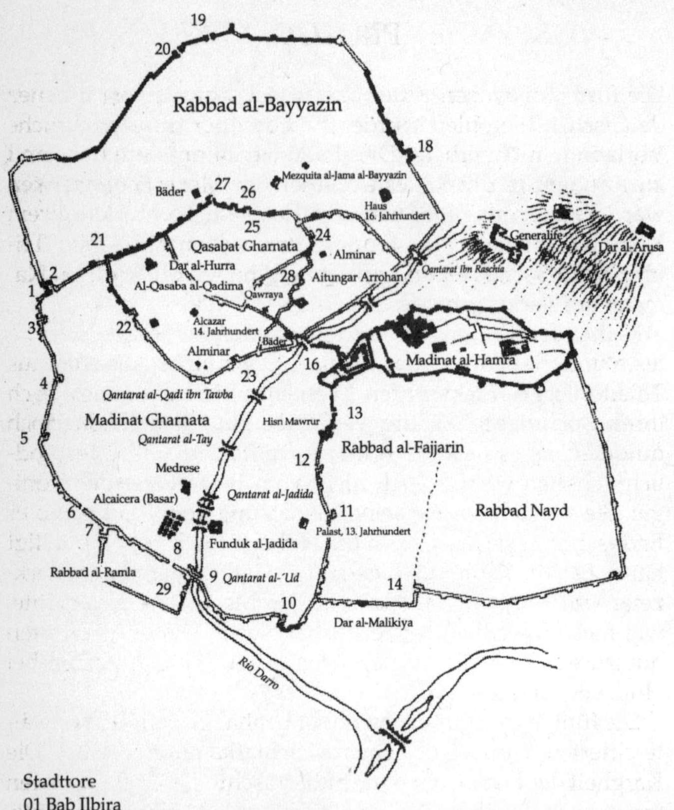

Stadttore
01 Bab Ilbira
02 Bab al-Hadid
03 Bab al-Kuhl
04 Bab Arba Ayun
05 Bab al-Riha
06 Bab al-Murdi
07 Bab al-Masda
08 Bab al-Ramla
09 Bab al-Darbagin
10 Bab al-Tawwabin
11 Bab al-Fajjarin
12 Bab Mawrur
13 Bab al-Jandaq
14 Bab al-Hayar
15 Bab Nayd
16 Bab al-Difaf
17 Bab al-Sumays
18 Bab Rabad al-Bayda
19 Bab Fayy al-Lawza
20 Bab al-Bayyazin
21 Bab al-Unaydar
22 Bab al-Asad
23 Bab al-Hassarin
24 Bab al-Bunud
25, 28, 29 Stadttore
deren Namen nicht
bekannt sind
26 Bab Qastar
27 Bab al-Ziyada

Die Stadt Granada
mit ihren arabischen Bauten

PROLOG

Die fünf christlichen Ritter, die zum Wohnsitz von Jimenez de Cisneros befohlen wurden, waren über diese nächtliche Vorladung nicht erbaut. Dies hatte wenig mit dem Umstand zu tun, daß es der kälteste Winter seit Menschengedenken war. Sie waren Veteranen der Reconquista. Unter ihrem Kommando waren die Truppen vor sieben Jahren im Triumph in Gharnata einmarschiert und hatten die Stadt im Namen Ferdinands und Isabellas besetzt.

Keiner der fünf Männer stammte aus dieser Region. Der älteste unter ihnen war der leibliche Sohn eines Mönches aus Toledo. Die übrigen waren Kastilen und sehnten sich nach ihren Dörfern zurück. Sie waren alle gute Katholiken, doch duldeten sie es nicht, daß ihre Loyalität für selbstverständlich gehalten wurde, auch nicht vom Beichtvater der Königin. Sie wußten, wie er seine Versetzung von Toledo, wo er Erzbischof gewesen war, in die eroberte Stadt bewerkstelligt hatte. Es war kaum ein Geheimnis, daß Cisneros ein Werkzeug von Königin Isabella war. Die Macht, die er ausübte, war nicht ausschließlich geistlicher Natur. Die Ritter wußten nur zu gut, wie ein Aufbegehren gegen seine Autorität bei Hofe verstanden würde.

Die fünf Männer, die, obwohl in Umhänge gehüllt, vor Kälte zitterten, wurden in Cisneros' Schlafkammer geführt. Die Kargheit der Lebensumstände überraschte sie. Blicke wurden gewechselt. Daß ein Kirchenfürst Räumlichkeiten bewohnte, die einem fanatischen Mönch besser angestanden hätten, war ohne Beispiel. Noch waren sie es nicht gewohnt, daß ein Prälat so lebte, wie er predigte. Jimenez blickte zu ihnen auf und lächelte. Die Stimme, die ihnen Anweisungen erteilte, hatte keinen befehlenden Klang. Die Ritter waren verblüfft. Der Mann aus Toledo flüsterte laut zu seinen Gefährten: »Isabella hat die Schlüssel des Taubenhauses einer Katze anvertraut.«

Cisneros zog es vor, diese anmaßende Bemerkung zu überhören. Er hob nur leicht die Stimme.

»Ich möchte ausdrücklich betonen, daß es uns nicht um persönliche Vergeltung zu tun ist. Ich spreche zu euch kraft der Gewalt von Kirche und Krone.«

Das entsprach nicht ganz der Wahrheit, doch Soldaten sind es nicht gewohnt, an denen zu zweifeln, welche die Gewalt ausüben. Sobald er sich überzeugt hatte, daß seine Anweisung verstanden worden war, entließ der Erzbischof die Männer. Er hatte deutlich machen wollen, daß die Mönchskutte über das Schwert gebot. Eine Woche später, am ersten Tag im Dezember des Jahres 1499, drangen christliche Soldaten unter dem Befehl von fünf Ritter-Komturen in die einhundertfünfundneunzig Bibliotheken der Stadt ein sowie in ein Dutzend Wohnhäuser, die einige der bekannteren Privatsammlungen beherbergten. Alles in Arabisch Geschriebene wurde konfisziert.

Tags zuvor hatten im Dienste der Kirche stehende Gelehrte Cisneros beschworen, dreihundert Manuskripte von seinem Verdikt auszunehmen. Er war einverstanden gewesen, vorausgesetzt, sie würden der neuen Bibliothek einverleibt, die er in Alcala zu gründen gedachte. Es waren größtenteils arabische Handbücher der Heilkunst und Astronomie. Sie enthielten die fortgeschrittensten Erkenntnisse in diesen und verwandten Wissenschaften seit den Tagen des Altertums. Hierunter befand sich ein Großteil des Schrifttums, das sich von der Halbinsel al-Andalus sowie von Sizilien aus im übrigen Europa ausgebreitet und den Weg für die Renaissance geebnet hatte.

Mehrere tausend Abschriften des Korans mitsamt gelehrten Kommentaren sowie theologischen und philosophischen Betrachtungen über seine Vorzüge und Nachteile, alle in der erlesensten Kalligraphie ausgeführt, wurden wahllos von den Männern in Uniform fortgeschleppt. Seltene Manuskripte, die für alle Bereiche des Geisteslebens in al-Andalus von größter Bedeutung waren, wurden in behelfsmäßige Bündel gestopft, die sich die Soldaten auf den Rücken luden.

Den ganzen Tag über errichteten die Soldaten einen Wall aus Hunderttausenden von Manuskripten. Das gesammelte Wissen der Halbinsel lag auf dem alten Seidenmarkt unterhalb des Bab al-Ramla.

Dies war die alte Stätte, wo maurische Ritter einst Reiterturniere austrugen, um die Blicke ihrer Damen auf sich zu ziehen, die Stätte, wo die Bevölkerung sich in großer Zahl versammelte und die Kinder rittlings auf den Schultern ihrer Väter, Oheime und älteren Brüder saßen, während sie ihre Favoriten anfeuerten. Dies war die Stätte, wo diejenigen, die in Ritterrüstung paradierten, mit Schmähungen begrüßt wurden, nur weil sie Geschöpfe des Sultans waren. Wenn ersichtlich wurde, daß ein tapferer Mann einen Höfling aus Ehrerbietung für den König gewinnen ließ oder, was ebenso wahrscheinlich war, weil man ihm einen Beutel voll Golddinare versprochen hatte, stimmten die Bürger von Gharnata ein lautes Hohngeschrei an. Diese Bürgerschaft war bekannt für ihre unabhängige Denkweise, ihren sarkastischen Witz und ihre Abneigung gegen die Obrigkeiten. Dies war die Stadt und dies die Stätte, die Cisneros für sein Feuerwerk in jener Nacht auserwählt hatte.

Die kostbar gebundenen und verzierten Bücher gaben Zeugnis von den Künsten der Araber auf der Halbinsel und stellten alles in den Schatten, was die Klöster der Christenheit in dieser Hinsicht zu bieten hatten. Die Schriften, die sie enthielten, hatten den Neid von Gelehrten in ganz Europa geweckt. Welche Pracht wurde da vor den Bewohnern der Stadt aufgehäuft.

Die Soldaten, die seit den frühen Morgenstunden den Bücherwall errichteten, hatten die Blicke der Gharnater gemieden. Einige Zuschauer waren bekümmert, andere zornig, mit blitzenden Augen, Ärger und Trotz in den Gesichtern. Wieder andere, die sich sachte hin und her wiegten, zeigten abwesende Mienen. Einer von ihnen, ein alter Mann, wiederholte unentwegt den einzigen Satz, den er im Angesicht des Unheils hervorbringen konnte:

»Wir werden in einem Meer aus Hilflosigkeit ertränkt.«

Einige Soldaten, vielleicht, weil man sie nie lesen oder schreiben gelehrt hatte, begriffen die Ungeheuerlichkeit des Verbrechens, das sie verüben halfen. Sie fühlten sich unbehaglich in ihrer Rolle. Als Bauernsöhne erinnerten sie sich der Geschichten, die sie von ihren Großeltern gehört hatten, deren Schilderungen maurischer Grausamkeit im Widerspruch standen zu den Darstellungen ihrer Kultur und Gelehrsamkeit.

Dieser Soldaten waren nicht viele, doch genug, um etwas zu bewirken. Während sie durch die schmalen Straßen gingen, ließen sie absichtlich ein paar Manuskripte vor den fest verschlossenen Türen fallen. Da sie es nicht besser wußten, meinten sie, die schwersten Folianten müßten auch die gewichtigsten sein. Die Annahme war falsch, doch die Absicht war redlich, und die Geste wurde gewürdigt. Kaum waren die Soldaten außer Sicht, als eine Türe aufging, eine verhüllte Gestalt heraussprang, die Bücher aufhob und wieder hinter dem Schutz der Schlösser und Riegel verschwand. Auf diese Weise überlebten dank des natürlichen Anstands einer Handvoll Soldaten mehrere hundert wichtiger Manuskripte. Sie wurden später auf dem Wasserweg nach Fes gebracht, wo sie in Privatbibliotheken unterkamen, und so blieben sie erhalten.

Auf dem Platz dunkelte es allmählich. Eine große Menge widerstrebender, zumeist männlicher Bürger war von den Soldaten zusammengeholt worden. Muselmanische Granden und Priester mit Turban mischten sich unter Ladenbesitzer, Händler und Bauern, Handwerker und Budeninhaber, Kuppler, Prostituierte und Schwachsinnige. Die ganze Menschheit war hier vertreten.

Am Fenster einer Herberge beobachtete der bevorzugte Wächter der Kirche von Rom mit zufriedener Miene die wachsende Bücherpyramide. Jimenez de Cisneros hatte immer geglaubt, daß die Heiden als Gesamtheit nur ausgerottet werden konnten, wenn ihre Kultur vollkommen ausgelöscht wurde. Das bedeutete die systematische Vernichtung ihrer sämtlichen Bücher. Mündliche Überlieferungen würden noch eine Weile überdauern, bis die Inquisition den Unbotmäßigen die Zungen ausriß. Hätte er es nicht getan, dann hätte jemand anders dieses unumgängliche Feuer anordnen müssen – jemand, der begriff, daß die Zukunft durch Härte und Disziplin gesichert werden mußte und nicht durch Liebe und Bildung, wie diese schwachsinnigen Dominikaner unaufhörlich verkündeten. Was hatten sie denn schon erreicht?

Jimenez frohlockte. Er war zum Werkzeug des Allmächtigen auserwählt. Wohl hätten andere diese Aufgabe durchführen können, niemand aber so methodisch wie er. Seine Lippen kräuselten sich zu einem höhnischen Lächeln. Was konnte man von einem Klerus erwarten, dessen Äbte noch vor wenigen hundert Jahren Mohammed, Umar, Uthman und so weiter hießen? Jimenez war stolz auf seine Reinheit. Die Verhöhnungen, die er in der Kindheit erduldet hatte, waren falsch. Er hatte keine jüdischen Vorfahren. Kein Mischlingsblut besudelte seine Adern.

Ein Soldat war unmittelbar vor dem Fenster des Prälaten postiert. Jimenez blickte ihn an und nickte, das Zeichen wurde an die Fackelträger weitergegeben und das Feuer entfacht. Eine halbe Stunde herrschte vollkommene Stille. Dann zerriß lautes Wehklagen die Dezembernacht, gefolgt von Rufen: »Es gibt keinen Gott außer Allah, und Mohammed ist sein Prophet.«

In einiger Entfernung von Cisneros sang eine Gruppe, aber er konnte ihre Worte nicht hören. Er hätte sie auch gar nicht verstanden, denn die Sprache der Verse war Arabisch. Das Feuer stieg höher und höher. Der Himmel selbst schien eine flammende Unendlichkeit geworden, ein Spektrum von stiebenden Funken, als die prachtvoll kolorierten Handschriften verbrannten. Es war, als ließen die Sterne ihren Kummer herabregnen.

Langsam, benommen, begannen die Leute sich zu entfernen. Ein Bettler aber zog sich nackt aus und kletterte auf den brennenden Scheiterhaufen. »Was für einen Sinn hat das Leben ohne unsere Lehrbücher?« rief er aus sengenden Lungen. »Sie müssen es büßen. Sie werden büßen für das, was sie uns heute angetan haben.«

Er verlor das Bewußtsein. Die Flammen hüllten ihn ein. Tränen wurden in Schweigen und Haß vergossen, doch Tränen konnten das an diesem Tag entfachte Feuer nicht löschen. Die Menschen gingen fort.

Auf dem Platz ist es stumm. Hier und da glimmt noch ein Feuerrest. Jimenez wandert durch die Asche, ein schiefes Lächeln im Gesicht, derweilen er seinen nächsten Schritt plant. Er denkt laut.

»Auf welche Rache auch immer sie in ihrem tiefen Gram sinnen mögen, es ist zwecklos. Wir haben gewonnen. Diese Nacht war unser wahrer Sieg.«

Mehr als jeder andere auf der Halbinsel, mehr sogar als die gefürchtete Isabella, weiß Jimenez um die Macht von Ideen. Er zertritt einen Stapel verbrannter Pergamente zu Asche. Über den letzten Funken einer Tragödie lauert der Schatten einer neuen.

1. KAPITEL

»Wenn das so weitergeht«, nuschelte Ama durch ihre Zahnlücken, »wird von uns nichts bleiben als eine flüchtige Erinnerung.«

Yasid, aus seiner Konzentration gerissen, blickte mit finsterem Gesicht vom Schachtuch auf. Er saß am anderen Ende des Innenhofs, wo er sich eifrig mühte, die Listen und Kniffe des Schachspiels zu meistern. Seine Schwestern Hind und Kulthum waren beide perfekte Strateginnen. Sie weilten mit den übrigen Familienangehörigen in Gharnata. Yasid wollte sie bei ihrer Rückkehr mit einem unüblichen Eröffnungszug überraschen.

Er hatte versucht, Ama für das Spiel zu begeistern, die alte Frau aber hatte über dieses Ansinnen nur gackernd gelacht und abgelehnt. Yasid konnte ihre Weigerung nicht verstehen. War Schach den Perlen, die sie unablässig befingerte, nicht bei weitem überlegen? Warum nur wollte ihr das nicht in den Kopf?

Zögernd räumte er die Schachfiguren fort. Wie außergewöhnlich sie sind, dachte er, indes er sie sorgsam in ihre Schatulle zurücklegte. Sein Vater hatte sie eigens für ihn in Auftrag gegeben. Juan der Tischler war angewiesen worden, sie rechtzeitig zu Yasids zehntem Geburtstag zu schnitzen. Er hatte ihn im vergangenen Monat des Jahres 905 A. H. begangen, welches die Christen nach ihrer Zeitrechnung als das Jahr 1500 bezeichneten.

Juans Familie hatte seit Jahrhunderten in Diensten der Banu gestanden. Im Jahre des Herrn 932 war das Oberhaupt der Hudayl-Sippe, Hamsa bin Hudayl, mit seiner Familie und seinen Gefolgsleuten an die westliche Grenze des Islams geflohen. Er hatte sich an den Hängen der Gebirgsausläufer gut zwanzig Meilen von Gharnata entfernt niedergelassen. Hier errichtete er das Dorf, das als al-Hudayl bekannt wurde. Es erhob sich auf einer Anhöhe und war schon von weitem zu sehen. Es war von Gebirgsbächen umgeben, die sich im

Frühjahr, zur Zeit der Schneeschmelze, in reißende Fluten verwandelten. Hamsas Kinder bestellten das umliegende Land und pflanzten Orchideen. Nachdem Hamsa fast fünfzig Jahre tot war, errichteten sich seine Nachfahren einen Palast. Ringsum lagen Ackerland, Weinberge und Obstgärten mit Orangen-, Granatapfel- und Maulbeerbäumen,welche wie Kinder anmuteten, die sich um ihre Mutter scharen.

Nahezu sämtliche Möbel, ausgenommen natürlich die von Ibn Farid in den Kriegen erbeuteten Stücke, waren von Juans Vorfahren sorgfältig gefertigt worden. Wie jedermann im Dorf wußte auch der Tischler um die besondere Rolle, die Yasid zu Hause spielte: Der Knabe war der Liebling der ganzen Familie. Und so beschloß Juan, Schachfiguren zu schaffen, die alles überdauern würden. Am Ende hatte er sich selbst übertroffen.

Die Mauren bekamen die Farbe Weiß. Ihre Königin war eine edle Schönheit mit einer Mantilla, ihr Gemahl ein rotbärtiger Monarch mit blauen Augen, dessen Gestalt ein fließendes, mit seltenen Edelsteinen geschmücktes arabisches Gewand umhüllte. Die Türme waren Nachbildungen der Befestigungsanlagen, welche den Eingang zu der palastartigen Residenz der Banu Hudayl beherrschten. Die Springer verkörperten Yasids Urgroßvater, den Krieger Ibn Farid, dessen legendäre Liebes- und Kriegsabenteuer dieser eigenwilligen Familie ihr kulturelles Gepräge verliehen hatten. Die weißen Läufer waren nach dem beturbanten Imam der Dorfmoschee modelliert. Die Bauern wiesen eine frappierende Ähnlichkeit mit Yasid auf.

Die Christen waren nicht bloß schwarz: Sie glichen Ungeheuern. Die Augen der schwarzen Königin glitzerten böse, ein krasser Gegensatz zu der winzigen Madonna, die sie um den Hals trug. Ihre Lippen waren blutrot gefärbt. An einem Finger trug sie einen Ring mit einem aufgemalten Totenschädel. Der König hatte eine bewegliche Krone auf dem Kopf, die sich leicht anheben ließ, und als sei es mit dieser Symbolik nicht genug, hatte der kunstsinnige Tischler den Monarchen mit einem winzigen Paar Hörner versehen. Um diese einzigartigen Verkörperungen von Ferdinand und Isabella gruppierten sich ebenso groteske Figuren. Die Springer erhoben blutbefleckte Hände. Die beiden Läufer waren in Satansgestalt modelliert, sie umklammerten Dolche und hatten peitschengleiche, abstehende Schwänze. Juan hatte Jimenez de Cisneros nie zu Gesicht bekommen, ansonsten dürfte kaum ein Zweifel bestehen, daß des Erzbischofs glühende Augen und Hakennase sich vorzüglich für eine Karikatur geeignet hätten. Die Bauern waren samt und sonders als Mönche gestaltet mit Kapuzen, hungrigen Blicken und Bierbäuchen: beutelüsterne Geschöpfe der Inquisition.

Alle, die die fertige Arbeit sahen, waren sich einig, daß Juan ein Meisterwerk geschaffen hatte. Yasids Vater Umar war beunruhigt. Er wußte, sollte je ein Spion der Inquisition die Schachfiguren zu Gesicht bekommen, würde der Tischler zu Tode gefoltert. Doch Juan war unnachgiebig: Das Kind mußte das Geschenk erhalten. Des Tischlers Vater war vor sechs Jahren während eines Verwandtenbesuches in Tulaytula von der Inquisition der Abtrünnigkeit bezichtigt worden. Er war später im Gefängnis den schweren Verletzungen erlegen, die er infolge seines Stolzes während der Folterung durch die Mönche erlitten hatte. Zum Schluß hatte man ihm an beiden Händen Finger abgehackt. Der Lebenswille des alten Tischlers war gebrochen. Der junge Juan sann auf Rache. Seine Schachfiguren waren erst der Anfang.

Am Fuße jeder Figur war Yasids Name eingeritzt, und Yasid hing an seinen Schachfiguren, als seien es lebendige Wesen. Seine Lieblingsfigur aber war Isabella, die schwarze Königin. Sie erschreckte und faszinierte ihn zugleich. Mit der Zeit wurde sie ihm eine Art Beichtvater, jemand, dem er alle seine Sorgen anvertraute, jedoch nur, wenn er sicher sein konnte, daß sie allein waren.

Nachdem er die Schachfiguren weggeräumt hatte, blickte er wieder zu der alten Frau hinüber und seufzte.

Warum sprach Ama in letzter Zeit immer soviel mit sich selbst? Wurde sie wirklich verrückt? Hind behauptete es, doch er war sich nicht sicher. Yasids Schwester sprach oft etwas im Zorn, aber wenn Ama wirklich verrückt wäre, hätte sein Vater ihr im *maristan* in Gharnata einen Platz gleich bei Großtante Sahra besorgt. Hind war nur wütend, weil Ama immer wieder davon anfing, es sei endlich an der Zeit, daß ihre Eltern einen Ehemann für sie fänden.

Yasid durchquerte den Innenhof und setzte sich auf Amas Schoß. Das ohnehin schon von Falten durchzogene Gesicht der alten Frau wurde noch runzliger, als sie ihren Schutzbefohlenen anlächelte. Ohne jedes Zeremoniell ließ sie von ihren Perlen ab, streichelte das Antlitz des Knaben und küßte ihn sacht auf den Kopf.

»Möge Allah dich segnen. Bist du hungrig?«

»Nein. Ama, mit wem hast du vorhin gesprochen?«

»Wer hört heutzutage schon auf eine alte Frau, Ibn Umar? Ich könnte ebensogut tot sein.«

Ama hatte Yasid nie bei seinem richtigen Namen genannt. Niemals. War Yasid etwa nicht der Name des Kalifen, welcher bei Kerbala die Enkelsöhne des Propheten besiegt und getötet hatte? Jener Yasid hatte seine Soldaten angewiesen, ihre Pferde in der Moschee von Medina einzustallen, wo der Prophet selbst Gebete dargebracht hatte. Jener Yasid hatte die Gefährten des Propheten mit Verachtung behandelt. Seinen Namen auszusprechen hieß das Andenken der Familie des Propheten beschmutzen. All dies konnte Ama dem Knaben nicht erzählen, doch war es Grund genug für sie, ihn stets als Ibn Umar zu bezeichnen, den Sohn seines Vaters. Einmal hatte Yasid sie vor der ganzen Familie hiernach gefragt, und Ama hatte einen zornigen Blick auf Subayda, die Mutter, geworfen, als wollte sie sagen: Es ist alles ihre Schuld, warum fragst du nicht sie? Doch alle hatten gelacht, und Ama war wütend hinausgegangen.

»Ich habe dir zugehört. Ich hörte dich sprechen. Ich kann dir sagen, was du gesprochen hast. Soll ich deine Worte wiederholen?«

»O mein Sohn«, seufzte Ama. »Ich sprach zu den Schatten der Granatapfelbäume. Sie wenigstens werden noch da sein, wenn wir alle gegangen sind.«

»Wohin gegangen, Ama?«

»Nun, in den Himmel, mein Kind.«

»Gehen wir alle in den Himmel?«

»Möge Allah dich segnen. Du wirst in den siebenten Himmel eingehen, mein armes Mondscheibchen. Bei den anderen bin ich mir nicht so sicher. Und was deine Schwester betrifft, Hind bint Umar, wenn man sie nicht bald vermählt, so wird sie nicht einmal in den ersten Himmel eingehen. Nein, sie nicht. Ich fürchte, ein Unheil wird über das Kind hereinbrechen. Ich fürchte, sie wird wilden Leidenschaften erliegen, und Schande wird über das Haupt eures Vaters kommen, möge Gott ihn beschützen.«

Bei dem Gedanken, daß Hind nicht einmal in den ersten Himmel kommen würde, war Yasid in Kichern ausgebrochen, und sein Gelächter wirkte so ansteckend, daß auch Ama zu gackern begann, wobei sie alle ihre acht verbliebenen Zähne entblößte.

Von all seinen Geschwistern hatte Yasid Hind am liebsten. Die anderen behandelten ihn immer noch wie einen Säugling, sie schienen sich andauernd zu wundern, daß er selbständig denken und sprechen konnte, sie hoben ihn hoch und küßten ihn wie ein Schoßhündchen. Er wußte, daß er ihr Liebling war, aber er haßte es, wenn sie ihm nie auf seine Fragen antworteten. Deshalb sah er sie alle mit Verachtung an.

Das heißt: alle bis auf Hind. Obwohl sechs Jahre älter als Yasid, behandelte sie ihn doch wie ihresgleichen. Sie stritten und rauften sich häufig, doch liebten sie sich innig. Diese Liebe zu seiner Schwester war so tief verwurzelt, daß Amas rätselhafte Vorahnungen ihn nicht im mindesten bekümmerten, noch seine Gefühle für Hind beeinträchtigten.

Hind hatte ihm auch den wahren Grund für Großonkel Miguels Besuch genannt, welcher seine Eltern letzte Woche so aufgeregt hatte. Auch er war aufgeregt gewesen, als er hörte, Miguel wünsche, sie würden alle nach Qurtuba kommen, wo er Bischof war, auf daß er sie persönlich zum Katholizismus bekehren könne. Und vor drei Tagen hatte Miguel sie alle miteinander, einschließlich Hind, nach Gharnata geholt. Yasid wandte sich wieder an die alte Frau.

»Warum spricht Großonkel Miguel nicht arabisch mit uns?«

Ama war über die Frage bestürzt. Alte Gewohnheiten sterben nicht, und so spuckte sie bei der Erwähnung des Namens Miguel unwillkürlich aus und begann leicht erschrocken ihre Perlen zu befingern, indes sie die ganze Zeit murmelte: »Es gibt keinen Gott außer Allah, und Mohammed ist sein Prophet ...«

»Antworte mir, Ama. Antworte mir.«

Ama betrachtete das leuchtende Antlitz des Knaben. Seine mandelfarbenen Augen blitzten vor Zorn. Er erinnerte sie an seinen Urgroßvater. Durch diese Erinnerung besänftigt, antwortete sie auf seine Frage.

»Dein Großonkel Miguel spricht, liest und schreibt arabisch, aber ... aber ...« Amas Stimme erstickte im Zorn. »Er hat sich von uns abgewendet. Von allem. Hast du bemerkt, daß er diesmal stank, genau wie sie?«

Yasid fing wieder an zu lachen. Er wußte, daß Großonkel Miguel nicht beliebt war in der Familie, nur hatte sich niemand jemals so respektlos über ihn geäußert. Ama hatte ganz recht. Sogar sein Vater hatte in das Gelächter eingestimmt, als Umma Subayda erklärte, die unangenehmen Gerüche, die von dem Bischof ausgingen, erinnerten an ein Kamel, das zu viele Datteln gefressen hat.

»Hat er immer gestunken?«

»Beileibe nicht!« Ama erregte sich über die Frage. »Früher, ehe er seine Seele verkaufte und Bilder von blutenden Männern an Holzkreuzen anzubeten begann, war er der reinlichste Mensch auf Erden. Fünf Bäder täglich im Sommer. Fünfmal frische Kleider. Ich erinnere mich gut an jene Zeiten. Jetzt riecht er wie ein Pferdestall. Weißt du warum?«

Yasid verneinte.

»Damit niemand ihn beschuldigen kann, unter seiner Soutane ein Muselman zu sein. Stinkende Katholiken! Die Christen im Heiligen Land waren reinlich, diese katholischen Priester aber fürchten das Wasser. Sie denken, ein Bad nehmen ist ein Verrat an dem Heiligen, den sie den Sohn Gottes nennen.

Jetzt steh auf und komm. Es ist Zeit zum Essen. Die Sonne sinkt schon, und wir können nicht warten, bis sie aus Gharnata zurückgekehrt sind. Da fällt mir ein: Hast du heute schon deinen Honig genommen?«

Yasid nickte unwillig. Von Geburt an waren er und seine Geschwister von Ama angehalten worden, jeden Morgen einen Löffel voll wilden, reinigenden Honigs zu schlucken.

»Wie können wir essen, bevor du das Abendgebet gesprochen hast?«

Sie sah ihn stirnrunzelnd an, um ihre Mißbilligung zu bekunden. Unvorstellbar, daß sie jemals ihr heiliges Ritual vergessen könnte! Gotteslästerung! Yasid grinste, und sie mußte ihn unwillkürlich anlächeln, als sie sich langsam erhob und zur Badestube begab, um ihre Waschungen vorzunehmen.

Yasid blieb unter dem Granatapfelbaum sitzen. Er liebte diese Tageszeit, wenn die Vögel sich geräuschvoll für die Nacht zurückzuziehen begannen. Die Kuckucke verkündigten emsig ihre letzten Botschaften. In einer Nische an der Außenmauer der Befestigungsanlage, die einen Ausblick auf den Vorhof und die Welt dahinter bot, gurrten die Tauben.

Plötzlich wechselte das Licht, und es wurde ganz still. Der tiefblaue Himmel hatte sich purpur-orange gefärbt und verzauberte die noch schneebedeckten Berggipfel. Yasid strengte seine Augen an, bemüht, den ersten Stern zu erblicken, aber noch war keiner zu sehen. Sollte er zum Turm eilen und durch das Vergrößerungsglas schauen? Und wenn der erste Stern erschien, während er noch die Treppe hinaufstieg? Yasid zog es vor, die Augen zu schließen. Es sah aus, als hätte der berauschende Duft von Jasmin seine Sinne überflutet wie Haschisch und ihn betäubt, doch in Wirklichkeit zählte er bis fünfhundert. Auf diese Weise pflegte er sich die Zeit zu vertreiben, bis der Polarstern erschien.

Des Muezzins Ruf zum Gebet unterbrach den Knaben. Ama kam mit ihrem Gebetsteppich herausgehumpelt, legte ihn in Richtung des Sonnenaufgangs aus und begann, ihre Gebete zu sprechen. Just als sie sich in Richtung der Ka'aba in Mekka niedergeworfen hatte, sah Yasid, daß Hutai'a, der Koch, auf dem gepflasterten Weg, der vom Innenhof zur Küche führte, heftig zu ihm hinüber gestikulierte.

»Was gibt es, Zwerg?«

Der Koch legte den Finger an die Lippen und gebot Schweigen. Der Knabe gehorchte. Einen Augenblick lang verharrten der zwergenhafte Koch und der Knabe wie erstarrt. Dann sagte der Koch: »Horch. Horch nur. Da. Kannst du es hören?«

Yasids Augen leuchteten auf. In der Ferne war das unmißverständliche Getrappel von Pferdehufen zu vernehmen, gefolgt vom Quietschen eines Wagens. Der Knabe lief aus dem

Haus, den lauter werdenden Geräuschen entgegen. Der Himmel war unterdessen mit Sternen bedeckt, und Yasid sah, wie die Gefolgsleute und das Gesinde ihre Fackeln anzündeten, um die Familie zu empfangen. Von ferne hallte eine Stimme.

»Umar bin Abdallah ist zurück ...«

Weitere Fackeln wurden entzündet, und Yasids Aufregung steigerte sich noch. Dann erblickte er drei Mann zu Pferde und rief:

»Abu! Abu! Suhayr! Beeilt euch. Ich bin hungrig.«

Da waren sie. Yasid mußte sich einen Irrtum eingestehen: Einer der drei Reiter war seine Schwester Hind. Suhayr saß, in eine Decke eingehüllt, bei seiner Mutter und der ältesten Schwester, Kulthum, im Wagen.

Umar bin Abdallah hob den Knaben hoch und umarmte ihn. »Ist mein Prinz brav gewesen?«

Yasid nickte, indes seine Mutter ihm das Gesicht mit Küssen bedeckte. Ehe die anderen sich an diesem Spiel beteiligen konnten, packte Hind ihn am Arm, und die zwei liefen ins Haus.

»Warum hast du Suhayrs Pferd geritten?«

Hinds Miene wurde starr, und sie zauderte einen Moment. Sie überlegte, ob sie ihm die Wahrheit sagen sollte, entschied sich aber dagegen, um Yasid nicht zu ängstigen. Besser als alle anderen in der Familie kannte sie die Phantasiewelt, in welche sich ihr jüngerer Bruder oft einspann.

»Hind! Was fehlt Suhayr?«

»Er hat Fieber bekommen.«

»Hoffentlich ist es nicht die Pest.«

Hind lachte laut auf. »Du hast wieder einmal zu sehr auf Amas Geschichten gehört, nicht wahr? Du Narr! Wenn sie von der Pest spricht, meint sie das Christentum. Und das ist nicht die Ursache von Suhayrs Fieber. Es ist nichts Ernstes. Er ist anfällig für den Wechsel der Jahreszeiten. Es ist ein Frühjahrsfieber. Komm, bade mit uns. Heute sind wir als erste an der Reihe.«

Yasid setzte eine empörte Miene auf.

»Ich habe schon gebadet. Außerdem sagt Ama, ich bin langsam zu alt, um mit den Frauen zu baden. Sie sagt ...«

»Ich denke, Ama wird zu alt. Was für dummes Zeug sie doch schwätzt.«

»Sie sagt auch viele kluge Sachen, und sie weiß viel mehr als du, Hind.« Yasid hielt inne, um zu sehen, ob dieser Tadel einen Eindruck auf seine Schwester gemacht habe, doch sie schien ungerührt. Dann bemerkte er das Lächeln in ihren Augen, während sie ihm ihre linke Hand bot und rasch durch das Haus schritt. Yasid übersah ihre ausgestreckte Hand, ging aber an ihrer Seite, als sie den Hof durchquerte. Er trat mit ihr in das Badehaus.

»Ich komme mit, dann können wir uns unterhalten.«

Die Stube war voll von Dienerinnen, welche Yasids Mutter und Kulthum entkleideten. Yasid fragte sich, warum seine Mutter etwas beunruhigt schien. Vielleicht hatte die Reise sie ermüdet. Vielleicht war es Suhayrs Fieber. Er hörte zu denken auf, als Hind sich entkleidete. Ihre Leibdienerin eilte herbei, um die abgeworfenen Kleidungsstücke vom Fußboden aufzulesen. Die drei Frauen wurden mit den weichsten Schwämmen eingeseift und abgerieben, dann wurden Behälter mit sauberem Wasser über ihnen ausgegossen. Danach traten sie in das große Bad, das die Größe eines kleinen Teiches hatte. Der Bach, der durch das Haus floß, wurde durch Rohre geleitet, um die Bäder gleichmäßig mit frischem Wasser zu versorgen.

»Hast du es Yasid gesagt?« fragte die Mutter.

Hind schüttelte den Kopf.

»Was gesagt?«

Kulthum kicherte.

»Großonkel Miguel wünscht, daß Hind seinen Sohn Juan heiratet!«

Yasid lachte. »Aber der ist so dick und häßlich.«

Hind kreischte vor Vergnügen. »Siehst du, Mutter! Das findet sogar Yasid. Juan hat einen Kürbis anstelle eines Hirns. Mutter, wie kann er bloß so dumm sein? Großonkel Miguel ist vielleicht widerlich, aber gewiß kein Narr. Wie konnte er nur diese Kreuzung zwischen einem Schwein und einem Schaf hervorbringen?«

»In diesen Dingen gibt es keine Gesetze, Kind.«

»Da bin ich nicht so sicher«, wandte Kulthum ein. »Es könnte eine Strafe Gottes sein, weil er Christ geworden ist!«

Hind prustete und drückte ihrer älteren Schwester den Kopf unter Wasser. Kulthum tauchte gutgelaunt auf. Sie hatte sich erst vor zwei Monaten verlobt, und man war übereingekommen, die Hochzeitsfeier und den Fortgang vom Elternhaus im ersten Monat des nächsten Jahres zu begehen. Sie konnte warten. Sie kannte Ibn Harith, ihren Verlobten, seit sie Kinder gewesen waren. Er war der Sohn des Vetters ihrer Mutter. Er liebte sie, seit sie sechzehn Jahre alt war. Sie wünschte, sie wären in Gharnata statt in Ischbiliya, doch das ließ sich nicht ändern. Sobald sie vermählt waren, wollte sie versuchen, ihn zu bewegen, näher zu ihrer Familie zu ziehen.

»Stinkt Juan auch so arg wie Großonkel Miguel?«

Yasids Frage blieb unbeantwortet. Seine Mutter klatschte in die Hände, und die Dienerinnen, die draußen gewartet hatten, traten mit Handtüchern und wohlriechenden Ölen ein. Nachdenklich sah Yasid zu, wie die drei Frauen abgetrocknet und gesalbt wurden. Draußen war Umars ungeduldig murmelnde Stimme zu vernehmen, und die Frauen verließen die Stube und gingen nach nebenan, wo ihre Kleider für sie bereitlagen. Yasid wollte ihnen folgen, seine Mutter aber schickte ihn mit Anweisungen für den Zwerg, das Essen anzurichten und in genau einer halben Stunde aufzutragen, in die Küche. Als er sich auf den Weg machte, flüsterte ihm Hind ins Ohr: »Juan stinkt sogar noch schlimmer als Miguel, dieser Stockfisch!«

»Da siehst du, Ama hat nicht immer unrecht!« rief der Knabe triumphierend und hüpfte aus der Stube.

In der Küche hatte der Zwerg einen Festschmaus zubereitet: Schließlich galt es, die unversehrte Heimkehr der Familie aus Gharnarta gebührend zu feiern. Der ganze Raum war erfüllt von den widersprüchlichsten Gerüchen, so daß nicht einmal Yasid, der ein großer Freund des Kochs war, auszumachen wußte, was das verwachsene Genie sich diesmal alles hatte einfallen lassen. In der Küche drängten sich Gesinde und Gefolgsleute, von denen einige mit Umar aus der großen Stadt zurückgekehrt waren. Sie redeten so aufgeregt, daß keiner von ihnen Yasid eintreten sah, ausgenommen der Zwerg, der ungefähr gleich groß war. Er eilte dem Knaben entgegen.

»Kannst du erraten, was ich gekocht habe?«

»Nein, aber warum sind alle so aufgeregt?«

»Soll das heißen, du weißt es nicht?«

»Was? Sag es mir augenblicklich, Zwerg. Ich bestehe darauf.«

Yasid hatte unversehens die Stimme gehoben und war auch von den übrigen bemerkt worden, woraufhin das Stimmengewirr verstummte, so daß nur das Brutzeln der Fleischbällchen in der großen Pfanne zu hören war. Der Zwerg sah den Knaben mit einem traurigen Lächeln an.

»Dein Bruder, Suhayr bin Umar ...«

»Er hat doch nur leichtes Fieber. Oder ist es etwas anderes? Warum hat Hind es mir nicht gesagt? Was ist es, Zwerg? Du mußt es mir sagen.«

»Junger Herr. Ich kenne nicht alle Umstände, aber dein Bruder hat kein leichtes Fieber. Er wurde in der Stadt nach einer Auseinandersetzung mit einem Christen niedergestochen. Er ist außer Gefahr, es ist nur eine Fleischwunde, doch wird es einige Wochen dauern, bis er wieder gesund ist.«

Yasid vergaß seinen Auftrag und rannte aus der Küche über den Hof. Er wollte gerade in das Zimmer seines Bruders eintreten, als er von seinem Vater hochgehoben wurde.

»Suhayr schläft fest. Morgen kannst du mit ihm sprechen, soviel du magst.«

»Wer hat ihn niedergestochen, Abu? Wer? Wer hat es getan?« Yasid war bestürzt. Er stand Suhayr sehr nahe und hatte nun Gewissensbisse, weil er seinen Bruder vernachlässigt und die ganze Zeit mit Hind und den Frauen zugebracht hatte. Sein Vater suchte ihn zu beschwichtigen. »Es war ein nichtiger Vorfall. Beinahe ein Unfall. Ein Narr hat mich beleidigt, als ich gerade in das Haus deines Oheims eintreten wollte ...«

»Womit?«

»Nichts von Bedeutung. Eine Lästerung, daß man uns bald zwingen werde, Schweinefleisch zu essen. Ich habe den Kerl nicht beachtet, aber Suhayr, impulsiv wie immer, schlug ihm ins Gesicht, worauf jener den Dolch zog, den er unter seinem Umhang verborgen hatte, und deinen Bruder unmittelbar unter die Schulter stach ...«

»Und? Hast du den Schurken bestraft?«

»Nein, mein Sohn. Wir trugen deinen Bruder ins Haus und pflegten ihn.«

»Wo waren unsere Diener?«

»Bei uns, doch hatten sie strikte Anweisung von mir, keine Vergeltung zu üben.«

»Aber warum, Vater? Warum? Vielleicht hat Ama ja doch recht. Nichts wird von uns übrigbleiben als flüchtige Erinnerungen.«

»Wya Allah! Hat sie das wirklich gesagt?«

Yasid nickte unter Tränen. Umar fühlte, wie das Antlitz seines Sohnes sich benetzte, und er drückte ihn an sich. »Yasid bin Umar. Eine leichte Entscheidung gibt es nicht mehr für uns. Solche Schwierigkeiten hat es nicht gegeben, seit Tariq und Musa einst diese Länder besetzten. Und wie lange ist das her, weißt du das?«

Yasid nickte. »Es war in unserem ersten und ihrem achten Jahrhundert.«

»Genau, mein Kind, ganz genau. Es wird spät. Laß uns die Hände waschen und essen. Deine Mutter wartet.«

Ama, die am Rande des Hofes vor der Küche das ganze Gespräch schweigend mitangehört hatte, segnete Vater und Sohn im stillen, als sie ins Haus gingen. Dann wiegte sie sich hin und her, wobei sie ein seltsames Rasseln aus der Kehle ließ und eine Verwünschung ausspie.

»Ya Allah! Bewahre uns vor diesen verrückt gewordenen Hunden und Schweineessern. Beschütze uns vor diesen Feinden der Wahrheit, die so vom abtrünnigen Glauben geblendet sind, daß sie ihren Gott an ein Stück Holz nageln, ihn Vater, Mutter und Sohn nennen und ihre Anhänger in einem Meer aus Falschheit ertränken. Sie haben uns mit Gewalt unterdrückt, erniedrigt und vernichtet. Sei zehntausendmal gepriesen, o Allah, denn ich weiß, du wirst uns von der Herrschaft dieser Hunde befreien, welche in vielen Städten täglich ausrücken, um uns aus unseren Häusern zu zerren ...«

Sie hätte diese Litanei wohl endlos fortgesetzt, wäre sie nicht von einer jungen Dienerin unterbrochen worden.

»Dein Essen wird kalt, Ama.«

Die alte Frau erhob sich langsam und folgte mit leicht gebeugtem Rücken der Magd in die Küche. Amas Stellung unter der Dienerschaft war eindeutig. Als Amme des Herrn, die von seiner Geburt an bei der Familie gewesen, war ihr Ansehen beim Gesinde unbestritten, nur löste das nicht alle Probleme des Protokolls. Abgesehen von dem ehrwürdigen Zwerg, der sich rühmte, der tüchtigste Küchenchef in al-Andalus zu sein, und der genau wußte, wie weit er gehen konnte, wenn er sich in Amas Gegenwart über die Familie ausließ, mieden die übrigen in ihrer Anwesenheit heikle Themen. Nicht, daß Ama eine Familienspionin gewesen wäre. Manchmal löste sie die Zunge, und die Dienerschaft staunte über ihre Verwegenheit, doch trotz solcher Vorkommnisse bereitete ihre Vertrautheit mit dem Herrn und den Söhnen dem übrigen Haushalt Unbehagen.

Tatsächlich stand Ama Yasids Mutter und ihren Erziehungsmethoden äußerst skeptisch gegenüber. Wann immer sie ihren Gedanken zu diesem Thema freien Lauf ließ, endete Ama in dem Gebet, der Herr möge sich eine neue Gemahlin nehmen. In ihren Augen war die Herrin des Hauses allzu nachsichtig mit ihrer Tochter, allzu großzügig zu den Bauern, die auf dem Gut arbeiteten, allzu duldsam mit den Bediensteten und ihren Lastern und gleichgültig in der Ausübung ihres Glaubens.

Gelegentlich ging Ama soweit, Umar bin Abdallah eine gemäßigte Version dieser Gedanken vorzutragen. Dabei unterstrich sie, daß es eben die Schwäche dieser Ordnung sei, welche den Islam in den traurigen Zustand gebracht habe, in welchem er sich gegenwärtig in al-Andalus befand. Umar lachte nur und wiederholte später seiner Gemahlin jedes Wort. Auch Subayda fand die Vorstellung belustigend, daß die Schwächen des al-Andalusischen Islams in ihrer Person verkörpert sein sollten.

Das Gelächter, das heute abend aus dem Speisezimmer drang, hatte nichts mit Ama oder ihrer Verschrobenheit zu tun. Die Scherze waren ein untrügliches Zeichen dafür, daß des Zwerges abendliche Speisenfolge den Beifall seiner Herrschaft gefunden hatte. An gewöhnlichen Tagen speiste die Familie bescheiden. Es gab meistens nicht mehr als vier verschiedene Gerichte und einen Teller mit Naschwerk, gefolgt von frischem Obst. Heute abend aber hatte man einen scharf gewürzten und duftenden Lammbraten aufgetragen, Kaninchen, mit roten Pfefferschoten und ganzen Knoblauchzehen in gegorenem Traubensaft gegart, Fleischbällchen, gefüllt mit braunen Trüffeln, die buchstäblich im Munde zergingen, eine festere Sorte Fleischbällchen, in Korianderöl gebraten und mit dreieckigen Stücken einer scharfen Paste serviert, die in demselben Öl gebraten war, ein großes Gefäß voll Knochen, die in einer mit Safran gefärbten Soße schwammen, eine große Schüssel gerösteten Reis, winzige gefüllte Blätterteigpastetchen und drei verschiedene Salate, Spargel, eine Mischung aus feingeschnittenen Zwiebeln, Gurken, mit Kräutern und dem Saft frischer Zitronen besprenkelt, Kichererbsen, in Joghurt getränkt und mit Pfeffer bestreut.

Das Gelächter hatte Yasid ausgelöst, als er versuchte, das Mark aus einem Knochen zu saugen, und es versehentlich seinem Vater in den Bart blies. Hind klatschte in die Hände, und zwei Dienerinnen traten ein. Die Mutter bat sie, den Tisch abzuräumen und die reichliche Menge übriggebliebener Speisen unter sich zu verteilen.

»Und sagt dem Zwerg, wir werden heute abend nicht von seinem Naschwerk oder den Käseplätzchen kosten. Tragt nur das Zuckerrohr auf. Ist es auch in Rosenwasser getunkt? Sputet euch. Sonst wird es zu spät.«

Es war bereits zu spät, jedenfalls für den kleinen Yasid, der, an das Bodenpolster gelehnt, eingeschlafen war. Ama, die dies geahnt hatte, kam herein, legte den Finger an die Lippen, um darauf hinzuweisen, daß Schweigen geboten sei, und bedeutete den übrigen durch Zeichen, daß Yasid fest schlief. Leider war sie inzwischen zu alt, um ihn noch hochzuheben. Der Gedanke stimmte sie traurig. Umar spürte instinktiv, was seine alte Amme bewegte. Er dachte an seine eigene Kindheit zurück: Ama hatte kaum zugelassen, daß seine Füße den Boden berührten, und seine Mutter war besorgt gewesen, er würde womöglich nie laufen lernen. Umar erhob sich, nahm seinen Sohn sacht hoch und trug ihn in seine Schlafkammer, gefolgt von Ama, die ein triumphierendes Lächeln aufgesetzt hatte. Sie kleidete den Knaben aus, brachte ihn zu Bett und vergewisserte sich, daß er fest zugedeckt war.

Umar war in nachdenklicher Stimmung, als er sich zu Frau und Töchtern gesellte, um ein paar Scheiben Zuckerrohr zu sich zu nehmen. Die Erinnerung, wie Ama ihn vor so vielen Jahren aufgehoben und zu Bett gebracht hatte, bewog ihn auf seltsame Weise, wieder einmal nachzusinnen über das endzeitliche Gepräge des Jahres, das eben erst begonnen hatte. Endzeitlich nämlich für die Banu Hudayl und ihre Lebensweise. Endzeitlich wahrhaftig für den Islam in al-Andalus.

Subayda, die seine Stimmung spürte, bemühte sich, seine Gedanken zu erraten.

»Mein Gebieter, beantworte mir eine Frage.«

Von der Stimme abgelenkt, sah er sie an und lächelte abwesend.

»Was ist in Zeiten wie diesen die wichtigste Überlegung? Hier zu überleben, so gut wir es vermögen, oder die letzten fünfhundert Jahre unseres Daseins zu überdenken und danach unsere Zukunft zu planen?«

»Die genaue Antwort weiß ich noch nicht.«

»Aber ich«, warf Hind ein.

»Dessen bin ich sicher«, erwiderte ihr Vater, »aber die Stunde ist fortgeschritten. Wir können unsere Diskussion ein andermal fortsetzen.«

»Die Zeit ist gegen uns, Vater.«

»Auch dessen bin ich sicher, mein Kind.«

»Friede sei mit dir, Vater.«

»Seid gesegnet, meine Töchter. Schlaft wohl.«

»Bleibst du noch lange auf?« fragte Subayda.

»Nur ein paar Minuten. Ich muß ein wenig frische Luft schöpfen.«

Nachdem sie gegangen waren, blieb Umar noch wenige Minuten sitzen und starrte, in seine Betrachtungen vertieft, auf die leere Tafel. Dann erhob er sich, legte sich eine Decke um die Schultern und trat in den Innenhof hinaus. Die frische Luft ließ ihn leicht frösteln, obgleich es nicht kühl war, und er raffte die Decke enger um sich, indes er auf und ab wanderte.

Drinnen wurden die Fackeln gelöscht, und er mußte seine Schritte bei Sternenlicht bemessen. Das einzige Geräusch kam von dem Bach, der in einer Ecke in den Hof hineinfloß, den Brunnen in der Mitte speiste, um dann am anderen Ende des Hofes wieder hinauszufließen. In glücklicheren Tagen hätte Umar die schwerduftenden Blüten von den Jasminsträuchern gepflückt, sie vorsichtig in ein Musselintüchlein gebettet, sie mit Wasser besprengt, um sie frisch zu halten, und neben Subaydas Kissen gelegt. Am nächsten Morgen wären sie noch frisch und duftend gewesen. Heute abend waren ihm solche Gedanken fern.

Umar bin Abdallah dachte nach, und die immer wiederkehrenden Bilder waren so mächtig, daß sie ihn vorübergehend am ganzen Leibe erzittern ließen. Er sah im Geiste die Flammenwand vor sich. Erinnerungen an jene kalte Nacht kamen zurückgeströmt. Unwillkürlich traten ihm Tränen in die Augen, sie näßten sein Gesicht und fingen sich in seinem Bart. Der Fall Gharnatas vor acht Jahren hatte die Reconquista abgeschlossen. Damit hatte man immer rechnen müssen, und weder Umar noch seine Freunde waren besonders überrascht gewesen. Aber in den Kapitulationsbedingungen war den Gläubigen, welche eine Mehrheit der Bürgerschaft ausmachten, kulturelle und religiöse Freiheit versprochen worden, sofern sie die Oberhoheit der kastilischen Herrscher anerkannten. Es war schriftlich und im Beisein von Zeugen festgelegt worden, daß die Muselmanen von Gharnata nicht verfolgt oder an der Ausübung ihrer Religion, am Sprechen und Lehren des Arabischen sowie am Feiern ihrer Feste gehindert würden. Ja, dachte Umar, das haben Isabellas Prälaten gelobt, um einen Bürgerkrieg zu vermeiden. Und wir haben ihnen geglaubt. Wie blind wir waren! Unser Hirn muß von Alkohol vergiftet gewesen sein. Wie haben wir ihren schönen Worten und Versprechungen glauben können?

Als einflußreicher Edelmann des Königreiches war Umar bei der Unterzeichnung des Kontraktes zugegen gewesen. Nie würde er das letzte Lebewohl des letzten Sultans Abu Abdullah vergessen, welchen die Kastilen Boabdil nannten, als dieser sich in die al-Pudjarras ins marokkanische Exil begab, wo ihn ein Palast erwartete. Der Sultan hatte sich umgedreht und ein letztes Mal auf die Stadt geblickt, er hatte zur al-Hamra hingelächelt und geseufzt. Das war alles gewesen. Nichts wurde gesprochen. Was gab es zu sagen? Sie waren am Endpunkt ihrer Geschichte in al-Andalus angelangt. Sie hatten sich mit den Augen verständigt. Umar und seine Gefährten unter den Edelleuten waren bereit, diese Niederlage hinzunehmen. War die islamische Geschichte denn nicht, wie Subayda ihn unaufhörlich erinnerte, ein ständiger Aufstieg und Niedergang von Königreichen? War nicht sogar Bagdad an ein Heer von ungebildeten Tataren gefallen? Der Fluch der Wüste. Nomadenverhängnis. Die Grausamkeit des Schicksals. Die Worte des Propheten. Der Islam ist entweder universal, oder er ist nichts.

Plötzlich sah Umar die hageren Gesichtszüge seines Oheims vor sich. Sein Oheim! Meekal al-Malek. Sein Oheim! Der Bischof von Qurtuba. Miguel el Malek. Das hagere Gesicht, dessen stets präsenten Schmerz weder der Bart noch das falsche Lächeln zu verbergen mochten. Immer wenn Ama Geschichten von Meekal als Knabe erzählte, kam unweigerlich die Formulierung »er hatte den Teufel im Leib« oder »er benahm sich wie ein Spundhahn, der vom Satan auf- und zugedreht wird«. Dies wurde stets in liebevollem Ton geäußert, um darauf hinzuweisen, was für ein ungezogenes Kind Meekal gewesen war. Der jüngste und bevorzugte Sohn, Yasid nicht unähnlich. Wie hatte das geschehen können? Was war Meekal widerfahren, das ihn zwang, sich eilends nach Qurtuba zu begeben und Miguel zu werden?

Die spöttische Stimme des alten Oheims hallte noch in Umars Kopf nach. »Weißt du, was das Mißliche mit unserer Religion ist, Umar? Sie hat es uns zu leicht gemacht. Die Christen mußten sich in die Poren des römischen Reiches einnisten. Das zwang sie, im Untergrund zu wirken. Die Katakomben von Rom waren ihr Übungsgelände. Als sie schließlich siegten, hatten sie schon einen starken gesellschaftlichen Zusammenhalt unter ihren Leuten erreicht. Wir? Der Prophet, Friede sei mit ihm, sandte Chalid bin Walid mit seinem Schwert, und er eroberte. O ja, und wie er eroberte! Wir haben zwei Imperien vernichtet. Alles fiel uns in den Schoß. Wir haben die arabischen Länder, Persien und Teile des byzantinischen Reiches eingenommen. Anderswo war es schwierig, nicht wahr? Sieh uns an. Wir sind seit siebenhundert Jahren in al-Andalus, und dennoch konnten wir nichts erschaffen, das von Dauer gewesen wäre. Es sind nicht nur die Christen, nicht wahr, Umar? Der Fehler steckt in uns selbst. In unserem Blut.«

Ja, ja, Onkel Meekal, ich meine, Miguel. Der Fehler steckt auch in uns selbst, aber wie kann ich jetzt nur daran denken? Ich sehe nichts als jene Flammenwand und dahinter das hämische Gesicht dieses Geiers, der seinen Triumph feiert. Der Fluch von Jimenez! Dieser vermaledeite Mönch, der auf ausdrückliche Anweisungen Isabellas nach Gharnata geschickt wurde. Der Beichtvater der Teufelin, hierhergesandt, um für sie die Dämonen auszutreiben. Sie muß ihn gut gekannt haben, und er wußte sehr genau, was sie von ihm erwartete. Hörst du nicht ihre Stimme? Pater, flüstert sie mit ihrem Tonfall falscher Frömmigkeit, Pater, die Ungläubigen in Gharnata beunruhigen mich. Manchmal drängt es mich, sie durch Kreuzigen zu unterwerfen, auf daß sie auf den Pfad der Rechtschaffenheit gelangen können. Warum hat sie ihren Jimenez nach Gharnata geschickt? Wenn sie sich der Überlegenheit ihres Glaubens so gewiß sind, warum vertrauen sie dann nicht auf das endgültige Urteil der Gläubigen?

Hast du vergessen, warum sie Jimenez de Cisneros nach Gharnata geschickt haben? Weil sie vermuteten, Erzbischof Talavera würde die Dinge nicht richtig handhaben. Talavera wollte uns mit Argumenten gewinnen. Er hat Arabisch gelernt, um unsere Lehrbücher zu lesen. Er riet seiner Geistlichkeit, es ihm gleichzutun. Er übersetzte ihre Bibel und ihren Katechismus ins Arabische. Einige unserer Brüder ließen sich auf diese Weise gewinnen, aber nicht viele. Deswegen haben sie Jimenez geschickt. Ich habe es dir erst letztes Jahr erläutert, mein bischöflicher Oheim, nur hast du es schon vergessen. Was hättest du gemacht, wenn sie wirklich schlau gewesen wären und dich zum Erzbischof von Gharnata ernannt hätten? Wie weit wärest du gegangen, Meekal? Wie weit, Miguel?

Ich war bei der Versammlung zugegen, als Jimenez unsere *wadis* und Gelehrten im theologischen Disput zu gewinnen trachtete. Du hättest dabeisein sollen. Ein Teil von dir wäre stolz auf unsere Leute gewesen. Jimenez ist klug, doch an jenem Tag war ihm kein Erfolg beschieden.

Als Segri bin Musa Punkt für Punkt erwiderte und ihm sogar einige von Jimenez' Geistlichen Beifall zollten, verlor der Prälat die Beherrschung. Er behauptete, Segri habe die Jungfrau Maria beleidigt, dabei hatte unser Freund lediglich gefragt, wie sie nach der Geburt Isas habe Jungfrau bleiben können. Du wirst doch einsehen, daß die Frage einer gewissen Logik folgte, oder hindert deine Theologie dich, alle bekannten Fakten anzuerkennen?

Unser Segri wurde in die Folterkammer gebracht und so lange gemartert, bis er sich schließlich bereit erklärte zu konvertieren. Zu diesem Zeitpunkt brachen wir auf, aber zuvor sah ich noch das Glitzern in Jimenez' Augen, als habe er in diesem Moment erkannt, daß dies das einzige Mittel sei, die Einwohner zu bekehren.

Am nächsten Tag wurde die gesamte Einwohnerschaft hinaus auf die Straßen befohlen. Jimenez de Cisneros, möge Allah ihn strafen, erklärte unserer Kultur und Lebensweise den Krieg. Allein an jenem Tag räumten sie unsere sämtlichen Bibliotheken leer und errichteten am Bab al-Ramla einen massiven Wall aus Büchern. Sie ließen unsere Kultur in Flammen aufgehen. Sie verbrannten zwei Millionen Handschriften. Die Aufzeichnungen von acht Jahrhunderten wurden an einem einzigen Tag vernichtet. Nicht alles haben sie verbrannt. Sie waren schließlich keine Barbaren, sondern die Träger einer anderen Kultur, die sie in al-Andalus ansiedeln wollten. Ihre eigenen Ärzte verwendeten sich dafür, dreihundert Handschriften zu verschonen, die sich hauptsächlich mit der Heilkunst befaßten. Jimenez war einverstanden, weil sogar er wußte, daß unsere Kenntnisse der Heilkunst weit fortgeschrittener waren als alles, was man im Christentum darüber weiß.

Diese Flammenwand sehe ich jetzt immer vor mir, Oheim. Sie erfüllt mein Herz mit Angst um unsere Zukunft. Das Feuer, das unsere Bücher verschlang, wird eines Tages alles vernichten, was wir in al-Andalus geschaffen haben, einschließlich dieses Dorfes, das unsere Vorfahren erbauten, wo du und ich als kleine Knaben gespielt haben. Was hat dies alles mit den mühelosen Siegen unseres Propheten zu tun und mit der unaufhaltsamen Verbreitung unserer Religion? Das war vor achthundert Jahren, Bischof. Der Bücherwall wurde erst letztes Jahr in Brand gesetzt.

Zufrieden, daß er den Disput gewonnen hatte, kehrte Umar bin Abdallah ins Haus zurück und trat in das Schlafgemach seiner Gemahlin. Subayda war noch nicht zu Bett gegangen.

»Die Flammenwand, Umar?«

Er setzte sich auf die Bettstatt und nickte. Seine Gemahlin befühlte seine Schultern und schreckte zurück. »Die Spannung in deinem Leib schmerzt mich. Komm, lege dich nieder, und ich werde sie aus dir herauskneten.«

Umar tat, wie ihm geheißen, und ihre Hände, die in dieser Kunst geübt waren, ertasteten die Stellen an seinem Körper. Sie waren hart wie kleine Kieselsteine, und ihre Finger massierten sie rundherum, bis sie sich aufzulösen begannen und sie fühlte, daß die verspannten Partien wieder locker wurden.

»Wann wirst du Miguel wegen Hind antworten?«

»Was sagt das Mädchen?«

»Sie würde sich eher mit einem Pferd vermählen.«

Umars Stimmung schlug unvermittelt um. Er brüllte vor Lachen. »Sie hatte schon immer einen guten Geschmack. Da hast du deine Antwort.«

»Aber was wirst du seiner bischöflichen Exzellenz sagen?«

»Ich werde Onkel Miguel sagen, der einzig sichere Weg für Juan, eine Bettgefährtin zu finden, ist, Priester zu werden und sich des Beichtstuhls zu bedienen!«

Subayda kicherte erleichtert. Umars gute Laune war wiederhergestellt. Bald würde er wieder der alte sein. Sie irrte sich. Der Bücherwall brannte noch immer.

»Ich bin nicht sicher, ob sie uns in al-Andalus leben lassen werden, ohne daß wir zum Christentum übertreten. Daß Hind Juan heiraten soll, ist ein Witz, aber was mir große Sorgen bereitet, das ist die Zukunft der Banu Hudayl, all derjenigen, die seit Jahrhunderten bei uns gelebt, für uns gearbeitet haben.«

»Niemand weiß besser als du, daß ich keine fromme Frau bin. Deine abergläubische alte Amme weiß das nur zu gut. Sie erzählt unserem Yasid, seine Mutter sei eine Gotteslästerin, obgleich ich den Schein wahre. Ich faste im Ramadan. Ich ...«

»Wir wissen doch alle, daß du nur fastest und betest, um deine Figur zu bewahren. Das ist wahrlich kein Geheimnis.«

»Mach dich nur lustig über mich. Vor allem aber geht es um das Wohlergehen unserer Kinder. Und doch ...«

Umar war wieder ernst geworden. »Ja?«

»Und doch lehnt sich etwas in mir auf gegen die Konvertierung. Ich werde aufgewühlt, ja hitzig, wenn ich nur daran denke. Lieber würde ich sterben, als mich zu bekreuzigen und so zu tun, als würde ich Menschenfleisch essen und Menschenblut trinken. Der Kannibalismus in ihren Riten stößt mich ab. Der sitzt sehr tief. Erinnere dich an das Entsetzen der Sarazenen, als die Kreuzritter anfingen, Gefangene bei lebendigem Leibe zu braten und ihr Fleisch zu essen. Es macht mich krank, wenn ich nur daran denke, aber es ist in ihrem Glauben verankert.«

»Was für eine widersprüchliche Frau du bist, Subayda bint Quddus. In einem Atemzug sagst du, daß es dir zuallererst auf das Wohl unserer Kinder ankommt, um im selben Atemzug das einzige auszuschließen, was ihnen eine Zukunft in der Heimat ihrer Vorfahren sichern könnte.«

»Was hat das mit Glück zu tun? Alle unsere Kinder, der kleine Yasid eingeschlossen, sind bereit, gegen Isabellas Ritter die Waffen zu erheben. Selbst wenn du dir deinen eigenen skeptischen Verstand von Miguel zermalmen läßt – wie willst du deine Kinder überzeugen? Für sie wäre deine Konvertierung eine ebensolche Katastrophe wie die Flammenwand.«

»Das ist eine politische Frage und keine spirituelle. Ich werde mit dem Schöpfer verbunden bleiben, wie ich es immer war. Es ist einfach eine Sache des äußeren Scheins.«

»Und wenn die christlichen Edelleute an Festtagen kommen, wirst du mit ihnen Schweinefleisch essen?«

»Vielleicht, doch niemals mit der reinen Hand, nur mit der Linken.«

Subayda lachte zwar, aber in Wirklichkeit war sie erschüttert. Sie spürte, daß er einer Entscheidung nahe war. Die Flammenwand hatte seinen Verstand in Mitleidenschaft gezogen. Er würde sehr bald in Miguels Fußstapfen treten. Wieder einmal setzte er sie in Erstaunen. »Habe ich dir eigentlich erzählt, was wir zu Hunderten in jener Nacht sangen, als man unser Erbe vernichtete?«

»Nein. Hast du vergessen, daß du nach deiner Rückkehr aus Gharnata eine ganze Woche lang stumm warst? Mit niemandem hast du auch nur ein Wort gesprochen, nicht einmal mit Yasid. Ich flehte dich an, doch du konntest dich nicht überwinden, darüber zu reden.«

»Einerlei. Wir haben in jener Nacht geweint wie Kinder, Subayda. Wären unsere Tränen richtig gelenkt worden, sie hätten die Flammen gelöscht. Doch plötzlich hörte ich mich etwas singen, das ich als Jüngling gelernt hatte. Dann vernahm ich ein Dröhnen, und da merkte ich, ich war nicht der einzige, der die Worte des Dichters kannte. Das Gefühl der Zusammengehörigkeit erfüllte mich mit einer Kraft, die mich nie mehr verlassen hat. Ich erzähle es dir, damit du ein für allemal weißt, daß ich niemals freiwillig konvertieren werde.«

Subayda umarmte ihren Gemahl und küßte ihn sacht auf die Augen.

»Wie lauteten die Worte des Dichters?«

Umar unterdrückte ein Seufzen und flüsterte an ihrer Seite:

Das Papier mögt ihr verbrennen,
Was aber das Papier enthält,
Das könnt ihr nicht verbrennen;
Es ist verwahrt in meinem Herzen.
Wohin ich mich wende, es geht mit mir,
Erlischt, wenn ich erlösche,
Und wird in meinem Grabe liegen.

Subayda erinnerte sich. Ihr Hauslehrer, ein eingefleischter Skeptiker, hatte ihr die Geschichte wohl einige hundert Male erzählt. Die Zeilen stammten von Ibn Hasm, der vor fünfhundert Jahren geboren worden war, als das Licht des Islams soeben begann, einige der finstersten Winkel im Kontinent Europa zu erhellen.

Ibn Hasm, der herausragendste und mutigste Poet in der ganzen Geschichte von al-Andalus. Ein Historiker und Biograph, der vierhundert Werke geschrieben hatte. Ein Mann, der das wahre Wissen verehrte, aber die Menschen ohne Ansehen der Person behandelte. Seine scharfen Angriffe auf die Prediger des orthodoxen Islams führten dazu, daß diese ihn nach dem Freitagsgebet in der großen Moschee aus dem Kreise der Gläubigen verstießen. Der Dichter hatte diese Worte gesprochen, als die muslimischen Geistlichen einige seiner Werke in Ischbiliya öffentlich den Flammen übergaben.

»Ich habe auch von ihm gehört, aber es erwies sich, daß er sich geirrt hatte, nicht wahr? Die Inquisition geht einen Schritt weiter. Sie begnügen sich nicht damit, Ideen zu verbrennen: Sie verbrennen auch diejenigen, die sie liefern. Darin liegt eine Logik. Mit jedem neuen Jahrhundert gibt es neue Fortschritte.«

Sie stieß einen Seufzer der Erleichterung aus, zuversichtlich, daß sich ihr Gemahl zu keiner übereilten Entscheidung drängen ließ – die er den Rest seines Lebens bereuen würde. Sie strich ihm über den Kopf, wie um ihn zu beschwichtigen, aber er war schon eingeschlafen.

Obwohl Subayda sich nach Kräften anstrengte, wollte ihr Geist nicht ruhig werden und sie schlafen lassen. Ihre Gedanken waren nun zu Suhayr, ihrem ältesten Sohn, gewandert. Glücklicherweise war es keine schwere Wunde, diesmal nicht; aber bei seinem unbesonnenen Charakter und seinem Ungestüm konnte alles geschehen. Gharnata war zu gefährlich. Die beste Lösung für ihn wäre, dachte Subayda, wenn er ihre Lieblingsnichte Chadidja ehelichen würde, die mit ihrer Familie in Ischbiliya lebte. Es wäre eine gute Verbindung. Das Dorf brauchte ein Fest, und eine große Familienhochzeit war heutzutage die einzige Möglichkeit, eine Ablenkung zu bieten, ohne die Obrigkeit zu reizen. Und mit diesen unschuldigen Plänen für die Vergnügungen von morgen lullte sich die Herrin des Hauses in den Schlaf.

2. KAPITEL

Wie zauberhaft, wie herrlich ist ein Frühlingsmorgen in al-Hudayl. Die Sonne ist noch nicht aufgegangen, aber ihre Strahlen erhellen schon den Himmel, und der Horizont ist in verschiedenen Schattierungen von Purpur bis Orangerot gefärbt. Alle Geschöpfe schwelgen in diesem Licht und in der Stille, die es begleitet. Bald werden die Vögel zu plappern anfangen, und der Muezzin im Dorf wird die Gläubigen zum Gebet rufen.

Die etwa zweitausend Menschen, die im Dorf leben, sind an diese Geräusche gewöhnt. Auch wer kein Muselman ist, begrüßt den pünktlichen Ruf des Muezzins. Was die übrigen angeht, so leisten ihm nicht alle Folge. Im Herrenhaus ist es allein Ama, die ihre Matte im Innenhof ausbreitet und sich zum Morgengebet niederläßt.

Mehr als die Hälfte der Dorfbewohner arbeitet auf dem Land, entweder für sich selbst oder für die Banu Hudayl. Die übrigen sind Weber, die zu Hause oder auf dem Anwesen des Herrn arbeiten. Die Männer züchten die Raupen, und die Frauen stellen die berühmte Hudayl-Seide her, die sogar auf dem Markt in Samarkand begehrt ist. Fügt man noch einige Ladenbesitzer, einen Hufschmied, einen Schuster, einen Schneider, einen Tischler hinzu, so ist das Dorf komplett. Die Gefolgsleute auf dem Familienbesitz kehren mit Ausnahme des Zwerges, Amas und der Gärtner jeden Abend zu ihren Familien ins Dorf zurück.

Suhayr bin Umar erwachte früh und fühlte sich vollständig genesen; seine Verwundung war vergessen, doch der Anlaß brannte noch in seinem Kopf. Er sah aus dem Fenster und bestaunte die Farben des Himmels. Eine halbe Meile vom Dorf entfernt war ein Hügel mit einer großen Höhle im Felsen auf der Kuppe. Jedermann bezeichnete sie als die Höhle des alten Mannes. Auf dem Hügel, in die Höhle eingelassen, war eine winzige, weiß getünchte Kammer. In der Kammer lebte ein

Mann, ein Mystiker, der Verse in rhythmischer Prosa rezitierte und dessen Gesellschaft Suhayr seit dem Fall von Gharnata schätzen gelernt hatte.

Niemand wußte, woher er kam oder wie alt er war oder wann er gekommen war. Das jedenfalls glaubte Suhayr. Umar erinnerte sich an die Höhle, behauptete aber, sie sei unbewohnt gewesen, als er ein Knabe war, und sie sei von den Bauern zum Stelldichein benutzt worden. Dem alten Mann machte es Spaß, die geheimnisvolle Aura, die seine Anwesenheit in der Höhle umgab, noch zu verstärken. Wann immer Suhayr ihm eine persönliche Frage stellte, parierte er den Vorstoß, indem er in Poesie verfiel. Trotz alledem hatte Suhayr das Gefühl, daß der alte Schwindler aufrichtig war.

Heute morgen verspürte er das dringende Verlangen, mit dem Höhlenbewohner zu sprechen. Er verließ sein Zimmer und trat ins *hammam.* Als er im Badewasser lag, wünschte er, Yasid würde aufwachen und kommen, um sich mit ihm zu unterhalten. Die Brüder genossen ihre Badestubengespräche sehr: Yasid, weil Suhayr im Bad für zwanzig Minuten festgehalten war und nicht entkommen konnte, Suhayr, weil es die einzige Gelegenheit war, den jungen Falken aus nächster Nähe zu beobachten.

»Wer ist im Bad?« Es war Amas Stimme, resolut im Ton.

»Ich bin es, Ama.«

»Möge Allah dich segnen. Du bist schon auf? Ist die Wunde ...«

Suhayrs Gelächter ließ sie abrupt innehalten. Er stieg aus dem Bad, kleidete sich an und trat hinaus in den Hof.

»Wunde! Mach keine Witze, Ama. Ein idiotischer Christ hat mich mit einem Messer angegriffen, und schon siehst du mich an der Schwelle zum Märtyrertum.«

»Der Zwerg ist noch nicht in der Küche. Soll ich dir das Morgenmahl bereiten?«

»Ja, aber erst, wenn ich zurück bin. Ich will zur Höhle des alten Mannes.«

»Aber wer wird dein Pferd satteln?«

»Du kennst mich, seit ich geboren wurde. Glaubst du, ich kann ein Pferd nicht ungesattelt reiten?«

»Richte diesem Iblis etwas von mir aus. Sage ihm, ich weiß

ganz genau, daß er es war, der uns die drei Hühner gestohlen hat. Sage ihm, wenn er es noch einmal tut, komme ich mit ein paar jungen Männern aus dem Haus und lasse ihn im Dorf öffentlich auspeitschen.«

Suhayr lachte nachsichtig und tätschelte ihr den Kopf. Der alte Mann ein gemeiner Dieb? Wie lächerlich war Ama doch mit ihren dummen Vorurteilen.

»Weißt du, was ich mir heute zum Morgenmahl wünsche?«

»Was?«

»Himmlisches Allerlei.«

»Nur, wenn du versprichst, diesem Iblis in meinem Namen zu drohen.«

»Ich werde es ausrichten.«

Fünfzehn Minuten später galoppierte Suhayr auf Chalid, seinem Lieblingspferd, zur Höhle des alten Mannes. Er winkte den Dörflern auf ihrem Weg zu den Feldern zu. Ihr Mittagsmahl trugen sie in ein großes Tuch gewickelt an einen Stock gebunden mit sich. Einige nickten höflich und gingen weiter. Andere blieben stehen und grüßten ihn herzlich. Die Kunde von seinem Zusammenstoß in Gharnata hatte sich im ganzen Dorf verbreitet, und selbst die Skeptiker konnten nicht umhin, das eine oder andere Wort des Lobes zu äußern. Kein Zweifel, Suhayr al-Fahl, Suhayr der Hengst, wie man ihn nannte, machte eine sehr gute Figur, als er aus dem Dorf preschte. Kurz darauf war er eine winzige Silhouette, die bald verschwand, bald wieder in Sicht kam, je nach der Beschaffenheit des Geländes.

Der alte Mann sah Roß und Reiter den Hügel heraufkommen und lächelte. Umar bin Abdallahs Sohn kam wieder einmal, Rat zu suchen. Die häufigen Besuche mußten seinen Eltern mißfallen. Was konnte er diesmal wollen?

»Friede sei mit dir, alter Mann.«

»Und mit dir, Ibn Umar. Was führt dich hierher?«

»Ich bin gestern abend in Gharnata gewesen.«

»Ich habe davon gehört.«

»Und ...?«

Der alte Mann zuckte die Achseln.

»Habe ich recht oder unrecht getan?«

Zu Suhayrs großem Entzücken erwiderte der Mann in Versen:

Von Falschheit ward die Welt so korrumpiert,
Daß Hader scheltend in die Worte fällt.
Doch wollte nicht Natur, daß der Mensch Haß gebiert,
Wär'n Kirchen und Moscheen Seit an Seit gestellt.

Suhayr hatte dieses Gedicht noch nie gehört, und er applaudierte. »Ist das von dir?«

»Oh, du dummer Knabe. Oh, du unwissendes Geschöpf. Kannst du die Stimme eines großen Meisters nicht erkennen? Abu'l Ala al-Ma'ari.«

»Aber die Leute sagen, er war ein Ungläubiger.«

»Die Leute, die Leute. Wer wagt das zu sagen? Den möchte ich sehen, der das in meiner Gegenwart sagt!«

»Unsere frommen Gelehrten. Männer der Wissenschaft ...«

Nun stand der alte Mann auf, verließ seine Kammer, gefolgt von dem verblüfften Suhayr, und nahm eine kriegerische Positur ein, indes er auf der Hügelkuppe mit der lautesten Stimme, die ihm zu Gebote stand, rezitierte:

Frömmigkeit ist eine Maid, vor Blicken streng verwahrt,
Der Preis ihrer Mitgift hat ihren Freier genarrt.
In allen guten Lehren, die ich von der Kanzel vernommen,
Ist nicht ein einziges Wort, das mir ins Herz gekommen!

Suhayr grinste.

»Auch Al-Ma'ari?«

Der alte Mann nickte und lächelte. »Aus einem einzigen Gedicht von ihm habe ich mehr gelernt als aus allen frommen Büchern. Und ich meine *alle* Bücher.«

»Gotteslästerung!«

»Nur die schlichte Wahrheit.«

Suhayr war nicht wirklich erstaunt über diesen Ausdruck von Skepsis. Er gab sich stets leicht entrüstet. Er wollte nicht, daß der alte Mann dachte, er hätte so leicht einen neuen Schüler gewonnen. In Gharnata gab es eine Gruppe von jungen Männern, die Suhayr alle bekannt waren, mit einem von ihnen war er seit Kindertagen befreundet; wenigstens einmal im Monat ritten sie zu dieser Höhle, um sich in langen Diskussionen über Philosophie, Geschichte, die gegenwärtige Krise und die Zukunft auszulassen. Ja, immer die Zukunft!

Die abgeklärte Weisheit, die sie in sich aufnahmen, befähigte sie, die Diskussion mit Ebenbürtigen in Gharnata zu beherrschen und gelegentlich sogar Ältere mit einer dermaßen scharfsinnigen Bemerkung zu überraschen, daß diese am folgenden Freitag in allen Moscheen verkündet wurde. Von seinem Freund Ibn Basit, dem anerkannten Anführer der Philosophenkavallerie, hatte Suhayr erstmals von den geistigen Fähigkeiten des Mystikers erfahren, der unter dem Namen al-Sindiq, der Skeptiker, Gedichte schrieb.

Zuvor hatte er die Klatschgeschichten vorbehaltlos geglaubt, denen zufolge der alte Mann ein exzentrischer Ausgestoßener sei, den die Schafhirten aus Barmherzigkeit ernährten. Ama ging oft noch weiter und behauptete, er sei nicht mehr im vollen Besitz seiner Geisteskräfte und sollte aus diesem Grunde sich selbst und seinen teuflischen Neigungen überlassen werden. Hätte sie recht gehabt, dachte Suhayr, würde ich es mit einem ausgemachten Schwachkopf zu tun haben statt mit diesem scharfsichtigen Weisen. Aber warum und wie war diese Feindseligkeit entstanden? Er lächelte.

Der alte Mann hatte Mandeln enthäutet, die eingeweicht in einer Schüssel Wasser lagen, als Suhayr ankam. Jetzt zerrieb er sie zu einer glatten Paste; wenn die Mischung zu fest wurde, fügte er ein paar Tropfen Milch hinzu. Er blickte hoch und fing das Lächeln auf.

»Bist wohl stolz auf dich, wie? Was du in der Stadt getan hast, war gedankenlos. Eine bewußte Provokation. Zum Glück ist dein Vater nicht so töricht. Wenn euer Gefolge diesen Christen getötet hätte, wäret ihr alle auf dem Rückweg aus dem Hinterhalt überfallen und getötet worden.«

»Um Himmels willen, woher weißt du das?«

Der alte Mann antwortete nicht, sondern füllte die Paste aus einer Steingutschüssel in einen Kochtiegel mit Milch um. Zu diesem Gebräu gab er etwas Wildhonig, Kardamom und eine Zimtstange. Er blies in die Glut. Binnen Minuten wallte die Mischung auf. Er dämmte das Feuer ein wenig ein, indem er Asche auf die Glut streute, und ließ die Mischung köcheln. Suhayr sah schweigend zu, indes der Duft seine Sinne betörte. Der alte Mann nahm den Tiegel vom Feuer, rührte mit einem Holzlöffel kräftig in dem Gebräu und streute ein paar dünne Mandelsplitter über die Flüssigkeit. Erst dann füllte er sie in zwei irdene Becher, wovon er einen sogleich Suhayr kredenzte.

Der Jüngling trank und stieß verzückte Laute aus. »Der reine Nektar. Dies trinken sie bestimmt immerzu im Himmel!«

»Ich glaube, wenn sie erst oben sind«, murmelte al-Sindiq, zufrieden über seinen Erfolg, »wird ihnen etwas viel Stärkeres gestattet.«

»Aber ich habe dergleichen nie gekostet ...«

Er brach mitten im Satz ab und setzte den Becher vor sich auf die Erde. Er hatte diesen Trank schon irgendwo gekostet, aber wo? Wo? Suhayr starrte den alten Mann an, der dem forschenden Blick standhielt.

»Was ist dir? Zuwenig Mandeln? Zuviel Honig? Solche Fehler können den Trank verderben, das weiß ich, aber ich habe die Mixtur vervollkommnet. Trink aus, mein junger Freund. Dies ist nicht der Nektar, den die Götter der Rumi zu sich nahmen. Dies ist purer Saft fürs Hirn. Er nährt die Zellen. Ich glaube, es war Ibn Sina, der als erster behauptete, daß Mandeln unser Denkvermögen stimulieren.«

Es war ein Täuschungsmanöver. Suhayr begriff es sofort. Der alte Mann hatte einen Fehler begangen. Suhayr erinnerte sich nun, wo er zuletzt einen ähnlichen Trank gekostet hatte. Im Hause von Großoheim Miguel nahe der großen Moschee in Qurtuba. Der alte Mann mußte eine Verbindung dorthin haben. Ganz bestimmt. Suhayr spürte, daß er der Lösung eines Rätsels auf der Spur war. Was es war, wußte er nicht. Als der alte Mann den Gesichtsausdruck seines Gegenübers betrachtete, wußte er instinktiv, daß eines seiner Geheimnisse kurz vor der Aufdeckung stand. Ehe er sich auf eine weitschweifige Ablenkung einlassen konnte, beschloß sein Gast, in die Offensive zu gehen.

»Ich soll dir etwas von Ama ausrichten.«

»Ama? Ama? Was für eine Ama? Welche Ama? Ich kenne keine Ama.«

»Meines Vaters Amme. Sie ist immer in unserer Familie gewesen. Das ganze Dorf kennt sie. Und du, der du behauptest, alles zu wissen, was im Dorf vorgeht, du kennst sie nicht? Unglaublich!«

»Nun, da du es erklärst, fällt es mir ein. Natürlich weiß ich, wer sie ist und daß sie immer von Dingen redet, die sie nichts angehen. Was ist mit ihr?«

»Ich soll dir von ihr ausrichten, daß sie weiß, wer drei unserer Legehennen gestohlen hat ...«

Der alte Mann brüllte vor Lachen über eine dermaßen abwegige Idee. Er, ein Dieb?

»Sie sagt, wenn du es wieder tust, läßt sie dich vor dem ganzen Dorf bestrafen.«

»Siehst du Hühner in dieser Höhle? Oder Eier?«

»Eigentlich ist es mir einerlei. Wenn du etwas aus unserem Hause brauchst, mußt du es mir nur sagen. Es wird binnen einer Stunde hier sein. Ich habe lediglich etwas ausgerichtet.«

»Trink aus. Soll ich noch etwas heiß machen?«

Suhayr hob den Becher und leerte ihn in einem Zug. Eindringlich musterte er den alten Mann. Er konnte jedes Alter haben über sechzig, vielleicht fünfundsechzig. Sein Haupt wurde einmal in der Woche rasiert. Die schneeweißen Stoppeln auf der Glatze zeigten an, daß der wöchentliche Besuch beim Dorfbarbier überfällig war. Er hatte eine kleine, aber sehr scharf gebogene Nase, wie ein Vogelschnabel, ein runzliges, olivbraunes Gesicht, dessen Schattierung je nach Jahreszeit wechselte. Das Auffallendste daran waren die Augen. Sie waren nicht einmal besonders groß oder stechend. Im Gegenteil, gerade ihre Kleinheit war es, die ihnen einen hypnotischen Zug verlieh, insbesondere bei hitzigen Diskussionen: Dann leuchteten sie wie helle Lampen im Dunkeln oder, wie seine Gegner oft sagten, wie die Augen einer rolligen Katze.

Sein weißer Bart war gestutzt, zu sorgfältig gestutzt für einen Asketen – vielleicht ein Hinweis auf seine Vergangenheit. Für gewöhnlich war er mit weiten weißen Beinkleidern und einem ebensolchen Hemd angetan. Wenn es kalt war, pflegte er sich dazu noch eine dunkelbraune Decke umzuhängen. Heute, da die Sonne in seine Einsiedelei strömte, saß er ohne Hemd da.

Die Falten auf seiner welken Brust ließen sein wahres Alter ahnen. Er war ohne Zweifel ein Greis. Aber wie alt? Und warum dieses aufreizende, sphinxhafte Schweigen, wann immer Suhayr sich nach seiner Herkunft erkundigte, ein Schweigen, das so merkwürdig mit seinem offenen Wesen und seiner flüssigen Redeweise kontrastierte? Ohne mit einer Antwort zu rechnen, beschloß Umar bin Abdallahs Sohn gleichwohl, die Frage noch einmal zu stellen.

»Wer bist du, Alter?«

»Soll das heißen, du weißt es wirklich nicht?«

Suhayr war verblüfft.

»Was meinst du?«

»Hat es dir deine Ama nie erzählt? Offensichtlich nicht. Ich sehe die Antwort in deinem Gesicht. Unglaublich! Sie haben also trotz alledem beschlossen, Stillschweigen zu bewahren. Warum fragst du nicht eines Tages deine Eltern? Sie wissen alles, was es über mich zu wissen gibt. Deine Suche nach der Wahrheit könnte vielleicht ein Ende haben.«

Suhayr sah sich bestätigt. Sein Instinkt hatte ihn nicht getrogen. Es gab eine Verbindung mit der Familie.

»Weiß Großoheim Miguel, wer du bist?«

Des alten Mannes Züge umwölkten sich. Er wurde unmutig. Sein Blick richtete sich fest auf die Reste des Mandeltranks, und er versank in tiefes Sinnen. Plötzlich blickte er auf.

»Wie alt bist du, Suhayr al-Fahl?«

Suhayr errötete. Aus al-Sindiqs Mund hörte sich der Spitzname, den man ihm gegeben hatte, eher wie ein Vorwurf an.

»Ich werde nächsten Monat dreiundzwanzig.«

»Gut. Und warum nennen dich die Dorfleute al-Fahl?«

»Ich nehme an, weil ich das Reiten liebe. Selbst mein Vater sagt, wenn er mich auf Chalid reiten sieht, hat er das Gefühl, das Pferd und ich seien eins.«

»Vollkommener Unsinn. Mystisches Gewäsch! Hast du selbst jemals dieses Gefühl?«

»Nein, eigentlich nicht, aber es ist wahr, daß ich ein Pferd, jedes beliebige Pferd, nicht nur Chalid, zu größerer Schnelligkeit anspornen kann als irgendein Mann im Dorf.«

»Ibn Umar, eines mußt du wissen. Das ist nicht der Grund, weswegen sie dich al-Fahl nennen.«

Suhayr wurde verlegen. Eröffnete der alte Teufel eine neue Attacke, um seine eigene Flanke zu schützen?

»Junger Herr, du weißt, wovon ich spreche. Es ist nicht nur das Reiten auf Pferden, nicht wahr? Du bespringst ihre Weiber, wann immer sich die Gelegenheit bietet. Man sagt mir, du hast die Neigung, die Dorfmaiden zu entjungfern. Heraus mit der Wahrheit!«

Suhayr erhob sich erzürnt. »Das ist eine Lüge. Eine grobe Verleumdung. Ich habe nie ein Frauenzimmer gegen ihren Willen genommen. Jeden, der etwas anderes behauptet, fordere ich zum bewaffneten Kampf heraus. In diesen Dingen verstehe ich keinen Spaß.«

»Niemand hat behauptet, daß du sie zwingst. Wie könnten sie gezwungen werden, wenn es dein Recht ist? Was nützen weit geöffnete Beine, wenn der Sinn geschlossen bleibt? Warum hat meine Frage dich so erzürnt? Dein Vater ist ein ehrbarer Mann, der zu keinerlei Ausschweifungen neigt, doch so etwas kommt in eurer Familie seit Jahrhunderten vor. Heißblütiger Tor, setz dich. Hast du nicht gehört, du sollst dich setzen.«

Suhayr tat wie ihm geheißen.

»Kennst du Ibn Hasd, den Schuster?«

Suhayr war über die Frage verblüfft – was hatte dieser achtbare Mensch mit einer solchen Diskussion zu tun? –, aber er nickte.

»Wenn du ihn das nächste Mal siehst, betrachte seine Gesichtszüge genau. Du magst eine Ähnlichkeit feststellen.«

»Mit wem?«

»Eine allgemeine Familienähnlichkeit, das ist alles.«

»Mit welcher Familie?«

»Deiner natürlich. Achte auf das Kennzeichen der Banu Hudayl.«

»Närrischer Alter. Ibn Hasd ist Jude. Wie seine Vorfahren ...«

»Was hat das damit zu tun? Seine Mutter war einst die schönste Frau im Dorf. Dein Urgroßvater Ibn Farid erspähte sie eines Tages beim Baden im Fluß. Er wartete, bis sie fertig war, dann nahm er sie mit Gewalt. Das Resultat war Ibn Hasd, der in Wirklichkeit Ibn Mohammed ist!«

Suhayr lachte. »Wenigstens hatte der alte Krieger einen guten Geschmack. Doch eigentlich vermag ich mir nicht vorzustellen, daß er ein ...«

»Al-Fahl war?« sprang der Alte hilfreich ein.

Suhayr erhob sich zum Gehen. Die Sonne stand hoch am Himmel, und er dachte an Amas himmlisches Allerlei. Der alte Mann hatte ihn wieder einmal überlistet.

»Ich gehe jetzt, und ich werde tun, was du sagst. Ich frage meinen Vater nach unserer Geschichte.«

»Weshalb bist du so in Eile?«

»Ama hat mir himmlisches Allerlei versprochen, und ...«

»Amira und ihr himmlisches Allerlei! Ändert sich denn nie etwas in diesem verfluchten Haus? Du hast eine Schwäche, Suhayr al-Fahl. Eine Schwäche, die dein Verderben sein wird. Du bist zu leicht zu überzeugen. Deine Freunde führen dich, wohin sie wollen, du wirst ihr Anhängsel. Du stellst nicht genug Fragen. Du mußt selbständig denken. Immer! Das ist lebenswichtig in diesen Zeiten, wenn eine einfache Entscheidung nicht mehr abstrakt ist sondern eine Sache von Leben oder Tod.«

»Gerade du hast kein Recht, das zu sagen. Frage ich dich nicht seit mehr als zwei Jahren, Alter? Immer und immer wieder?«

»O ja. Das kann ich nicht leugnen. Aber warum brichst du auf, wenn ich dir gerade erzählen will, was du wissen möchtest?«

»Aber du sagtest doch, ich soll meine Familie ...«

»Sehr richtig. Es war eine List, um dich abzulenken, und sie ist mir wieder einmal gelungen. Törichter Knabe! Dein Vater wird dir nichts erzählen. Deine Mutter? Offen gesagt, ich weiß es nicht. Sie ist eine beherzte Dame und sehr geachtet, aber ich glaube, in dieser Angelegenheit wird sie deinem Vater folgen. Bleibe bei mir, Ibn Umar. Bald werde ich dir alles erzählen.«

Suhayr bebte vor Erwartung. Der alte Mann erhitzte Wasser und bereitete Kaffee, dann räumte er das Kochgeschirr beiseite und zog einen großen, abgenutzten Webteppich in die Mitte der Höhle. Er ließ sich mit gekreuzten Beinen darauf nieder und winkte Suhayr zu sich. Als sie beide saßen, schenkte der alte Mann zwei Schalen ein. Er schlürfte geräuschvoll und hob zu sprechen an.

»Wir dachten, die alten Zeiten könnten überall enden, nur nicht in unserem Gharnata. Wir waren überzeugt, daß das Reich des Islam in al-Andalus überleben würde, aber wir haben unsere Fähigkeit zur Selbstzerstörung unterschätzt. Jene Tage werden niemals wiederkehren, und weißt du, warum? Weil die selbsternannten Verteidiger des Glaubens sich zerstritten, einander töteten und unfähig waren, sich gegen die Christen zu einen. Am Ende war es zu spät.

Als Sultan Abu Abdullah zum letzten Mal auf sein verlorenes Königreich blickte, begann er zu weinen, worauf seine Mutter Ajescha bemerkte: ›Du magst wohl weinen wie ein Weib um das, was du nicht verteidigen konntest wie ein Mann.‹ Ich fand das immer ungerecht. Damals besaßen die Christen eine überwältigende militärische Überlegenheit. Wir dachten, der Sultan der Osmanen würde uns Hilfe schicken, und in Malaka wurden Späher postiert, aber es kam nichts. Erst fünfzehn Jahre sind seither vergangen. Die Zeit, von der ich dir nun erzählen werde, liegt fast hundert Jahre zurück.

Dein Urgroßvater Ibn Farid war ein außergewöhnlicher Soldat. Man sagt, er war bei den christlichen Rittern mehr gefürchtet als selbst Ibn Kassim, und glaube mir, das will eine Menge heißen. Einst ritt er während der Belagerung der Medina allein auf seinem Streitroß hinaus und galoppierte zum Zelt des kastilischen Königs. ›O König der Christen‹, rief er, ›ich fordere jeden einzelnen deiner Ritter zum persönlichen Kampf heraus. Der Emir trug mir auf, dir zu sagen, wenn einer deiner Männer mich niederstreckt, werden wir euch die Tore öffnen; sitze ich aber bei Sonnenuntergang noch auf meinem Pferd, so müßt ihr weichen.‹

Der König, der den Ruf deines Urgroßvaters kannte, zögerte, doch die christlichen Ritter rebellierten. Sie befanden, ein solches Angebot zurückzuweisen, wäre eine Beleidigung ihrer Männlichkeit. Somit wurde das Angebot angenommen. Und es geschah, was geschehen mußte. Als die Sonne untergegangen war, war der Herr der Banu Hudayl blutüberströmt, aber er hielt sich noch auf seinem Pferd. An die sechzig christliche Ritter lagen tot zu seinen Füßen. Die Belagerung wurde aufgehoben ... für eine Woche. Dann kehrten sie wieder, nahmen die Garnison im Handstreich und siegten endgültig, doch da war Ibn Farid schon nach al Hudayl zurückgekehrt.

Dein Großvater Abdallah war erst vier Jahre alt, als seine Mutter Najma bei der Geburt deiner Großtante Sahra starb. Ihre jüngere Schwester, Maryam, trat an ihre Stelle und wurde den zwei Kindern eine Mutter. Man sagt, die Kinder wuchsen in dem Glauben auf, daß sie ihre richtige Mutter war.«

Suhayr wurde langsam ungeduldig. »Bist du sicher, daß dies *deine* Lebensgeschichte ist? Sie hört sich mehr nach meiner an. Ich bin mit Märchen über meinen Urgroßvater groß geworden.«

Al-Sindiq kniff die Augen zusammen und funkelte Suhayr böse an. »Wenn du mich noch einmal unterbrichst, werde ich nie wieder mit dir über diese Sache reden. Hast du mich verstanden?«

Suhayr gab zu erkennen, daß er sich diesen harten Bedingungen fügen würde, und der alte Mann setzte seine Erzählung fort.

»Es gab jedoch Schwierigkeiten. Ibn Farid bewies seiner neuen Gemahlin große Achtung und Zuneigung, aber es fehlte an Leidenschaft. Maryam vermochte ihre Schwester in jeder Weise zu ersetzen, nicht aber in deines Urgroßvaters Bett. So verlernte er mit der Zeit, das Werkzeug seiner Männlichkeit zu gebrauchen. Viele Ärzte und Heilkundige suchten ihn auf. Stärkende Tränke der exotischsten Art trafen ein und wurden ihm in die Kehle geflößt, um seine verlorene Inbrunst wieder zu beleben. Vergebens. Man ließ schöne Jungfrauen vor seinem Bett paradieren, aber nichts rührte sich.

Sie erkannten nicht, daß Leiden des Gemüts nicht kuriert werden können wie jene des Körpers. Siehst du, mein junger Freund, wenn der Geist matt ist, dann kräht auch der Hahn nicht mehr! Und du weißt wirklich nichts von alledem?«

Suhayr schüttelte den Kopf.

»Ich bin ehrlich erstaunt, das zu hören. Ama und der Zwerg kennen jede Einzelheit. Einer von beiden hätte es dir erzählen sollen.« Der alte Mann bekundete seine Mißbilligung der beiden Genannten, indem er heftig schniefte und den Schleim mit Geschick und Akkuratesse aus der Höhle spie.

»Bitte halte jetzt nicht ein. Ich muß alles erfahren«, sagte Suhayr. Seine Stimme war flehend und ungeduldig. Der alte Mann lächelte und schenkte Kaffee nach.

»Eines Tages, als Ibn Farid seinen Oheim in Qurtuba besuchte, ritten die zwei aus der Stadt zu dem Dorf eines christlichen Edelmannes, dessen Familie seit dem Fall von Ischbiliya mit der euren befreundet war. Der Edelmann, Don Alvaro, war nicht zu Hause. Ebensowenig seine Gemahlin. Doch während sie warteten, brachte ihnen eine junge Dienstmagd Früchte und Getränke. Sie muß fünfzehn, höchstens sechzehn Jahre alt gewesen sein.

Ihr Name war Beatrice, und sie war ein wunderschönes Geschöpf. Ihre Haut hatte die Farbe reifer Aprikosen, ihre Augen waren mandelförmig, und ihr ganzes Gesicht lächelte. Ich sah sie bald darauf, und selbst mich, der ich noch ein junger Knabe war, ließ ihre Schönheit nicht ungerührt. Ibn Farid konnte die Augen nicht von ihr wenden. Sein Oheim erkannte sogleich, was geschehen war. Er wollte aufbrechen, aber dein Urgroßvater weigerte sich, das Haus zu verlassen. Sein Oheim erzählte der Familie später, schon damals habe er die Ahnung gehabt, daß Ibn Farid dabei war, sich ins Unglück zu stürzen; doch all seine Warnungen, Befürchtungen und schlimmen Prophezeiungen fruchteten nichts. Ibn Farid war bekannt für seine Hartnäckigkeit.

Als Don Alvaro mit seinen Söhnen nach Hause kam, waren sie erfreut, die Gäste anzutreffen. Ein Festmahl wurde bereitet. Betten wurden hergerichtet. Es stand außer Frage, daß man die beiden Männer nicht noch am selben Abend nach Qurtuba zurückkehren lassen würde. Ein Bote wurde ausgeschickt, um die Familie zu unterrichten, daß Ibn Farid nicht vor dem folgenden Tag heimkehren werde. Du kannst dir denken, wie froh er war. Spät am Abend schließlich erkundigte sich der große Krieger bescheiden bei seinem Gastgeber nach der Magd.

›Auch du, mein Freund, auch du?‹ sagte Don Alvaro. ›Beatrice ist die Tochter unserer Köchin Dorothea. Was ist dein Begehr? Wenn du mit dem Frauenzimmer zu Bett willst, läßt sich das ohne Zweifel arrangieren.‹

Stell dir Don Alvaros Erstaunen vor, als sich Ibn Farid auf seine großzügige Geste hin von seinen Polstern erhob, das Gesicht rot vor Zorn, und seinen Gastgeber zum Duell forderte. Don Alvaro erkannte, daß die Sache ernst war. Er stand auf und umarmte Ibn Farid. ›Was ist dein Begehr, mein Freund?‹ Alle wurden still. Ibn Farids Stimme war erstickt vor Bewegung. ›Ich möchte sie zu meinem Weib, das ist alles.‹ Sein Oheim wurde an dieser Stelle ohnmächtig, aber vermutlich war er schlicht dem Alkohol erlegen. Und Don Alvaro? Er sagte, der Vater des Mädchens sei tot und er müsse Dorothea fragen, aber er war aufrichtig genug, zu erklären, da die Frau in seinen Diensten stehe, sei eine Zurückweisung höchst unwahrscheinlich.

Dein Urgroßvater konnte nicht warten. ›Rufe sie jetzt gleich!‹ Don Alvaro tat wie geheißen. Verdutzt und verwundert kam Dorothea herein und verneigte sich vor den Versammelten. ›Dorothea‹, begann Don Alvaro, ›deine Speisen haben meinen Gästen trefflich gemundet, und dieser große Ritter, Ibn Farid, gratuliert dir zu deiner Kochkunst. Er gratuliert dir zudem zu der Schönheit der jungen Beatrice. Für uns, die wir sie in den letzten Jahren heranwachsen sahen, sind ihre Züge selbstverständlich, doch Außenstehende sind von ihr überwältigt. Hast du irgendwelche Heiratspläne mit ihr?‹ Die Ärmste, was sollte sie sagen? Auch sie selbst war eine außergewöhnliche Erscheinung mit ihrer herrlichen Figur und den wallenden roten Haaren, die ihr bis an die Knie reichten. Sie war über die Frage erstaunt. Sie schüttelte ungläubig den Kopf. ›Wohlan‹, fuhr Don Alvaro fort, ›ich habe gute Kunde für dich. Mein Freund Ibn Farid möchte sie zum Weibe. Verstehst du? Als sein Weib für allezeit, nicht als Konkubine für eine Nacht! Er wird dir eine ansehnliche Mitgift bezahlen. Was sagst du?‹

Du kannst dir die Verfassung der Ärmsten vorstellen, Ibn Umar. Sie weinte, worüber Ibn Farid gerührt war, und er sprach zu ihr und versicherte ihr aufs neue, daß seine Absichten vollkommen ehrbar seien. Darauf blickte sie Don Alvaro an und sagte: ›Wie es Euch beliebt, Herr. Sie hat keinen Vater. Entscheidet Ihr.‹ Und Don Alvaro entschied im nämlichen Augenblick, daß Beatrice am nächsten Morgen deine Urgroßmutter Numero drei werden sollte. Man trank noch mehr Wein. Eine solche Freude, so wurde uns später erzählt, habe man seit dem Tage, an dem dein Großvater geboren wurde, nicht mehr im Gesicht deines Vorfahren gesehen. Er war im siebenten Himmel. Er hob zu singen an und tat dies mit so offenkundiger Freude und Leidenschaft, daß es ansteckte und alle einstimmten. Er hat jenes Gedicht nie vergessen, und seither wurde es in eurem Hause immer wieder gesungen.«

Suhayr erstarrte. »War es die Chamriya? Die Hymne an den Wein?«

Der alte Mann lächelte und nickte. Suhayr, von der Geschichte zutiefst gerührt, stimmte plötzlich einen Gesang an.

Meine Sinne ertränke in der Leidenschaft Flut
Laß ab von deinem finstern Blick.
Hab Mitleid mit der Liebe Glut,
Denn dich zu schaun ist all mein Glück.
Liebestod ist Himmel, und Liebe ist das Leben
Dessen Sünden jener Himmel gerne wird vergeben ...

»Wa Allah!« rief der alte Mann. »Du singst gut.«

»Ich habe die Worte von meinem Vater gelernt.«

»Und er von seinem, aber das erste Mal war am wichtigsten. Soll ich fortfahren, oder hast du für heute genug? Die Sonne bescheint schon die Gipfel. Zu Hause wartet dein himmlisches Allerlei auf dich. Wenn du müde bist ...«

»Bitte fahr fort. Bitte!«

Und der alte Mann fuhr fort.

»Am nächsten Tag nach dem Morgenmahl trat Beatrice zum Islam über. Als ihr muselmanische Namen zur Wahl gestellt wurden, schien sie verwirrt, und so kam es, daß selbst ihr neuer Name von ihrem zukünftigen Gemahl bestimmt wurde. Asma. Asma bint Dorothea.

Das arme Kind. Sie wurde von ihrer bevorstehenden Verheiratung unterrichtet, als sie am frühen Morgen erwachte und sich anschickte, die Küche zu putzen und Feuer zu machen. Sie brach in Tränen aus. Wenige Stunden später wurde die Vermählung vollzogen. Der Oheim deines Urgroßvaters mußte als einziger anwesender Muselman die Zeremonie vornehmen. Unsere Religion ist schlicht. Geburt, Tod, Heirat, Trennung bedürfen keiner ausgeklügelten Rituale wie jene, die die Mönche erfunden haben.

Ibn Farid war in Eile, weil er die Familie vor eine unumkehrbare Tatsache stellen wollte. Er spürte, daß jede Verzögerung fatal sein könnte. Die Brüder von Najma und Maryam gehörten zu jenem Zweig der Familie, der Dispute mit anderen Sippen gerne gewaltsam löste. Sie waren erfahrene Mörder. Natürlich würden sie es als Schmach betrachten, daß ihre Schwester zugunsten eines christlichen Sklavenmädchens übergangen wurde. Konkubinen sind statthaft, wie du weißt. Aber das hier war etwas anderes. Eine neue Hausherrin war ohne ihr Wissen oder ihre Einwilligung erwählt worden. Sie würde ihm ohne Zweifel Kinder gebären. Wäre ihnen Zeit zum Überlegen geblieben, hätten sie womöglich versucht, Beatrice zu töten. Ibn Farid war in ganz al-Andalus wegen seines Mutes als ›der Löwe‹ bekannt, aber er konnte mit gleichem Geschick auch den Fuchs spielen. Er wußte, wenn er erst vermählt war, würden seine Schwäger nichts ausrichten können. Sein Oheim war natürlich aufgebracht, doch im Hause von Don Alvaro zankte er nicht mit seinem Neffen. Das kam später.

So kehrte Ibn Farid mit Asma bint Dorothea nach Qurtuba zurück. Hier ruhten sie sich einen Tag und eine Nacht aus, ehe sie die Zweitagesreise zum Königreich Gharnata und in die Geborgenheit von al-Hudayl antraten. Ohne Ibn Farids Wissen hatte die Kunde durch einen Sonderboten seines Oheims bereits das Haus erreicht.

Im Hause herrschte Trauerstimmung. Dein Großvater Abdallah war damals achtzehn Jahre alt und schon ein Mann. Deine Großtante Sahra war vier Jahre jünger, ebensoalt wie ich. Sie gingen im Innenhof, durch den der Bach fließt, auf und ab. Beide befanden sich in großer Aufregung. Ich sah sie immer unruhiger werden, ohne den Grund zu kennen. Als ich deinen Großvater fragte, herrschte er mich an: ›Du Hundesohn, hinaus mit dir. Damit hast du nichts zu schaffen.‹ So hatte er noch nie zu mir gesprochen. Als Maryam aus ihrem Zimmer kam, eilten sie beide zu ihr und umarmten sie, und dabei weinten sie die ganze Zeit. Meine Anmaßung war zum

Glück vergessen. Ich liebte deinen Großvater sehr, und was er an jenem Tage zu mir sagte, kränkte mich tief. Später verstand ich freilich den Grund für seinen Zorn, doch bis zu jenem Tage hatte ich immer als Ebenbürtiger mit ihm und Sahra gespielt. Etwas hatte sich verändert. Sobald die Ruhe wiederhergestellt war, versuchten wir beide, zu unseren Gewohnheiten aus alten Tagen zurückzukehren, aber es wurde nie mehr so wie früher. Ich konnte nicht vergessen, daß er der junge Herr war, und er wurde ständig daran erinnert, daß ich der Sohn einer Dienerin war, welche nun die Pflicht hatte, der Herrin Asma aufzuwarten.«

Endlich, dachte Suhayr, spricht er von sich selbst; doch ehe er eine Frage stellen konnte, fuhr der alte Mann fort:

»Maryam war eine überaus sanfte Frau, wenngleich ihre Zunge sehr grausam sein konnte, wenn eine Magd, ausgenommen natürlich eure Ama, sich auch nur die leiseste Spur von Vertrautheit erlaubte. Ich erinnere mich gut an sie. Zuweilen badete sie in einem großen Süßwassertümpel, der von dem Fluß gebildet wurde. Sechs Dienerinnen gingen ihr voraus, und noch einmal vier Mägde folgten ihr. Sie spannten zu ihren beiden Seiten große Tücher auf, damit sie vollkommen ungestört war. Die Gruppe schritt gewöhnlich schweigend einher, ausgenommen wenn Sahra sie begleitete. Dann plauderten Tante und Nichte munter miteinander, und den Mägden war gestattet, über Sahras Scherze zu lachen. Die Dienstboten achteten Maryam, waren ihr aber nicht zugetan. Die Kinder ihrer verstorbenen Schwester beteten sie ohne Vorbehalt an. In den Augen deines Großvaters und deiner Großtante konnte sie nichts Unrechtes tun. Sie wußten, daß ihr Vater mit ihr nicht glücklich war. Sie spürten, wie es Kindern eigen ist, daß das Problem, was immer es sei, sehr tief ging, aber sie hörten nie auf, sie zu lieben.«

Der alte Mann brach ab und blickte seinem Zuhörer in die bekümmerten Augen. »Bedrückt dich etwas, junger Herr? Möchtest du jetzt gehen und ein andermal wiederkommen? Die Geschichte kann nicht davonlaufen.«

Suhayrs Augen hatten eine kleine Gestalt am Horizont wahrgenommen, und die Staubwolke zeigte an, daß es ein galoppierender Bote war. Er mußte von al-Hudayl kommen.

»Ich fürchte, wir werden alsbald unterbrochen. Wenn der Reiter ein Bote von unserem Haus ist, komme ich morgen bei Sonnenaufgang wieder. Könntest du mir aber noch eine Frage beantworten, bevor ich heute aufbreche?«

»Frage nur.«

»Wer bist du, Alter? Deine Mutter diente in unserem Hause, aber wer war dein Vater? Ist es möglich, daß du ein Mitglied unserer Familie bist?«

»Ich weiß es nicht genau. Meine Mutter war ein Teil der Mitgift, eine Dienstmagd, die mit der Herrin Najma aus Qurtuba kam, als sie Ibn Farid ehelichte. Sie muß damals sechzehn oder siebzehn Jahre alt gewesen sein. Mein Vater? Wer weiß? Meine Mutter sagte, er sei Gärtner auf eurem Besitz gewesen und in dem Jahr, als ich geboren wurde, in einer Schlacht bei Malaka getötet worden. Es ist wahr, daß sie mit ihm vermählt wurde, aber der Himmel allein weiß, ob er mein Vater war. Jahre später, nach dem plötzlichen, rätselhaften Tod von Asma bint Dorothea und den merkwürdigen Umständen des Ablebens meiner Mutter, bekam ich Geschichten über meinen richtigen Vater zu hören. Es hieß, die Saat, die mich hervorbrachte, sei von Ibn Farid gepflanzt worden. Das würde gewiß sein Benehmen in späteren Jahren erklären, aber wäre das der Fall gewesen, dann hätte meine Mutter es mir selbst gesagt. Es kümmerte mich auch nicht mehr.«

Suhayr war von dieser Wende der Ereignisse gefesselt. Er erinnerte sich jetzt dunkel jener Geschichten, die Ama von der Tragödie der Herrin Asma zu erzählen pflegte, doch konnte er sich nicht mehr auf ihren Inhalt besinnen. Er wollte so schrecklich gerne bleiben und alles hören, aber ihn dünkte, daß die Staubwolke näherkam.

»Du hältst noch eine wesentliche Tatsache zurück.«

»Was könnte das sein?«

»Dein Name, Alter, dein Name.«

Der alte Mann hatte die ganze Zeit den Kopf aufrecht gehalten; nun ließ er ihn plötzlich sinken und betrachtete das Muster des Teppichs. Dann sah er Suhayr an und lächelte.

»Ich habe den Namen, den meine Mutter mir gab, längst vergessen. Vielleicht wird sich eure Ama erinnern oder der Zwerg. Zu viele Jahrzehnte haben mich meine Freunde und

Feinde als Wajid al-Sindiq gekannt. Das war der Name, den ich annahm, als ich mein erstes Buch schrieb. Es ist ein Name, auf den ich noch immer sehr stolz bin.«

»Du hast behauptet zu wissen, warum man mich al-Fahl nennt. Ich werde mich anstrengen müssen, um mir eine ebenso scharfsinnige Erklärung auszudenken, weshalb du einen solchen Namen annahmst.«

»Die Antwort ist einfach. Sie beschreibt mich gut. Ich bin schließlich ein Skeptiker, ein fanatischer Freidenker!«

Beide lachten. Als der Reiter vor der Höhle anlangte, standen sie auf, und Suhayr, impulsiv wie immer, umarmte den alten Mann und küßte ihn auf die Wangen. Al-Sindiq war von der Geste gerührt. Ehe er etwas sagen konnte, machte sich der Bote durch ein leises Husten bemerkbar.

»Komm herein. Tritt ein«, sagte Suhayr. »Ist es eine Botschaft von meinem Vater?«

Der Knabe nickte. Er war kaum dreizehn Jahre alt. »Verzeiht, aber der Herr sagt, Ihr müßt sogleich zurückkommen. Man hatte Euch zum Morgenmahl erwartet.«

»Gut. Du steigst auf das Maultier, das du ein Pferd nennst, und reitest zurück. Sag ihnen, ich bin unterwegs. – Warte. Ich hab mich anders besonnen. Kehr gleich um, ich überhole dich in ein paar Minuten. Ich werde meinen Vater selbst begrüßen. Du brauchst keine Botschaft zu überbringen.«

Der Knabe nickte und wollte sich entfernen, doch al-Sindiq hielt ihn zurück. »Komm her, mein Sohn. Bist du durstig?«

Der Knabe sah Suhayr an, der freundlich nickte; begierig griff er nach dem Becher Wasser, der ihm gereicht wurde, und leerte ihn in einem Zug.

»Hier, nimm ein paar Datteln für den Rückweg mit. Du wirst Zeit haben, sie zu essen, wenn dein Herr dich überholt hat.«

Der Knabe nahm die Früchte dankbar an und verneigte sich vor den Männern. Er faßte sein Pferd und redete ihm gut zu, dann ritt er los.

»Friede sei mit dir, Wajid al-Sindiq.«

»Und mit dir, mein Sohn. Darf ich dich um einen Gefallen bitten?«

»Was immer du willst.«

»Als dein Vater mir vor einem Vierteljahrhundert gestattete, hier zu wohnen, bestand er auf einer einzigen Bedingung. Meine Lippen mußten in allen Angelegenheiten, welche die Familie betreffen, versiegelt bleiben. Sollte er jemals entdecken, daß gegen diese Bedingung verstoßen wurde, würde er mir seine Erlaubnis entziehen. Auch würde ich nicht mehr die Speisen erhalten, die deine Mutter mir gütigerweise zukommen läßt. Meine Zukunft hängt von deinem Stillschweigen ab. Es gibt keinen anderen Ort, wohin ich gehen könnte.«

Suhayr war erzürnt. »Aber das ist unannehmbar. Es ist ungerecht. Das sieht meinem Vater gar nicht ähnlich. Ich werde ...«

»Nichts wirst du. Dein Vater mag unrecht gehandelt haben, aber er hatte seine Gründe. Du mußt mir hoch und heilig versprechen, daß du schweigen wirst.«

»Du hast mein Wort. Ich schwöre beim al-koran ...«

»Dein Wort allein genügt.«

»Freilich, al-Sindiq, aber dafür mußt du mir versprechen, daß du die Geschichte zu Ende erzählst.«

»Genau das hatte ich vor.«

»Friede sei mit dir, Alter.«

Al-Sindiq ging zu der Stelle, wo Chalid angepflockt war, und lächelte anerkennend, als sich Suhayr auf den ungesattelten Rücken des Tieres schwang. Al-Sindiq tätschelte das Pferd.

»Ein Pferderitt ohne Sattel bestritten ...«

»Ich weiß«, rief Suhayr, »... ist wie auf Teufels Rücken geritten. Wenn das wahr wäre, kann ich nur sagen, daß der Teufel einen bequemen Rücken haben muß.«

»Friede sei mit dir, al-Fahl. Möge euer Haus gedeihen«, rief der alte Mann und grinste übers ganze Gesicht, als Suhayr hügelab galoppierte.

Al-Sindiq blieb eine Weile stehen und bewunderte die Geschicklichkeit des scheidenden Reiters.

»Einst bin ich so geritten. Du erinnerst dich, nicht wahr, Sahra?«

Er erhielt keine Antwort.

3. KAPITEL

Yasid war zitternd und mit schweißüberströmtem Gesicht aus dem Mittagsschlaf erwacht. Seine Mutter, die neben ihm lag, war besorgt über den Zustand ihres Jüngsten. Sie rieb ihm das Gesicht mit einem rosenwassergetränkten Leintuch ab und befühlte seine Stirn. Sie war so kühl wie die Nachmittagsbrisen im Innenhof. Es bestand kein Grund zur Sorge.

»Fühlst du dich unwohl, mein Sohn?«

»Nein. Ich hatte nur einen seltsamen Traum. Er war so wirklich, Ummi. Warum sind Nachmittagsträume wirklicher? Weil der Schlaf leichter ist?«

»Vielleicht. Möchtest du ihn mir erzählen?«

»Mir träumte von der Moschee in Qurtuba. Sie war so schön, Mutter. Und dann kam Großonkel Miguel herein und goß überall Flaschen mit Blut aus. Ich wollte ihn zurückhalten, aber er hat mich geschlagen ...«

»Was wir im Traum sehen, übertrifft die Wirklichkeit«, unterbrach ihn Subayda. Sie mißbilligte die ständigen Angriffe auf Miguel, zu denen Ama die Kinder anstiftete, und deswegen suchte sie ihren Sohn abzulenken. »Aber alles, was man von der Großen Moschee in Qurtuba träumen kann, bleibt hinter der Wahrheit zurück. Eines Tages werden wir dich mitnehmen und dir ihre prachtvollen Bogengänge zeigen. Und Miguel ...« Sie seufzte.

Suhayr hatte auf dem Weg zur Badestube das Gespräch mit angehört, und nun trat er lautlos in das Zimmer seiner Mutter, gerade zur rechten Zeit, um noch zu hören, wie Yasid den Bischof von Qurtuba verdammte.

»Ich kann ihn nicht leiden. Ich konnte ihn nie leiden. Er kneift mich immer zu fest in die Wangen. Ama sagt, man kann nichts anderes erwarten. Sie sagt, seine Mutter, die Herrin Asma, konnte ihn auch nicht leiden. Weißt du, Mutter, einmal habe ich gehört, wie Ama und der Zwerg über Asma gesprochen haben. Ama hat gesagt, daß Miguel sie getötet hat. Ist das wahr?«

Subaydas Antlitz wurde aschfahl. Sie stieß ein unsicheres kleines Lachen aus. »Was für eine Torheit! Selbstverständlich hat Miguel seine Mutter nicht getötet! Dein Vater wäre entsetzt, wenn er dich so sprechen hörte. Deine Ama redet eine Menge Unsinn. Du darfst nicht alles für bare Münze nehmen, was sie sagt.«

»Bist du dessen so sicher, Mutter?« fragte Suhayr in neckendem Ton.

Seine Stimme erschreckte die zwei. Yasid sprang auf und warf sich in seine Arme. Die Brüder herzten und küßten sich. Ihre Mutter lächelte.

»Der junge Fuchs ist heil in den Bau zurückgekehrt. Du wurdest heute morgen arg vermißt. Yasid ist umhergelaufen und allen auf die Nerven gegangen, sich selbst eingeschlossen. Was hatte der alte Mann so Interessantes zu erzählen?«

Suhayr hatte sich auf dem Heimritt seine Antwort auf die zu erwartende Frage sorgsam zurechtgelegt.

»Er sprach über die Tragödie von al-Andalus. Das Scheitern des Fortbestandes unserer Lebensart. Er meint, wir sind am Ende unserer Geschichte. Er ist ein sehr weiser Mann, Mutter. Ein wahrer Gelehrter. Was weißt du über ihn? Er weigert sich strikt, über sich selbst zu sprechen.«

»Frag Ama«, sagte Yasid. »Sie weiß alles über ihn.«

»Ich werde Ama sagen, sie soll in Zukunft ihre Phantasie zügeln und sich vorsehen, wenn Yasid zugegen ist.«

Suhayr lächelte und wollte ein Gespräch über Ama und die Verdienste ihrer zahlreichen Bemerkungen beginnen, doch er fing den Blick seiner Mutter auf. Eine deutliche Warnung. Sie hatte sich im Bett aufgesetzt und erteilte ihm sogleich einen strengen Befehl.

»Geh baden, Suhayr. Deine Haare sind voll Staub.«

»Und er riecht nach Pferdeschweiß!« setzte Yasid hinzu und zog ein Gesicht.

Die Brüder gingen hinaus, und Subayda klatschte in die Hände. Zwei Zofen traten ins Zimmer. Eine trug einen Spiegel und zwei Kämme. Wortlos begannen sie, ihrer Herrin den Kopf zu massieren; zwei Paar Hände arbeiteten in vollendeter Symmetrie. Die zwanzig Finger, zart und fest zugleich, bedeckten den ganzen Bereich von der Stirn bis zum

Nacken. Im Hintergrund konnte Subayda nur das Geräusch von Wasser vernehmen. Als ihr inneres Gleichgewicht wiederhergestellt war, gab sie ihnen ein Zeichen, von ihrer Arbeit abzulassen.

Die beiden Frauen ließen sich auf dem Fußboden nieder, Subayda setzte sich auf die Bettkante, und sie begannen, ihre Füße zu bearbeiten. Für Umaima, die jüngere der beiden, war dies eine neue Aufgabe, und ihre Unsicherheit zeigte sich daran, daß sie nicht die erforderliche Kraft aufbrachte, um die linke Ferse ihrer Herrin zu kneten.

»Was erzählt man sich im Dorf?« fragte Subayda. Umaima war erst jüngst zu ihrer Aufwartung bestellt worden, und sie wollte dem Mädchen die Befangenheit nehmen. Die junge Dienstmagd errötete, als sie von ihrer Herrin angesprochen wurde, und murmelte ein paar unzusammenhängende Gedanken über die große Achtung, die alle im Dorf der Banu Hudayl bewiesen. Ihre ältere und erfahrenere Gefährtin Chadidja kam ihr zu Hilfe.

»Alles spricht darüber, wie Suhayr bin Umar den Ungläubigen ins Gesicht schlug, Herrin.«

»Suhayr bin Umar ist ein unbesonnener Tor! Was reden die Leute?«

Umaima war es gelungen, ein Kichern zu unterdrücken, doch Subaydas Ungezwungenheit beruhigte sie, und sie antwortete klar und deutlich.

»Die Jüngeren pflichten Ibn Umar bei, Herrin, aber viele Ältere waren verstimmt. Sie fragten sich, ob der Christ nicht zu der Herausforderung angestiftet wurde, und Ibn Hasd, der Schuster, war beunruhigt. Er meinte, sie könnten Soldaten schicken, um al-Hudayl anzugreifen und uns alle gefangenzunehmen. Er sagte, daß ...«

»Ibn Hasd sieht auch in guten Zeiten nur Verderben, Herrin.« Chadidja fürchtete, Umaima könnte zuviel preisgeben, und wollte das Gespräch in unverfänglichere Bahnen lenken. Doch Subayda blieb beharrlich.

»Still. Sag mir, Mädchen, was hat Ibn Hasd gesagt?«

»Ich kann mich nicht auf alles besinnen, Herrin, aber er hat gesagt, mit unseren süßen Tagträumen sei es vorbei, und bald würden wir zitternd erwachen.«

Subayda lächelte.

»Er ist ein guter Mensch, auch wenn er freudlose Gedanken hegt. Ein Stein aus der Hand eines Freundes ist wie ein Apfel. Hast du meine Kleider ins *hammam* gebracht?«

Umaima nickte. Subayda entließ die beiden mit einem Neigen des Kopfes. Sie wußte sehr gut, daß der Schuster nur aussprach, was das ganze Dorf dachte. Es herrschte allgemein große Unsicherheit. Zum erstenmal in sechshundert Jahren sahen die Dorfleute von al-Hudayl keine Zukunft für ihre Kinder mehr. Tausenderlei Geschichten kursierten in Gharnata über das, was nach der Reconquista von Qurtuba und Ischbiliya geschehen war. Jeder neue Flüchtling, der ins Dorf kam, berichtete von Schrecken und willkürlichen Greueltaten. Einen tiefen Eindruck hinterließen die ausführlichen Schilderungen über die Konfiszierungen, die Kirche und Krone allenthalben vorgenommen hatten. Dies fürchteten die Dorfleute mehr als alles andere. Sie wollten nicht von dem Land vertrieben werden, das sie und ihre Vorfahren Jahrhundertelang bestellt hatten. Wenn Konvertieren der einzige Weg war, Haus und Hof zu retten, dann würden viele diese schwere Prüfung auf sich nehmen, nur um zu überleben. Den Anfang würde fraglos Ubaydallah, der Oberaufseher, machen, für den es nur zwei Götter gab: Sicherheit und Reichtum.

Subayda beschloß, diese Probleme mit ihrem Gemahl zu erörtern, um gemeinsam zu einer Entscheidung zu gelangen. Die Dorfleute verließen sich auf die Banu Hudayl und erwarteten eine Lösung. Suhayrs Unbesonnenheit mußte sie erschreckt haben. Umar würde am Freitag in die Moschee gehen müssen, um die Leute zu beruhigen.

Als Subayda durch den Hof ging, sah sie ihre Söhne beim Schachspiel. Sie schaute ihnen ein Weilchen zu und bemerkte belustigt den finsteren Blick, der Suhayrs Züge entstellte: ein sicheres Zeichen, daß Yasid gewann. Mit hörbarer Erregung in der Stimme verkündete dieser seinen Triumph: »Ich gewinne immer, wenn ich die schwarze Königin auf meiner Seite habe!«

»Was sagst du, Wicht? Hüte deine Zunge. Schach muß in vollkommenem Schweigen gespielt werden. Das ist die erste Spielregel. Du plapperst drauflos wie eine balzende Krähe.«

»Meine Königin hat deinen Sultan mattgesetzt«, sagte Yasid. »Ich habe erst gesprochen, als das Spiel aus war. Du hast keinen Grund, schlechtgelaunt zu sein. Warum soll sich ein Ertrinkender vor Regen fürchten?«

Suhayr, voll Zorn, weil ein Zehnjähriger ihn besiegt hatte, legte seinen König auf den Tisch, lachte hilflos und schritt von dannen.

»Wir sehen uns beim Nachtmahl, Wicht!«

Yasid lächelte die Königin an. Er sammelte die Figuren ein, und just, als er sie in die Schatulle legte, kam ein alter Gefolgsmann in den Hof gerannt, das Gesicht bleich vor Angst, als hätte er ein Gespenst gesehen. Ama trat aus der Küche. Er flüsterte ihr etwas ins Ohr. Yasid hatte die alte Frau nie so bestürzt gesehen. War es möglich, daß das Christenheer in al-Hudayl einfiel? Ehe er zum Turm eilen konnte, um sich selbst zu überzeugen, erschien sein Vater auf dem Schauplatz, gefolgt von Ama.

Yasid, der sich nichts entgehen lassen wollte, schlenderte mit Unschuldsmiene zu seinem Vater und nahm ihn an der Hand. Umar lächelte ihm zu, den Diener aber sah er stirnrunzelnd an.

»Ist das wirklich wahr? Es kann kein Irrtum sein?«

»Nein, Herr. Ich sah den Trupp mit eigenen Augen durchs Dorf gehen. Zwei Christensoldaten eskortierten die Herrin, und die Leute fürchteten sich. Ibn Hasd erkannte die Dame, und er sagte mir, ich soll so schnell reiten, wie ich kann, um es Euch zu melden.«

»Wa Allah! Nach all den Jahren. Geh, aber stärke dich, bevor du umkehrst. Ama wird mit dir in die Küche gehen. Yasid, lauf und sage deiner Mutter, ich möchte sie sprechen. Dann richte deinem Bruder und deinen Schwestern aus, daß wir heute abend einen Gast haben. Ich wünsche, daß sie hier bei mir sind, auf daß wir unseren Gast im Kreise der Familie begrüßen können. Spute dich, mein Sohn.«

Sahra bint Najma hatte ein Wort mit dem Schuster gewechselt, doch ansonsten erwiderte sie die Grüße nicht, die ihr die Dorfältesten entboten. Sie nickte ihnen kurz zu, mehr nicht. Sobald ihr Fuhrwerk die schmalen Dorfstraßen durchfahren und die Baumgruppe erreicht hatte, von der aus das Haus deutlich zu sehen war, wies sie den Fuhrmann an, dem holprigen Weg zu folgen, der neben dem Bach verlief.

»Fahre mit dem Wasser, bis du das Haus der Banu Hudayl siehst«, sagte sie, und ihre zarte Stimme zitterte vor Bewegung. Sie hatte nie geglaubt, daß sie ihr Heim noch einmal wiedersehen würde. Die jahrzehntelang zurückgehaltenen Tränen brachen jetzt aus ihr hervor mit der Wildheit eines angeschwollenen Flusses, der über die Ufer tritt. Es sind nichts als Erinnerungen, sagte sie sich.

Wie trügerisch das Dasein doch sein kann. Der erste Blick auf das Haus sagte ihr, daß nichts ausgelöscht war. Als sie die vertraute Landschaft sah, erinnerte sie sich so lebhaft an alles, daß es wieder zu schmerzen begann. Da war der Garten mit den Granatapfelbäumen. Sie lächelte, als das Zugpferd, von der weiten Reise erschöpft, langsamer ging und aus dem Bach trank. Obwohl Frühling war, konnte sie, wenn sie die Augen schloß, die Obstgärten riechen.

»Weißt du bestimmt, daß niemand dich beobachtet hat?« Seine Stimme, ängstlich, aufgeregt.

»Nur der Mond! Ich kann dein Herz klopfen hören.«

Mehr Worte wurden in jener Nacht nicht gesprochen, bis sie kurz vor Morgengrauen voneinander schieden.

»Du wirst mein Weib!«

»Ich will keinen anderen.«

Sie öffnete die Augen und sog die letzten Sonnenstrahlen in sich auf. Hier hatte sich nichts verändert. Da waren die hohen Mauern und der Turm. Die Tore standen wie immer offen. Der Sommer lag schon in der Luft. Der Geruch der Erde überwältigte ihre Sinne. Das sachte Plätschern und das seidige Wasser des Baches, der durch den Innenhof und in die Zisternen floß, die das *hamman* speisten – es war genau, wie sie es seit vielen Jahren in Erinnerung hatte. Und Abdallahs Sohn Umar war jetzt der Herr über diesen Besitz.

Sie bemerkte die plötzliche Anspannung der Christensoldaten und gewahrte alsbald die Ursache. Drei Reiter in blendend weißen Gewändern und Turbanen ritten ihr entgegen. Der Wagen hielt an.

Umar bin Abdallah und seine beiden Söhne Suhayr und Yasid zügelten ihre Pferde und grüßten die alte Dame.

»Friede sei mit dir, Schwester meines Vaters. Willkommen daheim.«

»Als ich fortging, warst du vier Jahre alt. Deine Mutter sagte mir ständig, ich sollte strenger mit dir sein. Komm her.«

Umar saß ab und ging zu dem Wagen. Sie küßte ihn aufs Haupt.

»Laß uns heimkehren«, flüsterte sie.

Als sie den Eingang zum Haus erreichten, sahen sie die älteren Bediensteten draußen warten. Sahra stieg aus, Ama hinkte zu ihr, und sie umarmte sie.

»Bismallah, bismallah. Willkommen in Eurem alten Heim, Herrin«, sagte Ama, und Tränen liefen ihr übers Gesicht.

»Ich freue mich, daß du noch am Leben bist, Amira. Es freut mich wirklich. Die Vergangenheit ist vergessen, und ich wünsche nicht, daß sie wiederkehrt«, erwiderte Sahra, indes die beiden Alten einander ansahen.

Sie wurde ins Haus geleitet, wo Subayda, Hind und Kulthum sich verneigten und ihr Willkommen entboten. Sahra musterte sie der Reihe nach, dann blickte sie hinter sich, um sich zu vergewissern, daß Yasid ihr folgte. Sie griff nach seinem Turban und warf ihn in die Luft. Diese Geste löste die Spannung, und alle lachten. Sahra kniete auf dem Kissen nieder und umarmte Yasid. Der Knabe, der instinktiv spürte, daß sie es aufrichtig meinte, erwiderte ihre Zuneigung.

»Großtante Sahra, Ama hat mir erzählt, du warst vierzig Jahre im *maristan* in Gharnata eingesperrt, aber du kommst mir überhaupt nicht verrückt vor.«

Umar sah seinen Sohn stirnrunzelnd an, und ängstliche Gespanntheit erfaßte die Familie, Hind aber lachte laut auf.

»Yasid hat völlig recht. Warum bist du nicht früher gekommen?«

Sahra lächelte. »Zuerst dachte ich nicht, daß ich willkommen wäre. Dann habe ich einfach nichts mehr gedacht.«

Ama trat ein, gefolgt von zwei jungen Mägden mit Handtüchern und frischen Kleidern.

»Möge Allah Euch segnen, Herrin. Euer Bad ist bereit. Diese Mädchen werden Euch behilflich sein.«

»Danke, Amira. Danach muß ich mich stärken.«

»Das Mahl ist bereitet, Tante«, warf Subayda ein. »Wir haben mit dem Essen auf dich gewartet.«

Ama nahm Sahras Arm, und sie gingen in den Hof hinaus, gefolgt von den zwei Mägden. Hind wartete, bis sie außer Hörweite waren.

»Vater! Großtante Sahra ist doch nicht verrückt, oder? Ist sie jemals verrückt gewesen?«

Umar zuckte die Achseln und wechselte einen raschen Blick mit Subayda. »Ich weiß es nicht, mein Kind. Uns wurde gesagt, sie hätte in Qurtuba den Verstand verloren. Sie haben sie hierhergeschickt, doch sie weigerte sich zu heiraten. Sie wanderte über die Hügel und rezitierte gotteslästerliche Verse. Offen gestanden, ich war nie von ihrer Krankheit überzeugt: Man wollte sie einfach nur loswerden. Mein Vater liebte Sahra über alles und war ganz unglücklich über den Entschluß, doch Ibn Farid war ein sehr harter Mann. Wir müssen Sorge tragen, daß ihre letzten Jahre glücklich werden.«

Hind war nicht gewillt, das Thema zu wechseln. »Aber Vater, warum hast du sie nie im *maristan* besucht? Warum?«

»Ich hatte das Gefühl, es würde zu schmerzlich für sie sein. Ich habe zuweilen daran gedacht, doch irgend etwas hielt mich zurück. Mein Vater ging sie besuchen, aber er kam jedesmal dermaßen bedrückt nach Hause, daß er wochenlang nicht lächeln konnte. Ich wollte diese Erinnerungen nicht wiedererwecken. Aber nun ist sie hier, meine Tochter, und sie wird dir gewiß alle deine Fragen beantworten. Tante Sahra hat sich nie durch Zurückhaltung ausgezeichnet.«

»Ihr dürft nicht denken, wir hätten ihre Existenz nicht beachtet«, sagte Subayda. »Bis vorige Woche hat deines Vaters Vetter Hischam ihr allwöchentlich frische Kleider und Früchte von uns gebracht.«

»Das freut mich zu hören«, sagte Yasid in altklugem Ton, womit er zu seinem großen Verdruß alle zum Lachen brachte; er mußte sich abwenden, um sein eigenes Lächeln zu verbergen.

Wenn es noch Zweifel an Sahras geistiger Gesundheit gab, so wurden sie beim Mahl zerstreut. Sie redete und lachte so unbefangen, daß es schien, als wäre sie immer bei ihnen im

Hause gewesen. Irgendwann kam man unweigerlich auf die Tragödie von al-Andalus zu sprechen, und dabei zeigte die alte Dame eine politische Einsicht, die Subayda erstaunte.

»Warum war unser Niedergang unaufhaltsam? Wir sind dem Ehrbegriff des Toren zum Opfer gefallen! Wißt ihr, was das ist, Hind? Yasid? Suhayr? Nein? Toren halten Vergebung für Unrecht.«

Hind stellte schließlich die Frage, die alle im Sinn hatten. »Großtante, wie hast du die Erlaubnis bekommen, das *maristan* zu verlassen? Was ist geschehen?«

Die alte Dame schien ehrlich erstaunt. »Soll das heißen, ihr wißt es nicht?«

Alle schüttelten den Kopf.

»Wir waren hierorts immer abgeschieden vom Rest der Welt. Ganz Gharnata spricht davon, was im *maristan* geschah. Ich dachte, ihr wüßtet es.« Sie kicherte. »Ich sollte es euch wohl besser erzählen. Gibt es etwas, den Gaumen zu versüßen, Nichte?«

Ehe Subayda antworten konnte, sprach Ama, die geduldig darauf gewartet hatte, daß sie den Hauptteil der Mahlzeit beendeten: »Wünscht die Herrin etwas himmlisches Allerlei?«

»Himmlisches Allerlei! Das wußtest du noch, Amira?«

»Ja, das weiß ich noch«, sagte Ama, »aber ich wollte es Suhayr ohnehin zum Morgenmahl bereiten, doch ist er erst nachmittags von seinem langen Ritt zurückgekehrt. Alle Zutaten waren seit dem Morgen hergerichtet. Der Teig ist geknetet; er braucht nur noch zu Küchlein geformt und gebacken zu werden. Es dauert nicht lange.«

Da alle Blicke sich erwartungsvoll auf Sahra richteten, befand diese es an der Zeit, ihren Bericht zu erstatten, und so begann sie, die folgenschweren Ereignisse zu schildern, welche die plötzliche Wende in ihrem Leben herbeigeführt hatten.

»Vor zehn Tagen kamen Klosterbrüder zu uns und erkundigten sich nach der Religion der Insassen. Die meisten waren Anhänger des Propheten. Die übrigen waren Juden, auch einige Christen waren darunter. Die Mönche erklärten den Oberen, daß der Erzbischof von Tulaytula ...«

»Jimenez!« zischte Suhayr. Seine Großtante lächelte.

»Derselbe. Er hatte seine Mönche angewiesen, mit den

Zwangskonversionen zu beginnen. Gab es dafür einen besseren Ort als das *maristan?* Sie hätten uns nicht drohen müssen; sie taten es dennoch. Fortan wurde nur denen zu bleiben gestattet, die an die Jungfräulichkeit Marias und die Göttlichkeit Jesu glaubten. Wie ihr wißt, ist Alkohol verboten, und als die Insassen die Priester mit ihren Weinflaschen sahen, tranken sie selig das Blut Christi. So ging die Konversion mühelos vonstatten.

Als die Reihe an mir war, sagte ich ihnen: ›Nichts fällt mir leichter als Enthaltsamkeit von ungesetzlichen Dingen, aber ich habe eine Neuigkeit für Euch. Ich trinke des Teufels Pisse nicht, und doch bin ich bereits aus freien Stücken konvertiert. Das, ehrwürdige Väter, ist tatsächlich der Grund, weshalb meine Angehörigen mich hierhergeschickt haben. Sie dachten, ich müsse den Besitz meiner Geisteskräfte eingebüßt haben, als ich verkündete, daß ich eine getreue Anhängerin Eurer Kirche bin.‹ Die armen Priester waren verwirrt. Vielleicht halten sie mich wirklich für verrückt, dachte ich mir, und werden meiner Geschichte keinen Glauben schenken. Deswegen zeigte ich auf das Kruzifix an meinem Hals. Und wißt ihr was, Kinder? Es hat gewirkt.

Am nächsten Morgen wurde ich zum Generalkapitän in die al-Hamra gebracht. Stellt euch vor, eine Insassin eines *maristan* begegnet dem Stellvertreter des kastilischen Königs! Er war überaus höflich. Ich schilderte ihm, was mir widerfahren war. Als er erfuhr, daß ich die Tochter von Ibn Farid bin, wurde er beinahe ohnmächtig. Er sagte mir, daß er von seinem Vater Geschichten über die Tapferkeit eures Urgroßvaters gehört habe, und gab sogleich einige zum besten. Ich kannte sie alle, aber das ließ ich ihn nicht merken; ich lauschte aufmerksam auf jedes Wort, lächelte und gestikulierte in den richtigen Momenten. Daß mich der Zorn meines Vaters ins *maristan* gebracht hatte, wurde von uns beiden stillschweigend übergangen. Er fragte mich, was ich von der Lage in Gharnata halte. Ich sagte ihm, ich hätte den Allmächtigen vor vierzig Jahren um eine große Gunst ersucht und betete noch heute, daß mein Wunsch in Erfüllung gehen möge, bevor ich sterbe. ›Was ist das für eine Gunst, meine Dame?‹ fragte der Generalkapitän. ›Daß mir die Kraft verliehen werden möge, mich nicht in Dinge einzumischen, die mich nichts angehen.‹«

Yasid kicherte über die Art, wie sie den Generalkapitän und sich selber nachahmte, und alle lachten, sogar Kulthum, die von der Ankunft dieser legendären Gestalt eingeschüchtert gewesen war. Sahra, erfreut über die Wirkung ihrer Geschichten, fuhr mit der Erzählung fort. »Ihr könntet denken, dies war feige von mir gehandelt, und ihr hättet recht. Seht ihr, meine Kinder, ich wollte hinaus. Hätte ich die Wahrheit gesagt ..., hätte ich ihn wissen lassen, was ich empfand, als Jimenez unsere Bücher verbrannte, wäre ich wohl im *maristan* geblieben, oder man hätte mich in ein Kloster geschickt. Wißt ihr, sie haben uns alle aus dem *maristan* geholt, damit wir mit ansehen, wie unsere Kultur in Flammen aufging. Da dachte ich an dieses Haus und an die vielen Manuskripte in unserer Bibliothek – Ibn Hasm, Ibn Chaldun, Ibn Ruschd, Ibn Sina. Hier würden sie überleben. Das alles hätte ich dem Generalkapitän erzählen können, aber dann hätte man nie geglaubt, daß ich geistig gesund bin. Und mein gleichgültiges Gebaren hatte die gewünschte Wirkung.

Der Generalkapitän stand auf, verbeugte sich und küßte mir die Hand. ›Seid versichert, liebe Dame, daß eine bewaffnete Wache Euch zu Eurem Familiensitz eskortieren wird, sobald Ihr es wünscht.‹ Dann empfahl er sich, und ich wurde ins *maristan* zurückgebracht. Ihr könnt euch meine Verfassung vorstellen. Vier volle Jahrzehnte hatte ich das Gebäude nicht verlassen. Ich hatte mich im stillen auf den Tod vorbereitet, und dann dies. Übrigens, ihr müßt die Bücher fortschicken. Schafft sie zur Universität in Al-Qahira oder nach Fes. Hier werden sie nicht überleben. – Nun habe ich nichts mehr zu sagen. Ich hoffe nur, daß ich euch nicht zur Last falle.«

»Dies ist dein Heim«, erwiderte Umar ein wenig feierlich. »Vielleicht hättest du es nie verlassen sollen.«

Hind umarmte und küßte Sahra. Die alte Frau war über die spontane Geste tief gerührt.

»Ich habe nicht gewußt, daß du Christin bist, Großtante.«

»Ich auch nicht«, erwiderte Sahra, was Yasid veranlaßte, vor Lachen zu kreischen.

»Hast du das alles erfunden, um da herauszukommen? Ja?«
Sahra nickte, und alle lachten. Etwas jedoch plagte Yasid.
»Aber woher hast du das Kruzifix?«
»Ich habe es selbst gemacht. Die Zeit drang nie in jene Stätte ein. Ich habe viele Holzfiguren geschnitzt, um zu verhindern, daß ich wirklich verrückt werde.«
Yasid verließ seinen Platz, setzte sich neben Sahra und umklammerte ihre Hand ganz fest, wie um sich zu vergewissern, daß sie wirklich da war.
»Ich erkenne bereits, daß mein Neffe ein guter Mensch ist, wie sein Vater. Deine Kinder sind unbefangen in deiner Gegenwart. So ist es bei uns nie gewesen. Hmmmm. Ich rieche etwas Feines. Amira hat ihre Fertigkeit nicht verloren.« Ama kam mit den Küchlein herein, die sie in ein Tuch gewickelt hatte, um sie warmzuhalten. Ihr folgte der Zwerg, der ein Metallgefäß mit kochend heißer Milch trug. Umaima kam als letzte und brachte einen Topf mit rohem braunen Zucker. Der Zwerg verneigte sich vor Sahra, die seinen Gruß erwiderte.
»Ist deine Mutter tot oder lebendig, Zwerg?«
»Sie ist vor fünfzehn Jahren gestorben, Herrin. Sie hat auch für Euch gebetet.«
»Sie hätte lieber für sich selber beten sollen. Dann wäre sie vielleicht noch am Leben.«
Ama begann mit der Zubereitung des himmlischen Allerleis. Sie tauchte die Hände in eine große Schüssel, wo sie die weichen Küchlein auseinanderbrach. Sie ließen sich mühelos zerkrümeln. Sie fügte etwas frische Butter hinzu und knetete die Mischung mit den Händen weich. Darauf gab sie Umaima ein Zeichen, die vortrat und den Zucker darüberstreute, indes Amas runzlige Hände die Zutaten vermischten. Schließlich hielten die Finger still. Sahra klatschte in die Hände und reichte ihre Schale hin. Ama wölbte die rechte Hand und servierte ihr eine große Handvoll. Die Prozedur wurde bei allen anderen der Reihe nach wiederholt. Dann wurde die heiße Milch darübergegossen und der süße Gang verzehrt. Einen Augenblick lang war die ganze Familie zu sehr damit beschäftigt, sich an dem köstlichen Geschmack dieser einfachen Mixtur zu laben, um der Schöpferin zu danken.

»Himmlisch. Einfach himmlisch, Ama. Welch herrliches himmlisches Allerlei. Jetzt kann ich in Frieden sterben.«

»So ein himmlisches Allerlei habe ich noch nie gekostet, Ama«, sagte Yasid.

»Dieses himmlische Allerlei hätte doch nie für mich allein erschaffen werden können, Ama?« fragte Suhayr.

»Der Geschmack dieses himmlischen Allerleis erinnert mich an meine Jugend«, murmelte Umar.

Ama war zufrieden. Der Gast und die drei Männer des Hauses hatten sie öffentlich gelobt. Heute abend hat sie keinen Grund zu murren, dachte Hind bei sich, während sie im stillen über dieses absurde Ritual lachte, das auf Ibn Farids erste Ehe zurückging.

Hinds Schlafzimmer hatte einst Sahra gehört. Jetzt war es wieder für die alte Dame hergerichtet worden. Hind war in eine Gästekammer neben dem Zimmer ihrer Mutter im Frauentrakt des Hauses gezogen. Sahra wurde von allen Frauen der Familie und von Ama zu ihrem Zimmer geleitet. Im Hof blieb sie an der Türschwelle stehen und sah zum Himmel. Eine Träne löste sich, dann noch eine.

»Jeden Monat habe ich von diesem Hof geträumt. Erinnerst du dich an den Schatten des Granatapfelbaums bei Vollmond, Amira? Weißt du noch, was wir immer gesagt haben? Wenn der Mond bei uns ist, was brauchen wir dann die Sterne?«

Ama nahm ihren Arm und schob sie sacht durch die Türe. Subayda, Hind und Kulthum wünschten ihr eine gute Nacht.

In einem anderen Bereich des Innenhofs war Umaima auf dem Nachhauseweg, als sie von einem Arm gepackt und in ein Zimmer gezogen wurde.

»Nicht, Herr«, flüsterte sie.

Suhayr befühlte ihre Brüste, doch als seine Hände in andere Regionen abschweiften, hielt das Mädchen ihn zurück.

»Heute nacht kann ich nicht, al-Fahl. Ich bin unrein. Wenn Ihr mir nicht glaubt, taucht Eure Hand hinein und seht selbst.«

Er ließ die Hände sinken, ohne etwas zu erwidern, und Umaima huschte zur Türe hinaus und verschwand.

Hind und Kulthum hatten sich in das Schlafgemach ihrer

Mutter begeben. Sie saßen auf der Bettstatt und sahen Subayda zu, wie sie ihre Haare löste und sich entkleidete.

Umar trat durch die Tür, die ihre Gemächer verband. »Ein seltsamer Abend war das. Sie war nur vier Jahre jünger als mein Vater. Ich sehe viel von ihm in ihr. Ich weiß, wie sehr er sie vermißt hat. Welch eine Tragödie. Welche Vergeudung eines Lebens. Sahra hätte es zu etwas Großem bringen können. Wißt ihr, daß sie Gedichte schrieb? Und sie waren gut. Sogar unser Großvater mußte das eingestehen, und das in einer Zeit, als er ihr noch zürnte ...«

Es klopfte an der Türe, und Suhayr trat ein. »Ich hörte Stimmen und wußte, es muß ein Familienrat sein.«

»Ein Familienrat ohne Yasid wäre unmöglich«, versetzte Hind. »Er ist der einzige, der diese Zusammenkünfte ernst nimmt. Abu sprach von unserer Großtante, bevor du in das Gespräch hineingeplatzt bist.«

»Eben deshalb bin ich ja gekommen. Es geschieht nicht alle Tage, daß ein Geist ins Leben zurückkehrt. Was für eine Frau muß sie gewesen sein. Mehr als fünfzig Jahre aus diesem Haus verbannt. Wie gut sie sich heute abend betragen hat. Kein Groll. Kein Zorn. Nur Erleichterung.«

»Sie hat keinen Grund, mit uns zu hadern«, sagte der Vater. »Wir haben ihr nichts zuleide getan.«

»Wer hat ihr etwas zuleide getan, Vater? Wer? Warum? Was war Großtante Sahras Vergehen?« Hinds ungeduldige Stimme war schneidend vor Zorn, den sie nicht zu verbergen trachtete. Ohne etwas über Sahra zu wissen, ausgenommen die eine oder andere rätselhafte Bemerkung von Ama oder das Gerede, das sie von ihren Cousinen in Ischbiliya aufgeschnappt hatte, war sie von der Würde der alten Dame doch gerührt gewesen. Keine der Geschichten entsprach der Wirklichkeit, die sie heute erlebt hatten, als die wahre Sahra im Heim ihrer Vorfahren Zuflucht vor den Wirren in Gharnata suchte.

Umar sah Subayda an, die sacht nickte, und er erkannte, daß es angezeigt war, den Kindern alles zu erzählen, was ihm von dem Geheimnis, das Sahra umgab, in Erinnerung geblieben war. Es gab vieles, was er nicht wußte. Von denen, die noch am Leben waren, kannte nur Ama alle Einzelheiten, und vielleicht noch ein Mensch – mit Ausnahme von Großoheim Miguel, der alles zu wissen schien.

»Es liegt alles so lange zurück«, begann Umar bin Abdallah, »daß ich mich sicher nicht an jede Einzelheit erinnere. Was ich euch jetzt erzählen werde, weiß ich von meiner Mutter, die mit Sahra vertraut war und sehr an ihr hing. Ich weiß nicht genau, wann Sahras Unglück begann. Meine Mutter sagte, es wäre an dem Tag gewesen, als euer Urgroßvater Ibn Farid, er ruhe in Frieden, mit seiner neuen Gemahlin Asma nach al-Hudayl kam. Sie war nur wenig älter als Sahra und unternahm keine Anstrengungen, den Stil oder Ablauf des hiesigen Lebens zu ändern. Die Führung des Haushalts überließ sie Großmutter Maryam. In den ersten Monaten soll sie eine solche Ehrfurcht vor allem gehabt haben, daß es ihr schwerfiel, einer Magd einen Befehl zu erteilen.

Sahra und Vater standen ihrer Tante Maryam sehr nahe. Sie hatte sie aufgezogen, als ihre Mutter gestorben war. Und so nahm sie in ihren Herzen den Platz ihrer Mutter ein. Bruder und Schwester sahen Asmas Eintritt in unser Haus als Störung an. Es geschah nichts Unschickliches, doch zwischen ihnen und ihrem Vater hatte sich eine Kluft aufgetan. Ohne Zweifel spielten die Bediensteten eine unheilvolle Rolle bei dieser Angelegenheit. Sie waren schließlich über Asmas Herkunft im Bilde. Sie war ein christliches Küchenmädchen gewesen, dessen Mutter noch immer Köchin war, obgleich Ibn Farid ihr angeboten hatte, Don Alvaros Dienste zu verlassen und in seinen Haushalt einzutreten. Dies alles sorgte im ganzen Dorf und besonders in der Küche dieses Hauses für endlose Klatschgeschichten. Man hätte meinen sollen, daß es die Küchenbediensteten mit Stolz hätte erfüllen müssen, als eine aus ihrem Stande so plötzlich aufstieg, aber weit gefehlt. Insbesondere der Vater des Zwerges verbreitete ungemein viel Gehässigkeit, bis Ibn Farid ihn eines Tages zu sich befahl und ihm drohte, ihn persönlich im äußeren Hof hinzurichten. Die Drohung wirkte. Langsam kehrte Ruhe ein. Das Fieber ließ nach.

Das Schlimme war, daß die Bediensteten sich nicht einmal bemühten, die Stimmen zu senken, wenn die Kinder zugegen waren, und das Übel war ansteckend. Sahra wurde äußerst verdrießlich. Ibn Farid war der Mittelpunkt ihres Lebens gewesen. Er hatte sich mit Asma vermählt, und Sahra fühlte sich betrogen. Nur um ihren Vater zu brüskieren, wies sie jeden Freier ab. Sie zog sich immer mehr in sich selbst zurück. Es konnte geschehen, daß sie tagelang mit niemandem sprach.

Natürlich hatte Ibn Farid vorausgesehen, welche Wirkung seine Vermählung im Dorf haben würde. Aus diesem Grunde hatte er in Qurtuba ein ganzes Gefolge von Leibdienerinnen für Asma gedungen, da er wußte, daß ihre Treue in erster Linie der neuen Herrin gelten würde. An ihre Spitze hatte er eine ältere Frau gestellt, die viele Jahre in unserer Familie gedient hatte, aber mit Großmutter Najma aneinandergeraten und aus dem Hause gewiesen worden war. Sie war dann Wäscherin im Dorf geworden.

Diese Frau hatte einen Sohn, dessen Vater entweder Feigenverkäufer in Qurtuba war oder einer von unseren Gefolgsleuten, die bei einer Belagerung nahe Malaka umkamen, oder ... das weiß allein der Himmel. Er war ein überaus kluger Knabe und hatte dank der Großzügigkeit der Banu Hudayl eine gute Ausbildung genossen. Er wurde von denselben Hauslehrern unterrichtet wie mein Vater und Tante Sahra. Anders als sie las er viel und kannte die großen Werke der Philosophie, Geschichte, Mathematik, Theologie und sogar Medizin. Die Bücher in unserer Bibliothek kannte er besser als irgendein Mitglied der Familie. Mohammed Ibn Saidun, so sein Name, war zudem eine stattliche Erscheinung.

Eure Großtante entbrannte in Liebe zu ihm. Ibn Saidun war es, der sie von ihrer Niedergeschlagenheit befreite. Er war es, der ihr zuredete, Gedichte zu schreiben, an die Welt außerhalb dieses Hauses, ja jenseits der Grenzen von al-Andalus zu denken. Er erklärte ihr die Umstände von Ibn Farids Vermählung und überzeugte Sahra, daß es nicht Asmas Schuld war. So kamen sie einander näher.

Es war wohl die Erkenntnis, daß diesem Sohn einer Dienerin Erfolg beschieden war, wo er selbst so kläglich versagt hatte, welche bewirkte, daß Ibn Farid eine tiefe Abneigung gegen Ibn Saidun faßte. Einmal hörte man ihn sagen: ›Wenn der Knabe seine Zunge nicht hütet, kann es ihn den Kopf kosten.‹ Er begann den Jüngling zu strafen. Er bestand darauf, daß Mohammed zum Arbeiten auf die Felder geschickt wurde und ein Handwerk lernte wie alle anderen. Nach seinem Willen sollte Juans Vater ihn das Tischlerhandwerk oder Ibn Hasd die Fertigkeiten des Schuhmachens lehren. Der Knabe war klüger, als es seinem Alter entsprach. Er spürte den Zorn seines Herrn, aber er verstand auch den Grund und mied fortan den Innenhof. Sahra und Asma baten Ibn Farid inständig, den jungen Mann doch nicht so grob zu behandeln. Ich glaube, es war Asma, der es schließlich gelang, meinen Großvater zu überreden, er solle Sahra und meinen Vater von Ibn Saidun in den Grundzügen der Mathematik unterweisen lassen.

Mein Vater war selten zugegen. Oft weilte er auf der Jagd oder bei unseren Verwandten in Gharnata. Und so kam es, daß Mohammed Ibn Saidun und Sahra bint Najma Tag für Tag beisammen waren. Was geschehen mußte, geschah …«

Hinds Augen glänzten vor Aufregung. »Aber warum sind sie nicht einfach fortgelaufen? Ich hätte es getan.«

»Alles zu seiner Zeit, Hind. Alles zu seiner Zeit. Es gab ein Problem in Gestalt einer anderen jungen Frau. Auch sie war sehr schön, genau wie Sahra, doch im Unterschied zu dieser war sie die Tochter eines alten Gefolgsmannes und arbeitete als Dienstmagd. Ganz ähnlich wie unsere Umaima. Sie war überaus klug, aber ohne jede Ausbildung, und auch sie wünschte sich Ibn Saidun zum Manne. Natürlich hielt Ibn Farid dies für eine ausgezeichnete Idee, und er wies beider Eltern an, die Hochzeit in die Wege zu leiten.

Sahra wurde wahnsinnig. Vielleicht sollte ich dieses Wort nicht gebrauchen. Sagen wir, sie geriet außer sich, als Ibn Saidun ihr von den Plänen erzählte. Sie zwang ihn, sich noch in derselben Nacht im Granatapfelhain gleich vor dem Haus mit ihr zu treffen …«

Hind brach in ein helles Gelächter aus, von dem sich alle anderen anstecken ließen, ausgenommen Suhayr. Ihr Vater verlangte eine Erklärung.

»Manche Dinge ändern sich nie, nicht wahr, Bruder? Denk nur, sie trafen sich im Granatapfelhain!«

Suhayrs Gesicht wechselte die Farbe. Sein Vater verstand die Anspielung, er lächelte und lenkte die Aufmerksamkeit von seinem Erstgeborenen ab, indem er mit Sahras Geschichte fortfuhr.

»In jener Nacht wurden sie Mann und Frau. Am nächsten Morgen ging Sahra zu Großmutter Asma und erzählte ihr, was geschehen war. Asma war entsetzt und sagte Sahra, sie würde unter keinen Umständen dulden, daß sie sich mit dem Sohn ihrer Dienstmagd vermähle ...«

»Aber ...« hob Hind an. Doch dann sah sie das finstere Gesicht ihres Vaters und brach ab.

»Ja, Hind, ich weiß, aber in solchen Angelegenheiten gibt es keine Logik. Asma wollte nicht, daß sich ihr eigenes Schicksal bei Sahra wiederholte. Das ist freilich ein Widerspruch, aber nicht ungewöhnlich. Eure Mutter wird sich erinnern: Als Großonkel Rahim-Allah eine Kurtisane ehelichte, entpuppte diese sich als die sittenstrengste der Großtanten. Ihrem Gemahl in standhafter Treue ergeben, unbeugsam in ihrer Einstellung zu Ehebruch und ähnlichen Lastern. Das ist vermutlich eine der Konsequenzen dessen, was Meister Ibn Chaldun als das Dilemma veränderter gesellschaftlicher Stellungen bezeichnet hätte. Sobald man die Leiter von der untersten Stufe nach ganz oben erklommen hat, muß man unablässig auf jene hinabsehen, die weniger Glück haben als man selbst.

Doch zurück zu unserer Geschichte. Eines Abends, als Sahra und Ibn Saidun sich an ihrem Lieblingsplatz zum Stelldichein trafen, war ihnen Sahras Rivalin heimlich gefolgt. Sie sah alles mit an. Alles. Am nächsten Morgen ging sie zu Ibn Farid und erstattete ihm Bericht. Er zweifelte nicht einen Augenblick an ihren Worten. Er mußte das Gefühl gehabt haben, daß seine instinktive Abneigung gegen den Sohn der Wäscherin gerechtfertigt war. Er brüllte aus vollem Halse: ›Fünfzig Golddinare dem, der mir den Knaben bringt.‹

Ich glaube, hätte man Ibn Saidun an jenem Tage erwischt, mein Großvater hätte ihn auf der Stelle kastrieren lassen. Zu seinem Glück war unser Liebender am Morgen zu einem Botengang nach Gharnata geschickt worden. Als seine Mutter hörte, was ihn bei seiner Rückkehr erwartete, sandte sie auf Asmas Anraten einen Freund aus dem Dorf zu dem Jüngling, um ihn zu warnen. Ibn Saidun verschwand einfach. Er wurde nie mehr im Dorf gesehen, solange Ibn Farid lebte ...«

»Vater«, fragte Kulthum mit ihrer sanften, folgsamen Stimme, »wer war Großtantes Rivalin?«

»Aber Kind, ich dachte, das hättet ihr alle nach den Ereignissen dieses Abends erraten. Es war Ama!«

»Ama!« riefen alle drei.

»Psst!« sagte Subayda. »Sie kommt noch angelaufen, wenn sie euch so rufen hört.«

Sie sahen sich stumm an. Hind war die erste, die sich wieder zu Wort meldete. »Und Großtante Sahra?«

»Euer Urgroßvater befahl sie in Gegenwart meiner beiden Großmütter zu sich. Sie flehten ihn an, ihr zu verzeihen. Sahra selbst war trotzig. Vielleicht können wir sie jetzt fragen, aber meine Mutter erzählte mir, daß Sahra gesagt haben soll. ›Warum sollst du der einzige sein, der jemand nach seiner Wahl heiratet? Ich liebe Asma als das Weib deiner Wahl und als meine Freundin. Warum kannst du Ibn Saidun nicht anerkennen?‹ Da schlug er sie, und sie verfluchte ihn, verfluchte ihn immerzu, bis Ibn Farid ihr den Rücken zukehrte und wortlos aus dem Zimmer ging – er war beschämt, doch nicht genug, sie um Verzeihung zu bitten. Am nächsten Tag verließ sie dieses Haus. Sie kehrte nie zurück, bis heute abend. Was sie in Qurtuba tat, weiß ich nicht. Da müßt ihr jemand anderen fragen.«

Während die Kinder Umar bin Abdallahs über die tragische Geschichte ihrer Großtante nachdachten, war diese gerade dabei, Ama zu entlassen und sich für die Nacht zurückzuziehen. Sahra hatte jegliche Erwähnung von Ibn Saidun sorgfältig vermieden. Sie wollte keine Entschuldigungen, die ohnehin ein halbes Jahrhundert zu spät gekommen wären. Es war alles vorbei, und sie hegte wahrlich keinen Groll. Die beiden alten Frauen hatten den Abend damit verbracht, über die Banu Hudayl zu sprechen. Sahra wollte alles wissen, und in Ama hatte sie den einzigen Menschen gefunden, der ihr alles sagen konnte.

Ama hatte ihr, ohne eine Einzelheit auszulassen, die Umstände geschildert, wie ihr Bruder Abdallah starb, nachdem er von einem Pferd abgeworfen worden war, das er selbst gezüchtet und ausgebildet hatte, und wie seine Gemahlin ihn nur um ein Jahr überlebt hatte.

»Noch auf dem Sterbebett dachte er an Euch und ließ den kleinen Umar beim al-koran schwören, daß Euch regelmäßig Nahrung und Kleidung geschickt würden. Er hat Euren Fortgang nie verwunden.«

Sahra seufzte und verzog das Gesicht zu einem traurigen Lächeln. »Unsere Kindheitserinnerungen waren so eng miteinander verknüpft, weißt du ...« Dann hielt sie inne, als habe die Erinnerung an ihren Bruder weitere Erinnerungen geweckt. Ihr Gesichtsausdruck erinnerte Ama an die alten Zeiten. Sie muß ihn vor ihrem inneren Auge sehen, dachte Ama bei sich. Ich wünschte, sie würde von ihm sprechen. Was gibt es jetzt noch zu verbergen?

Es war, als hätte Sahra die Gedanken ihrer alten Rivalin gelesen. »Was ist aus Mohammed Ibn Saidun geworden?« Sahra bemühte sich um einen beiläufigen Ton, aber ihr Herz schlug schneller. »Ist er tot?«

»Nein, Herrin. Er lebt. Er hat seinen Namen geändert. Er nennt sich Wajid al-Sindiq und lebt auf einem Hügel wenige Meilen von hier. Suhayr ibn Umar besucht ihn regelmäßig, aber er weiß nichts von seiner Vergangenheit. Auch er bekommt Nahrung vom Haus geschickt. Umar bin Abdallah bestand darauf, nachdem wir entdeckten, wer der Mann war, der in die Höhle auf dem Hügel eingezogen war. Erst heute morgen ist Suhayr mehrere Stunden bei ihm gewesen.«

Sahra war über diese Neuigkeit so aufgeregt, daß Ama ihre Herzschläge meinte hören zu können.

»Ich muß jetzt schlafen. Friede sei mit dir, Amira.«

»Und mit Euch, Herrin. Gott segne Euch.«

»Das hat er allzulang nicht getan, Amira.«

Ama verließ mit der Lampe das Zimmer. Als sie hinaustrat, hörte sie Sahra etwas sagen. Sie wollte wieder umkehren, doch dann wurde ihr klar, daß Ibn Farids Tochter laut dachte. Ama verharrte wie angewurzelt auf der Steinplatte im Hof, auf der sie stand.

»Das erste Mal. Erinnerst du dich, Mohammed?« Sahra sprach zu sich selbst. »Es war wie das Öffnen einer Blume. Unsere Augen leuchteten voll Hoffnung, und unsere Herzen hüpften. Warum bist du nie zu mir zurückgekehrt?«

4. KAPITEL

»Es gibt keine andere Möglichkeit. Notfalls müssen wir zulassen, daß die göttliche Vorsehung sich des Dunkels der Verliese bedient, um das Licht des wahren Glaubens über die umnachteten Seelen dieser Ungläubigen auszugießen. Bruder Talavera, mein erlauchter Vorgänger, versuchte es mit anderen Methoden, und er hat versagt. Ich persönlich glaube, daß es ein irriger Beschluß war, das lateinisch-arabische Lexikon zu veröffentlichen, doch hierüber ist genug gesagt. Jene Periode ist gottlob vorbei und mit ihr, wie ich zuversichtlich hoffe, die Illusion, daß diese Ungläubigen uns durch Einsicht und vernünftiges Gespräch zugeführt werden.

Ihr blickt mißgestimmt, Exzellenz. Ich bin mir durchaus bewußt, daß ein milderes Vorgehen den Notwendigkeiten unserer gegenwärtigen Diplomatie entspräche, aber Ihr werdet mir meine Offenheit vergeben. Die Zukunft vieler tausend Seelen steht auf dem Spiel, nicht mehr und nicht weniger. Und diese zu retten und zu schützen ist mir von unserer heiligen Kirche befohlen. Ich bin der Überzeugung, daß die Heiden, wenn sie sich nicht freiwillig zu uns hinziehen lassen, in unsere Richtung getrieben werden müssen, auf daß wir sie auf den Pfad der wahren Erlösung stoßen können. Die Ruinen des Mohammedanismus schwanken in ihren Grundfesten. Dies ist nicht die rechte Zeit für uns, die Hände in den Schoß zu legen.«

Jimenez de Cisneros sprach mit Leidenschaft. Der Mann, der ihm auf einem Stuhl gegenübersaß, war Don Inigo Lopez de Mendoza, Marques von Tendilla, Bürgermeister und Generalkapitän von Granada, das die Mauren Gharnata nannten. Don Inigo hatte sich für diese Begegnung eigens in maurische Gewänder gehüllt, eine Attitüde, die den Erzbischof sehr betrübte.

»Für ein geistliches Oberhaupt offenbaren Eure Gnaden eine bemerkenswerte Fähigkeit, sich für weltliche Belange zu verwenden. Habt Ihr Euch diese Angelegenheit ernsthaft überlegt? Ihre Majestäten haben den von mir abgefaßten Kapitulationsbedingungen zugestimmt, nicht wahr, Vater? Ich war zugegen, als ihrem Sultan die feierliche Zusicherung durch die Königin gegeben wurde. Bruder Talavera ist im Albaicin geachtet, weil er sich an die vereinbarten Bedingungen hielt.

Ich will offen mit Euch sein, Erzbischof. Bis zu Eurer Ankunft hatten wir in diesem Königreich keine ernsten Schwierigkeiten. Es ist Euch nicht gelungen, sie durch Argumente zu gewinnen, und jetzt wünscht Ihr Zuflucht zu den Methoden der Inquisition zu nehmen.«

»Es sind praktische Methoden, Exzellenz. Erprobt und bewährt.«

»Ja, erprobt an Katholiken, deren Besitz Ihr begehrtet, und an Juden, die nie über ein Königtum herrschten und die sich ihre Freiheit mit Golddukaten und dem Übertritt zu unserer Religion erkauft haben. Diese Methoden werden hier nicht fruchten. Die meisten, die wir Mauren nennen, gehören unserem eigenen Volk an. So wie Ihr und ich. Sie haben über einen großen Teil unserer Halbinsel geherrscht, ohne allzu viele Bibeln zu verbrennen oder alle unsere Kirchen niederzureißen oder Synagogen in Brand zu stecken, um ihre *mezquitas* zu bauen. Sie haben zu viele Wurzeln in diesem Land, um mit einem Peitschenhieb vernichtet zu werden. Sie werden Widerstand leisten. Noch mehr Blut wird vergossen werden. Ihres und unseres.«

Cisneros sah den Marques mit purer Verachtung an. Jedem anderen Granden des Königreichs hätte Cisneros ins Gesicht gesagt, er spreche so, weil sein eigenes Blut unrein sei, befleckt durch afrikanisches Erbe. Dieser vermaledeite Mensch jedoch war nicht irgendein Edelmann. Seine Familie war eine der vornehmsten des Landes. Sie rühmte sich, mehrere Dichter, Administratoren und Krieger im Dienste des wahren Glaubens hervorgebracht zu haben. Die Mendozas hatten Ahnenforscher beschäftigt, die ihre Abkunft bis zu den westgotischen Königen zurückverfolgten. Daß letzteres zutraf, mochte Cisneros nicht so recht glauben, doch selbst ohne eine nachweisliche Verbindung zu den Westgoten war die Ahnentafel überaus beeindruckend. Cisneros kannte die Familie gut. Er selbst war ein Schützling des Königsmachers Kardinal Mendoza gewesen. Schließlich wußte das ganze Land, daß des Generalkapitäns Onkel väterlicherseits als Kardinal und Erzbischof von Sevilla Isabella geholfen hatte, ihre Nichte zu überlisten und sich im Jahre 1478 des kastilischen Throns zu bemächtigen. So kam es, daß die Familie Mendoza beim gegenwärtigen Königspaar in hohem Ansehen stand.

Cisneros wußte, er mußte vorsichtig sein, aber der Marques war es gewesen, der die Regeln verletzt hatte, welche die Beziehungen zwischen Kirche und Staat bestimmten. Er beschloß, ruhig zu bleiben. Es würden sich andere Gelegenheiten finden, den Mann für seinen Hochmut zu strafen. Cisneros sprach mit der sanftesten Stimme, die ihm bei diesem Anlaß zu Gebote stand. »Bezichtigen Euer Exzellenz die Inquisition der allgemeinen Korruption?«

»Habe ich das Wort Korruption erwähnt?«

»Nein, aber die Andeutung ...«

»Andeutung? Welche Andeutung? Ich habe nur darauf hingewiesen, mein lieber Bruder Cisneros, daß die Inquisition ein ungeheures Vermögen für die Kirche ansammelt. Allein von den konfiszierten Landgütern ließen sich drei Kriege gegen die Osmanen bestreiten. Habe ich nicht recht?«

»Was würden Euer Exzellenz mit den Besitztümern tun?«

»Sagt mir, Vater, ist es immer so, daß die Kinder eurer sogenannten Ketzer ebenfalls schuldig sind?«

»Wir rechnen mit der gegenseitigen Loyalität der Mitglieder einer Familie.«

»Somit kann man einem Christen, dessen Vater Mohammedaner oder Jude ist, niemals trauen?«

»Niemals ist vielleicht zu stark.«

»Wie kommt es dann, daß Torquemada, dessen jüdische Abstammung wohlbekannt war, den Vorsitz über die Inquisition führte?«

»Um seine Loyalität gegenüber der Kirche zu beweisen, mußte er umsichtiger sein als der Sproß einer Adelsfamilie, deren Geschlecht sich bis zu den westgotischen Königen zurückverfolgen läßt.«

»Ich beginne Eure Logik zu verstehen. Nun, wie dem auch sei, ich wünsche nicht, daß die Mauren weiteren Demütigungen ausgesetzt werden. Ihr habt genug getan. Das Verbrennen ihrer Bücher war eine Schande. Ein Schmutzfleck auf unserer Ehre. Ihre Handbücher der Wissenschaft und Medizin haben in der zivilisierten Welt nicht ihresgleichen.«

»Sie wurden gerettet.«

»Es war eine Barbarei. Seid Ihr zu blind, um das zu verstehen?«

»Und doch haben Euer Exzellenz meine Befehle nicht widerrufen.«

Jetzt war es an Don Inigo, den Priester wütend anzusehen. Der Anwurf war berechtigt. Es war Feigheit von ihm gewesen, pure Feigheit. Ein just aus Ischbiliya eingetroffener Höfling hatte ihn benachrichtigt, daß die Königin dem Erzbischof eine geheime Anweisung geschickt hatte, welche den Befehl enthielt, die Bibliotheken zu vernichten. Er wußte jetzt, daß diese Meldung falsch gewesen war. Cisneros hatte den Kurier vorsätzlich fehlgeleitet und ermutigt, den Generalkapitän falsch zu unterrichten. Don Inigo wußte, daß man ihn überlistet hatte, aber das war keine Entschuldigung. Er hätte den Befehl aufheben, er hätte Cisneros zwingen sollen, die angebliche Botschaft Isabellas vorzuweisen. Der Priester lächelte ihn an. »Der Mann ist ein Teufel«, dachte der Marques bei sich. »Er lächelt mit den Lippen, nie mit den Augen.«

»Eine Herde und ein Hirte, Exzellenz. Das braucht dieses Land, wenn es die Stürme überstehen soll, denen unsere Kirche in der Neuen Welt ausgesetzt ist.«

»Ihr seid Euch Eures eigenen Glückes nicht bewußt, Erzbischof. Wären die Hebräer und die Mauren nicht gewesen, die natürlichen Feinde, die Euch halfen, die Kirche zusammenzuhalten, hätten christliche Ketzer auf dieser Halbinsel eine Verwüstung angerichtet. Ich wollte Euch nicht erschrecken. Es ist kein sehr tiefschürfender Gedanke. Ich meine, Ihr hättet selbst darauf kommen können.«

»Ihr irrt Euch, Exzellenz. Die Vernichtung der Hebräer und Mauren ist notwendig, um unsere Kirche zu erhalten.«

»Wir haben beide recht, jeder auf seine Art. Es warten eine Menge Leute auf mich. Wir müssen das Gespräch ein andermal fortsetzen.«

Und auf diese brüskierende Art gab der Marques von Tendilla dem Erzbischof zu verstehen, daß die Audienz vorüber sei. Der Kirchenmann stand auf und verbeugte sich. Als Don Inigo sich erhob, erblickte Cisneros ihn in der ganzen Pracht seiner maurischen Gewänder. Der Priester zuckte zusammen.

»Ich sehe, meine Kleider mißfallen Euch ebensosehr wie meine Gedanken.«

»Beides scheint nicht ohne Zusammenhang, Exzellenz.« Der Generalkapitän brüllte vor Lachen. »Ich verüble Euch die Kutte nicht. Warum verdrießen Euch meine Gewänder? Sie sind so viel bequemer als jene, welche man bei Hofe trägt. Ich fühle mich lebendig begraben in den engen Beinkleidern und Wämsern, die doch offenkundig nur einem einzigen Zweck dienen, nämlich die kostbarsten Organe einzuschnüren, die Gott uns zu verleihen für richtig befand. Das Gewand, das ich trage, ward entworfen, auf daß es unserem Körper Behagen bereite, und es ist Eurer Kutte nicht gar so unähnlich, wie Ihr glauben mögt. Diese Kleider sind dazu bestimmt, in der Alhambra der Mauren getragen zu werden. Jede andere Gewandung würde sich mit den Farben der verschlungenen geometrischen Muster beißen. Sicher wißt selbst Ihr das zu würdigen, Bruder. Ich meine, es spricht viel dafür, sich ohne die Hilfe von Götzenbildern unmittelbar mit dem Schöpfer zu verständigen – doch das grenzt an Gotteslästerung, und ich möchte Euch nicht noch mehr aus der Fassung bringen oder noch länger aufhalten ...«

Die Lippen des Prälaten kräuselten sich zu einem bösen Lächeln. Er murmelte etwas in sich hinein, verbeugte sich und ging hinaus. Don Inigo sah aus dem Fenster. Unterhalb des Palastes lag das Albaicin, das alte Viertel, wo die Muselmanen, Juden und Christen dieser Stadt jahrhundertelang miteinander gelebt und Handel getrieben hatten. Der Generalkapitän war ganz in seine Gedanken über die Vergangenheit und Gegenwart vertieft, als er ein diskretes Hüsteln vernahm. Er wandte sich um und sah seinen jüdischen Majordomus Ben Yousef, der ein Tablett mit einem Silberservice – zwei Becher und eine Kanne mit Kaffee – in Händen hielt.

»Verzeiht die Störung, Exzellenz, aber euer Gast wartet seit über einer Stunde.«

»Beim Himmel! Führe ihn herein, Ben Yousef. Unverzüglich.«

Der Diener entfernte sich. Als er wiederkam, geleitete er Umar in den Audienzsaal. »Seine Gnaden, Umar bin Abdallah, Euer Exzellenz.«

Umar begrüßte Don Inigo auf die traditionelle Weise. »Friede sei mit Euch, Don Inigo.«

Der Marques von Tendilla ging mit ausgestreckten Armen auf seinen Gast zu und umfing ihn. »Willkommen, Willkommen, Don Homer. Wie ist Euer Befinden, mein alter Freund? Doch lassen wir die Förmlichkeiten beiseite. Bitte nehmt Platz.«

Diesmal ließ sich Don Inigo auf den Kissen nieder, welche vor dem Fenster lagen, und forderte Umar auf, es ihm gleichzutun. Der Majordomus schenkte Kaffee ein und bediente die beiden Männer. Sein Herr nickte ihm zu, und er entfernte sich rückwärts schreitend aus dem Raum. Umar lächelte.

»Es freut mich, daß Ihr ihn in Diensten behaltet.«

»Ihr seid gewiß nicht den ganzen Weg hierhergekommen, nur um mich zur Wahl meiner Dienstboten zu beglückwünschen, Don Homer.«

Umar und Don Inigo kannten sich seit ihrer Kindheit. Ihre Großväter hatten sich einst in legendären Schlachten bekämpft, die auf beiden Seiten längst zum Gegenstand volkstümlicher Überlieferungen geworden waren; später hatten die zwei Helden enge Freundschaft geschlossen und einander regelmäßig besucht. Beide Großväter wußten um den wahren Preis des Krieges und hatten sich immer wieder lustig gemacht über die Mythen, die sich um ihre Namen rankten.

In den Jahren vor 1492 hatte Inigo seinen Freund einfach Homer genannt, weil er Schwierigkeiten mit der Aussprache des arabischen »U« hatte. Der Gebrauch des Titels Don stammte dagegen erst aus jüngerer Zeit. Er ließ sich exakt auf die Eroberung von Gharnata datieren. Es hatte keinen Sinn, sich dagegen zu verwahren. Im Grunde seines Herzens wußte Umar, daß Don Inigo nicht mehr sein Freund war, und er vermutete, daß es Don Inigo umgekehrt genauso ging. Die zwei Männer hatten sich schon seit einigen Monaten nicht mehr gesehen. Die ganze betrübliche Angelegenheit war im Grunde nur eine Scharade, aber es galt, den Schein zu wahren. Man konnte sich nicht eingestehen, daß die Reconquista alle Ritterlichkeit ausgelöscht hatte.

Sie hatten die guten Beziehungen aufrechterhalten, indem sie sich an ihren jeweiligen Feiertagen regelmäßig mit Früchten und Naschwerk bedachten. Die letztjährige Weihnacht war die einzige Ausnahme gewesen. In der Residenz des Generalkapitäns in der Alhambra war nichts von der Familie Hudayl eingetroffen. Es hatte Don Inigo gekränkt, aber er war nicht überrascht gewesen. Schließlich war die Flammenwand dem Fest Christi Geburt nur um wenige Wochen vorausgegangen. Umar bin Abdallah war nicht der einzige angesehene Muselman, der die Feiern boykottiert hatte.

Don Inigo wollte den Bruch heilen, der zwischen ihnen entstanden war: Eben dies war das Motiv, das ihn veranlaßt hatte, nach seinem alten Freund zu schicken. Und nun war er hier, gerade wie in alten Zeiten, und trank seinen Kaffee, während er durch das geschnitzte Maßwerk des Fensters blickte. Freilich, ging es dem Marques durch den Kopf, in früheren Jahren hätte Umar hier als Mitglied der Ratsversammlung gesessen, um Sultan Abu Abdallah in Angelegenheiten zu beraten, welche Gharnatas Beziehungen zu seinen christlichen Nachbarn betrafen.

»Don Homer, ich weiß, warum Ihr zürnt. Ihr hättet in jener Nacht zu Hause bleiben sollen. Was hat Euer Großvater einst zu meinem gesagt? Ach ja, ich erinnere mich: ›Wenn das Auge nicht sieht, kann das Herz sich nicht grämen.‹ Ihr sollt wissen, daß es nicht mein Beschluß war. Es war Cisneros, der Erzbischof der Königin, welcher Eure Lehrbücher zu verbrennen befahl.«

»Ihr seid der Generalkapitän von Gharnata, Don Inigo.«

»Ja, aber wie hätte ich mich dem Willen Isabellas widersetzen können?«

»Indem Ihr sie an die Bedingungen erinnertet, die sie und ihr Gemahl hier in diesem Raum unterzeichnet haben, in Eurer und meiner Gegenwart, damals, vor mehr als acht Jahren.

Statt dessen habt ihr geschwiegen und die Augen abgewandt, als in dieser Stadt eine der größten Infamien der zivilisierten Welt begangen wurde. Die Tataren, die vor über zweihundert Jahren die Bibliothek von Bagdad niederbrannten, waren ungebildete Barbaren, denen das geschriebene Wort angst machte. Sie folgten lediglich ihrem Instinkt. Was Cisneros getan hat, ist viel schlimmer. Es ist kaltblütige und sorgsam geplante ...«

»Ich ...«

»Ja Ihr! Eure Kirche hat die Axt an einen Baum gelegt, der allen unentgeltlich Schatten spendete. Ihr glaubt, es wird Eurer Seite nützen. Vielleicht, aber für wie lange? Hundert Jahre? Zweihundert? Schon möglich, doch auf lange Sicht ist diese verkümmerte Zivilisation dem Untergang geweiht. Sie wird vom übrigen Europa überflügelt werden. Euch muß doch klar sein, daß die Zukunft dieser Halbinsel vernichtet wurde. Menschen, die Bücher in Flammen aufgehen lassen, ihre Gegner zu Tode foltern und Ketzer auf dem Scheiterhaufen verbrennen, werden nicht imstande sein, ein Haus mit soliden Grundfesten zu errichten. Der Fluch der Kirche wird diese ganze Halbinsel verdammen.«

Umar spürte, daß er im Begriff war, die Beherrschung zu verlieren, und hielt plötzlich inne. Ein mattes Lächeln erschien in seinem Gesicht.

»Verzeiht mir. Ich bin nicht gekommen, um eine Predigt zu halten. Es ist stets vermessen von den Besiegten, ihre Sieger belehren zu wollen. Wenn Ihr die Wahrheit wissen wollt, ich bin gekommen, um zu ergründen, wie Ihr mit uns zu verfahren gedenkt.«

Don Inigo stand auf und schritt in dem geräumigen Audienzzimmer auf und ab. Zwei Möglichkeiten standen ihm offen. Er konnte seinen Freund mit einem Schwall honigsüßer Worte beruhigen, ihm versichern, was auch geschehe oder nicht geschehe, die Banu Hudayl werde stets die Freiheit haben zu leben, wie sie immer gelebt hatte. Das alles und noch mehr hätte er gerne gesagt; doch er wußte, es entsprach nicht der Wahrheit, wiewohl er wünschte, es wäre wahr. Es würde Homer nur noch mehr erzürnen, denn für ihn wäre es ein weiteres Beispiel christlicher Doppelzüngigkeit. Der Marques beschloß, auf Diplomatie zu verzichten.

»Ich will offen mit Euch sein, mein Freund. Ihr wißt, was mir lieb wäre. Ihr seht, wie ich gekleidet bin. Mein Gefolge besteht aus Juden und Mauren. Ein Granada ohne sie wäre für mich wie eine Wüste ohne Oase. Aber ich stehe allein. Die Kirche und der Hof haben beschlossen, daß eure Religion für immer aus diesen Ländern getilgt werden muß. Sie verfügen über die Waffen und die Soldaten, um dies zu bewerkstelligen. Ich weiß, daß es Widerstand geben wird, aber er wird töricht sein und eurer Sache nicht nützen, und am Ende werden wir euch besiegen. Cisneros weiß das besser als jeder andere auf unserer Seite. – Ihr wolltet etwas sagen?«

»Hätten wir unsere eisernen Fäuste benutzt, um mit dem Christentum so zu verfahren, wie ihr uns jetzt behandelt, vielleicht wäre es nie zu dieser Situation gekommen.«

»Ihr sprecht wie die Eule der Minerva. Statt dessen habt ihr versucht, die Zivilisation über die ganze Halbinsel zu bringen, ohne auf Glauben oder Konfession zu sehen. Es war nobel von euch, und nun müßt ihr dafür bezahlen. Der Krieg mußte früher oder später mit dem vollständigen Sieg der einen Seite und der endgültigen Niederlage der anderen enden. Mein Rat für Eure Familie lautet, augenblicklich zu konvertieren. Wenn Ihr das tut, gelobe ich, persönlich dabei anwesend zu sein, und ich werde sogar Cisneros mit auf euer Landgut schleppen, auf daß er euch alle segnet. Seid nicht gekränkt, mein Freund. Ich mag zynisch klingen, doch wichtig für Euch und die Euren ist letztlich, daß Ihr am Leben bleibt und im Besitz der Ländereien, die seit langem in der Hand Eurer Familie sind. Ich weiß, daß auch der Bischof von Qurtuba Euch zu überzeugen suchte, aber ...«

Umar erhob sich und verneigte sich vor Don Inigo. »Ich weiß Eure Offenheit zu schätzen. Allein, ich kann nicht tun, was Ihr sagt. Meine Familie ist nicht bereit, der römischen oder einer anderen Kirche Gehorsam zu schwören. Ich habe viele Male darüber nachgedacht, Don Inigo. Ich habe sogar Mord in Erwägung gezogen. Erschreckt nicht. Ich versuchte, unsere Vergangenheit zu töten, die Erinnerung ein für allemal auszulöschen, aber es sind hartnäckige Wesen, sie weigern sich zu sterben. Ich habe das Gefühl, Don Inigo, wenn unsere Rollen vertauscht wären, Eure Antwort würde nicht viel anders gelautet haben.«

»Da bin ich nicht so sicher. Schaut mich an. Ich glaube, ich hätte einen leidlich guten Mohammedaner abgegeben. Wie geht es Eurem kleinen Yasid? Ich hatte gehofft, ihr würdet ihn mitbringen.«

»Die Zeit war nicht genehm. Wenn Ihr mich nun entschuldigen wollt, ich muß mich empfehlen. Friede sei mit Euch, Don Inigo.«

»Adios, Don Homer. Was mich anbelangt, ich würde unsere Freundschaft gerne aufrechterhalten.«

Umar lächelte, sagte aber nichts, als er den Raum verließ. Sein Leibwächter wartete vor dem Jannat-al-Arif, dem Sommergarten, wo er Subayda zum erstenmal begegnet war, doch Umar war nicht nach wehmütigen Erinnerungen zumute. Mendozas knappe Botschaft klang ihm noch in den Ohren. Als er sich heute dem Garten näherte, vermochte ihn nicht einmal das magische Geräusch des Wassers zu zerstreuen. Bis vor wenigen Wochen hatte er Gharnata für besetztes Territorium gehalten, das womöglich zu gegebener Zeit wieder befreit werden würde. Die Kastilen hatten zu Hause und im Ausland viele Feinde. Sobald sie in einen neuen Krieg verwickelt würden, wäre der richtige Zeitpunkt gekommen, um loszuschlagen. Alles andere mußte diesem Ziel untergeordnet werden. Dies hatte Umar den anderen muselmanischen Edelleuten auf ihren Zusammenkünften nach der Kapitulation der Stadt immer wieder gesagt.

Die Flammenwand hatte das alles geändert, und nun hatte der Generalkapitän seine schlimmsten Gedanken bestätigt. Die Götzenanbeter gaben sich mit einer bloßen militärischen Präsenz in Gharnata nicht zufrieden. Es war von vornherein eine naive Annahme gewesen, daß sie sich an die Vereinbarungen halten würden. Sie wollten die Gedanken der Besiegten erobern, ihre Herzen durchbohren, ihre Seelen umformen. Sie würden nicht ruhen, bis es ihnen gelungen wäre.

Gharnata, einst der sicherste Hort für die Anhänger des Propheten in al-Andalus, war nun ein gefährlicher Herd geworden.

»Wenn wir hierbleiben«, sprach Umar zu sich selbst, »ist es aus mit uns.«

Er dachte nicht allein an die Banu Hudayl sondern an das Schicksal des Islam in al-Andalus. Als sein Leibwächter ihn von weitem kommen sah, lief er, verwundert über die Kürze der Unterredung, mit dem Schwert und der Pistole seines Herrn zum Gartentor. Noch in Gedanken vertieft, ritt Umar zu den Stallungen, wo er absaß und sodann die halbe Meile zu dem vertrauten, behaglichen Wohnsitz seines Vetters im alten Viertel ging.

Während sein Vater in der al-Hamra weilte, verbrachte Suhayr den Vormittag mit seinen Freunden im öffentlichen Badehaus. Nachdem sie sich im Dampf gereinigt hatten, nahmen sich die Badewärter ihrer an, um sie gründlich mit harten Schwämmen zu schrubben und mit Seife zu waschen, ehe sie das Bad betraten, wo sie unter sich waren. Hier entspannten sie sich und tauschten Vertraulichkeiten aus. Die Freunde bewunderten Suhayrs Schulternarbe.

Allein in Gharnata gab es mehr als sechzig solcher Badehäuser. Die Nachmittage waren den Frauen vorbehalten, und die Männer mußten wohl oder übel vormittags baden. Das Badehaus, in dem Suhayr sich heute aufhielt, wurde traditionsgemäß ausschließlich von jungen Edelleuten und ihren Freunden besucht. Es hatte, insbesondere im Sommer, Gelegenheiten gegeben, da gemischte Gruppen gekommen waren und im Mondlicht ohne Wärter gebadet hatten, doch diese Gelegenheiten waren selten gewesen, und seit der Eroberung schien es damit völlig vorbei zu sein.

In den alten Zeiten, vor der Niederlage Gharnatas, war das Bad der Mittelpunkt gesellschaftlichen und politischen Klatsches gewesen. Gewöhnlich drehten sich die Gespräche um Liebesabenteuer und Heldentaten. Zuweilen wurden erotische Gedichte rezitiert und besprochen, vornehmlich bei den Nachmittagsbesuchen. Jetzt schien kaum etwas von Belang außer der Politik – die neuesten Greueltaten, welche Familie konvertiert war, wer Geld geboten hatte, um die Kirche zu bestechen, und natürlich jene schicksalhafte Nacht, die sich in ihrer aller Erinnerung eingebrannt hatte und die selbst diejenigen, denen die Politik sonst völlig gleichgültig gewesen war, dazu brachte, daß sie Stellung bezogen.

Die politische Temperatur in Suhayrs Bad war gedämpft. Vor zwei Tagen waren wieder drei *faqih* unter der Folter gestorben. Die Furcht zeigte allmählich Wirkung. Die Stimmung war von Verzweiflung und Fatalismus geprägt. Suhayr, der seinen Freunden, allesamt Abkömmlinge der muselmanischen Aristokratie in Gharnata, geduldig zugehört hatte, erhob plötzlich die Stimme.

»Die Wahl ist einfach. Konvertieren, zu Tode gefoltert werden oder mit dem Schwert in der Hand sterben.«

Musa bin Ali hatte in dem Chaos, das dem Einzug Ferdinands und Isabellas in die Stadt vorausgegangen war, zwei Brüder verloren. Sein Vater war bei der Verteidigung der Festung al-Hamra gefallen, die im Westen von Gharnata lag. Seine Mutter klammerte sich an Musa mit einer Verzweiflung, die ihm lästig war, doch er wußte, daß er sich seiner Verantwortung für sie und seine zwei Schwestern nicht entziehen konnte. Wann immer Musa das Wort ergriff, was nicht oft geschah, hörte man ihn mit respektvollem Schweigen an.

»Die von unserem Bruder Suhayr bin Umar aufgeführten Möglichkeiten sind korrekt, doch in seinem Überschwang hat er vergessen, daß es noch eine andere Wahl gibt. Es ist diejenige, für die Sultan Abu Abdullah sich entschieden hat. Gleich ihm könnten wir das Wasser überqueren und an der Küste des Maghreb eine Heimat finden. Ich darf euch zudem sagen, daß dies der Wunsch meiner Mutter ist.«

Suhayrs Augen blitzten vor Zorn. »Warum sollen wir woanders hingehen? Hier ist unsere Heimat. Meine Familie hat al-Hudayl errichtet. Es war ödes Land, bevor wir kamen. Wir haben das Dorf aufgebaut. Wir haben das Land bewässert. Wir haben die Obstgärten angelegt, Orangen, Granatäpfel, Limonen, Palmen und Reis gepflanzt. Ich bin kein Berber. Mit dem Maghreb habe ich nichts zu schaffen. Ich will in meiner Heimat leben, und Tod dem Ungläubigen, der versucht, sie mir mit Gewalt zu nehmen.«

Die Temperatur im Bad stieg dramatisch an. Ein junger Mann mit einem feingeschnittenen Gesicht, heller Olivenhaut und marmorgrünen Augen machte sich jetzt durch ein

Hüsteln bemerkbar. Alle blickten ihn an. Er konnte nicht älter als achtzehn oder neunzehn Jahre sein. Er war neu in der Stadt, erst vor wenigen Wochen aus Balansiya gekommen; zuvor hatte er die große al-Azhar-Universität in al-Qahira besucht. Hier in Gharnata wollte er Forschungen über das Leben und Werk seines Urgroßvaters Ibn Chaldun anstellen und einige seiner Manuskripte in den Bibliotheken studieren. Unglücklicherweise war er ausgerechnet an jenem Tag eingetroffen, den Cisneros für die Bücherverbrennungen ausersehen hatte. Der Jüngling mit den grünen Augen war untröstlich gewesen. Er hatte in seiner winzigen Kammer in der *funduq* al-Yadida die ganze Nacht geweint. Als der Morgen kam, hatte er bereits entschieden, welchen Verlauf sein weiteres Leben nehmen würde. Er sprach in sanftem Ton, doch seine melodiöse qahirenische Sprechweise wie auch der Inhalt seiner Worte selbst schlugen seine Badegefährten in Bann.

»Als ich sah, wie die Flammen am Bab al-Ramla die Werke von Jahrhunderten verzehrten, dachte ich, daß alles zu Ende sei. Es war, als hätte Satan seine giftige Faust durch das Herz des Berges gestoßen und den Strom in die Gegenrichtung gelenkt. Alles, was wir gepflanzt hatten, lag welk und tot. Die Zeit selbst war versteinert, und hier, in al-Andalus, waren wir schon auf der anderen Seite der Hölle. Vielleicht sollte ich meine Habe packen und in den Osten zurückkehren ...«

»Keiner von uns würde es dir verdenken«, sagte Suhayr. »Du kamst hierher, um zu forschen, doch es gibt nichts zu erforschen außer einer Leere. Du wärest gut beraten, zur al-Azhar-Universität zurückzukehren.«

»Mein Freund erteilt dir einen klugen Rat«, fügte Musa hinzu. »Wir sind jetzt alle ohnmächtig. Das einzige, dessen wir uns rühmen können, ist die Tatkraft unserer Väter.«

»Da bin ich anderer Meinung«, versetzte Suhayr. »Nur wer sagt ›Sieh, ich bin der Mann‹ und nicht ›Mein Vater oder Großvater war es‹, kann als wahrhaft nobel und mannhaft gelten.«

Der junge Mann mit den grünen Augen lächelte.

»Ich pflichte Suhayr bin Umar bei. Warum sollt ihr, die ihr Ritter und Könige wart, eure Schlösser dem Feind überlassen und zu bloßen Schachfiguren werden? Reißt die Vorhänge des Zweifels auf und fordert die Christen heraus. Cisneros wähnt euch ohne alle Kampfkraft. Er wird euch immer mehr an den Rand drängen und mit dem letzten Stoß zusehen, wie ihr in den Abgrund stürzt.

Freunde in Balansiya sagten mir, im ganzen Land rüsteten sich die Inquisitoren zum tödlichen Schlag. Sie werden uns bald unsere Sprache verbieten. Arabisch wird bei Todesstrafe untersagt sein. Sie werden uns nicht erlauben, unsere Kleider zu tragen. Es geht die Rede, daß sie alle öffentlichen Bäder im Lande zerstören werden. Sie werden unsere Musik verbieten, unsere Hochzeitsfeiern, unsere Religion. Dies alles und noch mehr wird uns in wenigen Jahren ereilen. Abu Abdullah hat ihnen diese Stadt kampflos überlassen. Das war ein Fehler. Es hat sie allzu zuversichtlich gemacht.«

»Was schlägst du vor, Fremder?« wollte Suhayr wissen.

»Sie dürfen sich nicht in dem Glauben wiegen, daß das, was sie uns angetan haben, hingenommen wird. Wir müssen uns zur Rebellion rüsten.«

Eine Minute lang rührte sich nichts. Alle waren ob seiner Worte erstarrt. Nur das Geräusch des durch das Bad fließenden Wassers durchbrach ihre Gedanken und ihre Ängste. Dann wandte sich Musa mit scharfen Worten gegen den jungen Scholar aus Ägypten.

»Wäre ich überzeugt, daß ein Aufstand gegen Cisneros und seine Teufel Erfolg hätte und uns befähigen würde, auch nur eine Seite der Geschichte zurückzublättern, ich wäre der erste, der sein Leben opferte, doch deine süßen Worte vermögen mich nicht zu überzeugen. Was du vorschlägst, ist eine große Geste, derer man sich in zukünftigen Zeiten erinnern wird. Warum? Wozu? Was würde am Ende dabei herauskommen? Gesten und große Worte waren von Anbeginn der Fluch unserer Religion.«

Niemand erwiderte etwas auf seine Einwendungen, und Musa, der sich nun dem Qahirener gegenüber im Vorteil sah, setzte seine Argumentation noch eindringlicher fort.

»Die Christen jagen verschiedenes Wild auf verschiedene Weise zu verschiedenen Jahreszeiten, uns aber jagen sie das ganze Jahr. Gewiß, wir dürfen nicht zulassen, daß unser aller

Leben von Furcht zersetzt wird, darin stimme ich dir zu, doch sollten wir uns auch nicht unnötig opfern. Wir müssen von den Juden lernen, unter Bedingungen großer Not zu leben. In Balansiya leben die Anhänger des Islams doch noch, oder etwa nicht? Und sogar in Aragon. Hört, meine Freunde, ich finde keinen Gefallen an Torheiten.«

Zornig entgegnete Suhayr seinem Freund: »Würdest du zum Christentum konvertieren, Musa, nur um am Leben zu bleiben?«

»Haben dies die Juden nicht im ganzen Lande getan, um ihre Stellung in der Gesellschaft zu behalten? Warum sollten wir es ihnen nicht gleichtun? Sollen sie die Schrauben so fest ziehen, wie sie können. Wir werden neue Methoden des Widerstandes lernen. Hier, in unseren Köpfen.«

»Ohne unsere Sprache oder Lehrbücher?« fragte Ibn Chalduns Urenkel.

Musa sah ihn an und seufzte. »Ist es wahr, daß du von Meister Ibn Chaldun abstammst?«

Ibn Daud lächelte und nickte.

»Gewiß«, fuhr Musa fort, »kennst du besser als wir die Warnung, die dein edler Vorfahre gegen Männer wie dich aussprach. Scholaren eignen sich von allen Menschen am wenigsten für die Politik und ihre Methoden.«

Ibn Daud lächelte ironisch. »Vielleicht spielte Ibn Chaldun damit auf seine eigenen Erfahrungen an, die alles andere als glücklich waren. Aber mag er auch als Philosoph noch so bedeutend gewesen sein, wir dürfen ihn gewiß nicht als Propheten ansehen, dessen Wort heilig ist. Die Frage, die ich euch stelle, lautet einfach: Wie sollen wir unsere Vergangenheit und Zukunft gegen diese Barbaren verteidigen? Wenn ihr eine tauglichere Lösung habt, bitte sagt eure Meinung und überzeugt mich.«

»Ich weiß nicht auf alles eine Antwort, mein Freund, aber ich weiß, was du rätst, ist falsch.«

Mit diesen Worten stieg Musa aus dem Bad und klatschte in die Hände. Wärter eilten mit Handtüchern herbei und trockneten ihn ab. Die anderen folgten seinem Beispiel. Sodann begaben sie sich in das angrenzende Gemach, wo ihre Diener mit frischen Gewändern warteten. Ehe sie schieden, umarmte Musa Suhayr und flüsterte ihm ins Ohr: »Gift findet seinen Weg selbst in die Becher süßesten Weines.«

Suhayr nahm seinen Freund nicht allzu ernst. Er kannte die Drangsal, die Musa in seinem täglichen Leben belastete, und er verstand ihn, doch war dies kein hinreichender Grund für Feigheit in einer Zeit, da alles auf dem Spiel stand. Suhayr wollte nicht mit seinem Freund streiten, aber ebensowenig konnte er schweigen und seine eigenen Gedanken verbergen. Er wandte sich an den Fremden.

»Bei welchem Namen sollen wir dich nennen?«

»Ibn Daud al-Misri.«

»Gern würde ich mich noch weiter mit dir unterhalten. Wollen wir nicht in deine Herberge gehen? Ich helfe dir deine Habe packen und besorge dir ein Pferd, damit du mit mir nach al-Hudayl reiten kannst. Vertraue auf Allah. Vielleicht findest du in unserer Bibliothek sogar einige von Ibn Chalduns Manuskripten! Du kannst doch reiten, oder?«

»Das ist sehr liebenswürdig von dir. Deine Gastfreundschaft nehme ich mit Freuden an. Ob ich reiten kann? Allerdings!«

An die übrigen richtete Suhayr eine allgemeiner gehaltene Einladung. »Wir wollen uns in drei Tagen in meinem Dorf treffen. Dann können wir Pläne schmieden und ihre Ausführung besprechen. Seid ihr einverstanden?«

»Warum bleibst du nicht über Nacht? Dann könnten wir es gleich besprechen«, schlug Harun bin Mohammed vor.

»Weil mein Vater in der Stadt ist und mich bedrängte, die Nacht im Hause meines Oheims zu verbringen. Ich habe den Wunsch geäußert, nach Hause zurückzukehren. Es wäre unklug, ihn so offen zu hintergehen. In drei Tagen?«

Sie wurden sich einig. Suhayr nahm Ibn Daud am Arm und geleitete ihn hinaus auf die Straße. Sie gingen rasch zu der Herberge, holten Ibn Dauds Habe und begaben sich sodann zu den Stallungen. Suhayr borgte eines von seines Oheims Pferden für seinen neuen Freund, und ehe Ibn Daud es sich versah, waren sie schon auf dem Weg nach al-Hudayl.

Suhayrs Oheim Ibn Hischam bewohnte ein ansehnliches Stadthaus, fünf Minuten vom Bab al-Ramla entfernt. Der Eingang unterschied sich in nichts von denen der anderen Privatresidenzen in der Straße; wer freilich stehenblieb und die beiden nebeneinanderliegenden Eingänge genau in Augenschein nahm, der konnte erkennen, daß es sich um Attrappen handelte. Falsche, mit türkisfarbenen Kacheln eingelegte Türen dienten dazu, das Auge zu täuschen. Kein Fremder hätte sich vorzustellen vermocht, daß sich hinter den Gittertüren ein mittelgroßer Palast befand. Ein unterirdischer Gang verband die verschiedenen Flügel des Herrenhauses und diente zugleich als Fluchtweg zum Bab al-Ramla. Kaufleute pflegten keine Risiken einzugehen.

In diesen Palast hatte sich Umar bin Abdallah nach seinem unbefriedigenden Gespräch mit dem Generalkapitän von Gharnata begeben.

Ibn Hischam und Umar waren Vettern. Ibn Hischams Vater Hischam al-Said war der Neffe Ibn Farids gewesen. Nach dem Dahinscheiden seines Oheims Ibn Farid, welcher seit dem frühen Tode seiner auf einer Reise nach Ischbiliya von Banditen getöteten Eltern sein Vormund gewesen war, hatte Hischam sich in Gharnata niedergelassen. Während er zum obersten Wirtschaftsberater des Sultans in der al-Hamra aufstieg, hatte er seine Stellung und sein Talent genutzt, um sein Glück zu machen. Da um den Besitz in al-Hudayl keine Rivalität bestand, war die Beziehung zwischen den beiden Vettern Hischam und Abdallah innig und freundschaftlich gewesen. Nach dem vorzeitigen Ableben von Umars Vater war sein Oheim Hischam eingesprungen und hatte dem Neffen geholfen, den empfindlichen Verlust zu verwinden. Wichtiger noch, er hatte Umar auch in der Kunst der Führung eines Landgutes unterwiesen und ihm den Unterschied zwischen dem Handel in den Städten und der Landbestellung mit folgenden Worten erläutert:

»Für uns in Gharnata spielen die Waren, die wir verkaufen und tauschen, die größte Rolle. Hier in al-Hudayl kommt es zuvorderst auf deine Fähigkeit an, mit den Bauern umzugehen und ihre Bedürfnisse zu verstehen. In den alten Zeiten waren die Bauern mit Ibn Farid und seinem Großvater durch den Krieg vereint. Sie kämpften unter demselben Banner. Das war notwendig. Doch die Zeiten haben sich geändert.

Anders als die Waren, die wir kaufen oder verkaufen, können deine Bauern denken und handeln. Wenn du dich auf diese einfache Tatsache besinnst, dürftest du keine ernsten Schwierigkeiten haben.«

Hischam al-Said war ein Jahr nach dem Fall der Stadt gestorben. Er war nie krank gewesen, und auf dem Markt ging die Rede, er sei an gebrochenem Herzen verschieden. Dem mochte so gewesen sein, Tatsache war aber auch, daß er wenige Wochen vor seinem Ableben seinen achtzigsten Geburtstag begangen hatte.

Seit seiner Rückkehr von der al-Hamra war Umar in bedrückter Stimmung. Er hatte gebadet und geruht, doch sein Schweigen während des Nachtmahls hatte auf allen Anwesenden gelastet. Ibn Hischams Anerbieten, Tänzerinnen und Wein kommen zu lassen, hatte er schroff zurückgewiesen. Umar konnte nicht verstehen, wieso die Familie seines Vetters so guter Dinge war. Natürlich gewöhnten sich die Menschen mit der Zeit an Widrigkeiten, doch er spürte instinktiv, daß noch etwas anderes mitspielte. Als er ihnen von seinem Treffen mit Don Inigo berichtete, hatten sie keine Meinung dazu geäußert. Ibn Hischam und seine Gemahlin Muneesa hatten eigenartige Blicke gewechselt, als er über das Ansinnen des Generalkapitäns spottete, alle Muselmanen sollten unverzüglich zum Christentum konvertieren. Umar hatte das Gefühl, als zögen verborgene Strömungen diese Menschen von ihm fort. Als die zwei Männer nun einander auf dem Fußboden gegenübersaßen, waren sie zum erstenmal seit seiner Ankunft allein. Umar war einem Zornesausbruch nahe.

Er hatte kaum den Mund geöffnet, als ein lautes Klopfen an der Türe ertönte. Umar bemerkte eine Anspannung im Gesicht seines Vetters. Er verstummte und wartete, daß der Diener den Neuankömmling meldete. Vielleicht hatte Don Inigo sich anders besonnen und ihm einen Boten geschickt mit der Bitte, eiligst zur al-Hamra zurückzukehren? Statt des Dieners jedoch trat eine wohlvertraute Gestalt im Ornat ein. Mit einemmal wurde Umar alles klar.

»Der Herr Bischof. Ich hatte keine Ahnung, daß du in Gharnata bist.«

Der alte Mann ließ sich einen Stuhl bringen und nahm

Platz. Umar begann auf und ab zu schreiten. Dann sprach sein Oheim mit einer Stimme, die in merklichem Gegensatz zu seiner gebrechlichen Erscheinung stand.

»Nimm Platz, Neffe. Ich wußte sehr wohl, daß du heute in Gharnata weilst. Deswegen bin ich hier. Glücklicherweise besitzt der Sohn meines verstorbenen Vetters Hischam al-Said, möge er ruhen in Frieden, mehr Vernunft als du. Was fehlt dir, Umar? Ist die Führung der Banu Hudayl eine so große Last, daß du den Gebrauch deines Verstandes eingebüßt hast? Habe ich dir nicht gesagt, als sie die Bücher verbrannten, daß es damit nicht sein Bewenden haben würde? Habe ich nicht versucht, dich vor den Folgen zu warnen, wenn du dich blindlings an einen Glauben klammerst, dessen Zeit auf dieser Halbinsel abgelaufen ist?«

Umar kochte vor Wut. »Abgelaufen, Oheim? Lüpfe doch nur einmal deine herrliche Purpurrobe und laß uns dein Geschlecht besehen. Ich denke, wir könnten feststellen, daß ein winziges Stückchen Haut entfernt wurde. Warum hast du dich nicht blindlings an dieses Hautstück geklammert, Oheim? Auch hast du dich nicht gescheut, das Werkzeug zu gebrauchen. Dein Sohn Juan, wie alt ist er? Zwanzig? Geboren fünf Jahre, nachdem du Priester wurdest? Was geschah mit seiner Mutter, unserer unbekannten Tante? Hat man sie gezwungen, das Kloster zu verlassen, oder hat die Mutter Oberin sich in ihrer freien Zeit als Hebamme betätigt? Wann hast du dich bekehrt, Oheim?«

»Halt ein, Umar!« rief sein Vetter. »Was soll das Gerede? Der Bischof will uns doch nur helfen.«

»Ich zürne dir nicht, Umar bin Abdallah. Deine Gesinnung gefällt mir – sie erinnert mich sehr an meinen Vater. Aber es gibt ein Gesetz für jene, die sich mit der Politik befassen: Sie müssen die wirkliche Welt im Auge behalten und sehen, was dort vorgeht. Jeder Umstand, der mit einem Ereignis einhergeht und ihm folgt, muß bis ins einzelne betrachtet werden. Das habe ich von meinem Lehrer gelernt, als ich in Yasids Alter war. Wir wurden in jenem Innenhof unterrichtet, durch den das Wasser fließt und den eure Familie so liebt. Der Unterricht fand stets am Nachmittag statt, wenn der Hof von Sonnenschein überflutet war.

Man lehrte mich, meine Ansichten nie auf Mutmaßungen zu gründen, sondern meine Gedanken den Gegebenheiten draußen in der Welt anzupassen. Gharnata konnte unmöglich weiterbestehen. Eine islamische Oase in einer christlichen Wüste. Das hast du drei Monate vor der Kapitulation zu mir gesagt. Weißt du noch, was ich erwidert habe?«

»Nur zu gut«, murmelte Umar und ahmte den alten Mann nach: »›Wenn es wahr ist, was du sagst, Umar bin Abdallah, dann kann es so nicht weitergehen. Die Oase muß von den Kriegern der Wüste erobert werden.‹ Ja, Oheim, ich erinnere mich. Sag mir eines …«

»Nein! Sage du mir eines. Möchtest du, daß euer Familienbesitz konfisziert wird? Möchtest du, daß Suhayr und du getötet und die Mädchen dem Haushalt eures Mörders einverleibt werden, daß Yasid von einem Priester zum Sklaven gemacht und als Altardiener mißbraucht wird? Antworte mir!«

Umar zitterte. Er trank ein wenig Wasser und starrte Miguel stumm an.

»Nun?« fuhr der Bischof von Qurtuba fort. »Warum sprichst du nicht? Noch ist es Zeit. Deswegen habe ich meine ganze Überzeugungskraft darauf verwendet, eure Begegnung heute morgen in der al-Hamra in die Wege zu leiten. Deswegen habe ich Cisneros überredet, ins Dorf zu kommen und die Taufen vorzunehmen. Dies ist der einzige Weg zum Überleben, Neffe. Denkst du, ich bin konvertiert und Bischof geworden, weil ich eine Vision hatte? Die einzige Vision, die ich hatte, war die Vernichtung unserer Familie. Mein Entschluß war von Politik geleitet, nicht von Religion.«

»Und doch«, sagte Umar, »steht dir das Bischofsgewand gut zu Gesicht. Es ist, als hättest du es von Geburt an getragen.«

»Spotte, soviel du magst, Neffe, aber triff die richtige Entscheidung. Erinnere dich, was der Prophet einst sagte: Vertraue auf Gott, doch binde zuvor dein Kamel an. Ich will dir noch etwas verraten, obwohl die Inquisition, sollte es bekannt werden, meinen Kopf fordern würde. Ich verrichte noch immer meine Waschungen und verneige mich jeden Freitag gen Mekka.«

Die Verblüffung seiner beiden Neffen brachte Miguel zum Kichern.

»In primitiven Zeiten muß man die Kunst erlernen, primitiv zu sein. Deswegen bin ich in die Kirche von Rom eingetreten, obwohl ich nach wie vor überzeugt bin, daß unsere Weltsicht der Wahrheit viel näher ist. Ich bitte dich, verfahre ebenso. Dein Vetter und seine Familie haben sich schon bereit erklärt. Ich selbst werde sie morgen taufen. Möchtest du nicht bleiben und der Zeremonie beiwohnen? Sie ist vorüber, bevor du sagen kannst ...«

»Es gibt keinen Gott außer Allah, und Mohammed ist sein Prophet?«

»So ist es. Das kannst du dir auch künftig jeden Tag vorsagen.«

»Lieber als freier Mann sterben, denn als Sklave leben.«

»Eben derlei Dummheit ist es, die zur Niederlage deines Glaubens auf dieser Halbinsel geführt hat.«

Umar sah seinen Vetter an, doch Ibn Hischam senkte den Blick.

»Warum?« herrschte Umar ihn an. »Warum hast du mir nichts gesagt? Es ist wie ein Stich ins Herz.«

Ibn Hischam sah auf. Tränen rannen ihm über das Gesicht. Seltsam, dachte Umar, da er die Verzweiflung seines Vetters sah, als wir jung waren, war sein Wille stärker als meiner. Ich nehme an, es liegt an seinen neuen Verantwortlichkeiten, doch ich habe die meinen, und die sind größer. Bei ihm sind es sein Geschäft, sein Handel, seine Familie. Bei mir ist es das Leben von zweitausend Menschen. Dennoch stimmte der Anblick seines Vetters Umar traurig, und auch seine Augen füllten sich mit Tränen.

Als sie sich so ansahen, die Augen schwer von Kummer, erinnerten sie Miguel einen Moment lang an ihre Jugendzeit. Die zwei Knaben waren unzertrennlich gewesen. Ihre Freundschaft hatte noch lange angehalten, nachdem sie vermählt waren. Doch als sie älter wurden und mit der Sorge für ihre Familien befaßt waren, sahen sie sich nicht mehr so oft. Die Distanz zwischen dem Heim der Familie im Dorf und Ibn Hischams Wohnsitz in Gharnata schien zu wachsen. Dennoch tauschten die beiden Vettern Vertraulichkeiten aus, wenn sie sich trafen, und sprachen über ihre Familien, ihren Wohlstand, ihre Zukunft und natürlich über die Veränderungen, die in ihrer Welt vor sich gingen. Es war Ibn Hischam schwergefallen, seinen Entschluß zu konvertieren vor Umar geheimzuhalten. Es war der bedeutendste Moment seines Lebens. Er fühlte, daß das, was er tat, seinen Kindern und Kindeskindern Schutz und Beständigkeit garantieren würde.

Ibn Hischam war ein wohlhabender Kaufmann. Er war stolz auf seine Fähigkeit, den Charakter eines Menschen zu beurteilen. Er konnte die Stimmung der Stadt wittern. Seine Entscheidung, Christ zu werden, hatte dasselbe Gewicht wie seine Entscheidung vor dreißig Jahren, sein gesamtes Gold in die Einfuhr von Brokatstoffen aus Samarkand zu investieren. Binnen eines Jahres hatte er sein Vermögen verdreifacht.

Er hatte Umar nicht hintergehen wollen, doch er fürchtete, sein Vetter, dessen intellektuelle Unnachgiebigkeit und moralische Strenge bei allen ihren Verwandten stets eine Mischung aus Achtung und Furcht erzeugt hatten, würde ihn überzeugen, daß er unrecht handelte. Ibn Hischam wollte sich nicht überzeugen lassen. Dies alles bekannte er, in der Hoffnung, Umar würde es verstehen und ihm verzeihen, doch Umar starrte ihn nur wütend an, und Ibn Hischam hatte plötzlich ein Gefühl, als würde sein Kopf von der Hitze dieser Augen durchbohrt. Innerhalb weniger Minuten war die Kluft zwischen den beiden Männern so tief geworden, daß sie außerstande waren, miteinander zu sprechen.

Schließlich brach Miguel das Schweigen. »Ich komme morgen nach al-Hudayl.«

»Warum?«

»Willst du mir das Recht absprechen, das Haus zu betreten, in dem ich geboren wurde? Ich wünsche nur meine Schwester zu sehen. In euer Leben werde ich mich nicht einmischen.«

Umar erkannte, daß er Gefahr lief, den Familienkodex zu brechen. Das durfte nicht geschehen, und er trat sogleich den Rückzug an. Er wußte, daß Miguel in Wirklichkeit entschlossen war, mit Subayda zu sprechen und sie von der Notwendigkeit des Konvertierens zu überzeugen. Der alte Schurke glaubte wohl, er könnte sie eher für seine ruchlosen Pläne gewinnen. Wie leicht der alte Teufel doch zu durchschauen war ...

»Verzeih mir, Oheim. Meine Gedanken weilten bei anderen Dingen. Du bist wie immer willkommen in unserem Heim. Wir können bei Sonnenaufgang zusammen reiten. Ach, verzeih, ich hatte ganz vergessen, daß du ja eine Taufe zu vollziehen hast. Du wirst den Weg also leider allein machen müssen. Jetzt muß ich eine Gunst von dir erbitten.«

»Sprich«, sagte der Bischof von Qurtuba.

»Ich möchte mit meines Oheims Sohn allein sein.«

Miguel lächelte und erhob sich. Ibn Hischam klatschte in die Hände. Ein Diener trat mit einer Lampe ein und geleitete den Geistlichen zu seinem Gemach. Seine Abwesenheit verschaffte den beiden Männern eine gewisse Erleichterung. Umar sah seinen Vetter an, doch in seinen Augen war keine Wärme. Sein Zorn hatte sich gelegt, er verspürte nur noch Kummer und Resignation. Ihre Trennung voraussehend, die für immer sein könnte, streckte Hischam die Hand aus. Umar umfaßte sie eine Sekunde, dann ließ er sie los. Der Gram, den beide empfanden, war so tief, daß sie nicht das Bedürfnis verspürten, einander viel zu sagen.

»Nur für den Fall, daß du Zweifel hegst«, begann Ibn Hischam, »wisse, daß meine Gründe nichts mit Religion zu tun haben.«

»Gerade das ist es, was mich tief betrübt. Würdest du aufrichtig konvertieren, ich hätte mit dir gestritten und wäre traurig, doch ohne Zorn. Ohne Bitterkeit. Aber keine Sorge, ich werde nicht versuchen, dich umzustimmen. Ist deine Familie mit deinem Entschluß einverstanden?«

Ibn Hischam nickte. »Ich wünschte, die Zeit bliebe auf ewig stehen.«

Umar lachte laut heraus über diese Bemerkung, und Ibn Hischam zuckte zusammen. Es war ein seltsames Lachen, wie ein fernes Echo.

»Wir haben gerade eine Katastrophe hinter uns«, sagte Umar, »und die nächste steht uns kurz bevor.«

»Kann es etwas Schlimmeres geben als das, was wir soeben erlebt haben, Umar? Sie haben unsere Kultur in Flammen aufgehen lassen. Nichts, was sie noch tun können, ist imstande, mich zu verletzen. An einen Scheiterhaufen gefesselt sein und zu Tode gesteinigt werden, wäre eine Erleichterung im Vergleich dazu.«

»Hast du deswegen zu konvertieren beschlossen?«

»Nein, tausendmal nein. Es ist für meine Familie. Für ihre Zukunft.«

»Wenn ich an die Zukunft denke«, bekannte Umar, »sehe ich keinen tiefblauen Himmel mehr. Es gibt keine Klarheit mehr. Ich sehe nur einen dichten Nebel, ein Urdunkel, das uns alle einhüllt, und in der fernen Schicht meiner Träume erkenne ich die lockenden Gestade Afrikas. Ich muß mich nun zur Ruhe begeben und Abschied nehmen. Denn morgen werde ich aufbrechen, ehe du dich erhebst.«

»Wie kannst du so grausam sein? Wir werden alle zum Morgengebet aufstehen.«

»Sogar am Tage eurer Taufe?«

»Ganz besonders an diesem Tage.«

»Dann bis morgen. Friede sei mit dir.«

»Friede sei mit dir.« Ibn Hischam schwieg einen Moment. »Umar?«

»Ja.«

Er umarmte Umar rasch, der reglos verharrte, die Arme schlaff an den Seiten. Als sein Vetter aufs neue zu weinen begann, umarmte Umar ihn und hielt ihn fest. Sie küßten sich auf die Wangen, und Ibn Hischam führte Umar in sein Zimmer. Es war ein Gemach, das ausschließlich Umar bin Abdallah vorbehalten war.

Umar konnte nicht schlafen. In seinem Kopf waren furchtsame Stimmen lebendig. Das tödliche Gift verbreitete sich Tag für Tag. Obwohl er nach außen Härte zeigte, war er von Unsicherheit gepeinigt. War es richtig, seine Kinder jahrzehntelang Folter, Verbannung und gar Tod auszusetzen? Welches Recht hatte er, ihnen seine Wahl aufzuzwingen? Hatte er Kinder aufgezogen, nur um sie den Scharfrichtern zu übergeben?

Sein Kopf begann zu tosen wie ein unterirdischer Fluß. Die wilden Qualen der Erinnerung. Er trauerte um die vergessenen Jahre. Um den Frühling seines Lebens. Ibn Hischam war bei ihm gewesen, als er Subayda zum erstenmal sah, wie sie, einen Umhang um die Schultern, einer verlorenen Seele gleich im Garten nahe der al-Hamra spazierenging. Solange er lebte, würde er diese Szene nicht vergessen. Ein Sonnenstrahl war durch das Laubwerk gebrochen und hatte ihre roten Haare in Gold verwandelt. Ihre Frische war es, die ihn auf der Stelle gebannt hatte – keine Spur von der lasziven Trägheit, die so viele Frauen in seiner Familie verdarb. Von ihrer Schönheit bezaubert, war er wie angewurzelt stehengeblieben. Er wollte zu ihr und ihr Haar berühren, sie sprechen hören, sehen, wie sich die Form ihrer Augen veränderte, wenn sie lächelte, doch er beherrschte sich. Es war verboten, reifende Aprikosen zu pflücken. Wäre er allein gewesen, er hätte sie wohl ziehen lassen und nie wiedergesehen. Ibn Hischam aber hatte ihm Mut gemacht, sich ihr zu nähern, und in den Monaten danach war es Ibn Hischam gewesen, der über ihre heimlichen Zusammenkünfte gewacht hatte.

Beide Seiten des Kissens waren warm, als Umar endlich einschlief. Sein letzter wacher Gedanke war der Entschluß, sich lange vor Tagesanbruch zu erheben und nach al-Hudayl zu reiten. Dem Gefühlsaufruhr eines zweiten Abschieds wäre er nicht gewachsen. Er wollte die hilflosen Augen seines Freundes nicht sehen, der stumm um Erbarmen flehte.

Und es gab noch einen Grund. Er wollte die Reisen seiner verlorenen Jugend wiederbeleben: in der reinigenden Luft heimwärts reiten, weit entfernt von der Wirklichkeit und Miguels schmutzigen Taufen; die ersten Strahlen der Morgensonne fühlen, die sich an den Berggipfeln brachen, und seine Augen an dem unerschöpflichen Blau des Himmels weiden. Kurz bevor sich der Schlaf endgültig einstellte, hatte Umar das sichere Gefühl, daß er Ibn Hischam nie wiedersehen würde.

5. KAPITEL

»Wahrheit kann der Wahrheit nicht widersprechen. Wahr oder falsch, Suhayr al-Fahl?«

»Wahr. Wie könnte es anders sein? Steht es nicht im al-koran geschrieben?«

»Ist das der einzige Grund, warum es wahr ist?«

»Nun ... ich meine, wenn es im Koran geschrieben steht ... Höre, Alter, ich bin heute nicht hierhergekommen, um über Gotteslästerung zu debattieren!«

»Ich will dir eine andere Frage stellen. Ist es rechtmäßig zu vereinen, was von Vernunft geboten und von Tradition bestimmt ist?«

»Ich nehme es an.«

»Du nimmst es an! Lehrt man euch heutzutage denn gar nichts? Bärtige Toren! Ich lege dir ein Dilemma dar, das unsere Theologen seit Jahrhunderten verwirrt, und du weißt nichts zu sagen als ›Ich nehme es an‹. Das genügt nicht. Zu meiner Zeit wurden junge Männer zu größerer Konsequenz im Denken erzogen. Hast du die Schriften von Ibn Ruschd nicht gelesen, einem unserer bedeutendsten Denker? Ein wahrlich großer Mann, den die Christen in Europa als Averroës kennen? Du mußt seine Bücher gelesen haben. Vier von ihnen sind in deines Vaters Bibliothek.«

Suhayr war verlegen und fühlte sich gedemütigt.

»Ich wurde in seinen Schriften unterwiesen, aber in einer Weise, daß sie mir unverständlich waren. Mein Lehrer sagte, Ibn Ruschd möge ein gelehrter Mann gewesen sein, aber er war ein Ketzer!«

»Ach, wie doch die Unwissenden Unwissen verbreiten. Die Anschuldigung war falsch. Ibn Ruschd war ein großer Philosoph, ein Genie. Meines Erachtens irrte er, doch nicht aus den Gründen, welche der Tor nannte, den man dich in Theologie unterweisen hieß. Um den vermeintlichen Widerspruch zwischen Vernunft und Tradition zu lösen, übernahm er die Lehren der Mystiker. Da gab es offene Bedeutungen, und es gab versteckte Bedeutungen. Nun ist es wahr, daß Schein und Wirklichkeit nicht immer dasselbe sind, doch Ibn Ruschd behauptete, daß allegorische Deutungen sich notwendigerweise aus der Wahrheit ergeben. Das war sehr bedauerlich, doch glaube ich nicht, daß er sich von niedrigen Beweggründen zu dieser Behauptung verleiten ließ.«

»Woher weißt du das?« fragte Suhayr aufgebracht. »Vielleicht meinte er, es sei die einzige Möglichkeit, Wissen zu erweitern und zu überleben.«

»Er war vollkommen aufrichtig«, erklärte al-Sindiq mit jener Sicherheit, die hohes Alter verleiht. »Er sagte einmal, am meisten in seinem Leben habe ihn gekränkt, als er mit seinem Sohn zum Freitagsgebet ging und sie von einer aufgebrachten Menge Unwissender hinausgeworfen wurden. Es war nicht allein die Demütigung, die ihn zweifellos bestürzte, sondern die Erkenntnis, daß die Ungebildeten im Begriff waren, eine bahnbrechende Religion mit ihren Leidenschaften zu überschwemmen. Was mich angeht, so denke ich, Ibn Ruschd war nicht ketzerisch genug. Er war durchdrungen von der Vorstellung eines Universums, welches Gott vollkommen untertan war.«

Suhayr schauderte.

»Ist dir kalt, junger Mann?«

»Nein, es sind deine Worte, sie machen mir angst. Ich bin nicht gekommen, um mit dir über Philosophie zu disputieren oder theologische Spitzfindigkeiten auszutauschen. Wenn du deine Ideen zu erproben wünschst, können wir im Außenhof unseres Hauses eine große Debatte veranstalten, zwischen dir und dem Imam der Moschee, und wir alle werden dabei Richter sein. Meine Schwester Hind wird dich verteidigen, dessen bin ich sicher, aber sieh dich vor. Ihre Unterstützung ist nicht unähnlich jener, welche der Strick einem Hängenden gewährt.«

Al-Sindiq lachte. »Verzeih mir. Als du so völlig unerwartet kamst, arbeitete ich an einem Manuskript. Mein Lebenswerk, ein Versuch, alle Stränge der theologischen Kriege zusammenzuziehen, die unsere Religion heimgesucht haben. Mein Kopf war so erfüllt von diesen Gedanken, daß ich dich damit behelligt habe. Jetzt erzähle mir alles von deinem Besuch in Gharnata.«

Suhayr seufzte erleichtert auf. Er schilderte die Ereignisse der letzten Tage, ohne die geringste Einzelheit auszulassen. Als er davon sprach, wie sie beschlossen hatten, keine weiteren Demütigungen widerstandslos hinzunehmen, meinte al-Sindiq den Klang einer vertrauten Leidenschaft zu vernehmen. Wie oft hatte er von jungen Männern in der Blüte ihrer Jahre gehört, daß sie bereit wären, ihr Leben hinzugeben, um ihre Ehre zu verteidigen. Er wollte nicht, daß ein weiteres Leben vergeudet wurde. Er blickte Suhayr an, und unvermittelt schoß ihm das Bild des jungen Mannes in einem weißen Leichentuch durch den Kopf. Al-Sindiq zitterte. Suhayr mißdeutete die leichte Regung. Er glaubte, ausnahmsweise hätte er den Weisen mit seiner Begeisterung angesteckt.

»Was ist zu tun, al-Sindiq? Was ist dein Rat?«

Suhayr erwartete am heutigen Tage seine Freunde aus Gharnata. Es würde sie mit großer Zuversicht erfüllen, wenn sie erführen, daß der alte Mann beschlossen hatte, ihr Vorhaben zu unterstützen. Er hatte über eine Stunde geredet, hatte Musas Einwendungen gegen ihren Plan und Ibn Dauds Erwiderung auf einen derartigen Unfug dargelegt. Es war an der Zeit, daß er al-Sindiq sprechen ließ.

Suhayr hatte des alten Mannes nie so bedurft wie jetzt, denn ungeachtet seiner prahlerischen Tapferkeit wurde Ibn Farids Urenkel von ernsten Zweifeln geplagt. Was, wenn sie alle bei dem Unternehmen umkamen? Könnte ihr Tod das muslimische Gharnata wiederauferstehen lassen, dann wäre das Opfer jedes Leben wert, aber war das wahrscheinlich? Angenommen, ihre Unbesonnenheit führte zur Vernichtung aller Gläubigen im alten Königreich, die Ritter von Jimenez de Cisneros würden ihrem Leben ein Ende machen? Suhayr war sich noch nicht sicher, ob die Zeit gekommen sei, aus dieser Welt zu scheiden.

Mit einer scheinbar harmlosen Frage setzte al-Sindiq zu seiner Gegenrede an.

»Ibn Daun al-Misri sagt also, er ist der Urenkel von Ibn Chaldun?«

Suhayr nickte eilfertig. »Warum dieser mißtrauische Ton? Wie kannst du an seinem Wort zweifeln, ohne ihn je gesehen zu haben?«

»Was du mir von ihm berichtest, hört sich eigensinnig und

unbesonnen an. Sein Urgroßvater hätte ein solches Handeln nicht empfohlen. Er hätte geltend gemacht, daß es ohne ein starkes Zusammengehörigkeitsgefühl im Lager der Gläubigen keinen Sieg geben kann. Das Fehlen eines solchen Zusammenhalts unter den Anhängern des Propheten war es doch, das zum Niedergang in al-Andalus geführt hat. Wie könnt ihr wiedererschaffen, was nicht mehr existiert? Ihre Heere werden euch zermalmen. Als ob ein Elefant auf eine Ameise tritt.«

»Das wissen wir, aber es ist unsere einzige Hoffnung. Ibn Daud sagt, daß ein Volk, das von anderen besiegt und unterworfen wird, bald untergeht.«

»Gesprochen wie sein Urgroßvater! Aber begreift er nicht, daß wir schon besiegt sind und jetzt unterworfen werden? Bringe ihn zu mir. Bringe sie alle heute abend zu mir und laß uns noch einmal über die Sache sprechen, mit dem Ernst, der ihr gebührt. Es ist nicht allein euer aller Leben, das verlorengehen könnte. Es steht sehr viel mehr auf dem Spiel. Weiß dein Vater davon?«

Suhayr schüttelte den Kopf. »Ich würde es ihm gerne sagen, aber Großonkel Miguel ist gekommen, um Großtante Sahra ...«

Suhayr hielt inne, aber es war zu spät. Der verbotene Name war ausgesprochen. Er sah al-Sindiq an. Der Alte lächelte. »Ich hatte mich schon gefragt, wann du sie erwähnen würdest. Das ganze Dorf spricht von nichts anderem. Es spielt jetzt keine Rolle mehr, junger Mann. Es ist lange her. Ich wollte es dir letztes Mal erzählen, aber die Ankunft deines Dieners versiegelte mir die Lippen. Nun weißt du also, warum al-Sindiq verbannt ist, aber auch mit Nahrung versorgt wird.«

»Wenn du sie geliebt hast, warum bist du nicht nach Qurtuba gegangen, sie zu suchen? Sie hätte dich geheiratet.«

»Siehst du, Hitze und Kälte in unserem Körper sind nie beständig, Ibn Umar. Anfangs fürchtete ich ihren Vater – er hatte gedroht, mich zu töten, wenn ich mich in der Nähe von Qurtuba sehen ließe. Aber da war noch etwas anderes.«

»Was?«

»Vielleicht hat Sahra mich geliebt, damals vor vielen Jahren. Vielleicht. Sie hatte eine merkwürdige Art, ihre Zuneigung zu zeigen.«

Suhayr war verblüfft. »Wie meinst du das?«

»Nach drei Monaten in Qurtuba ließ sie sich von jedem christlichen Edelmann besteigen, der sie anlächelte. So ging das viele Jahre. Zu viele Jahre. Als ich die Geschichten von ihren Abenteuern hörte, ward ich für lange Zeit krank, aber ich genas. Ich wurde geheilt. Die Krankheit verging. Ich fühlte mich wieder frei, wenngleich mein Herz vergaß, wie die Sonne aussah.«

»Und du hast Großtante Sahra vergessen?«

»Das habe ich nicht gesagt, oder? Wie könnte ich je vergessen? Doch die Pforten waren fest verschlossen. Dann hörte ich andere Geschichten von ähnlichen Vorfällen mit anderen Männern. Danach verstopfte ich mir die Ohren mit Watte. Viele, viele Jahre später erzählte mir Amira, daß Sahra im *maristan* von Gharnata sei.«

»Ich glaube, sie hat dir aber nicht gesagt, daß Großtante Sahras Verstand so gesund war wie deiner oder meiner. Sie wurde auf ausdrücklichen Befehl ihres Vaters dorthin geschickt, in dem Jahr, bevor er starb. Er glaubte, sie täte das alles nur deshalb, weil sie ihn für sein Verbot, dich zu heiraten, bestrafen wollte. So jedenfalls hat es mir meine Mutter erzählt.«

»Große Männer wie Ibn Farid begreifen sich stets als den Mittelpunkt aller Dinge. Sah er nicht, daß Sahra sich selbst bestrafte?«

»Es hat sie tief bewegt, ihren Bruder wiederzusehen. Obwohl Ama uns sagte, daß sie Miguel früher verachtet hat. Als wir nach dem Grund fragten, wurde Amas Gesicht hart wie ein Stein. Hat Miguel bei deiner Verbannung eine Rolle gespielt, al-Sindiq? Gewiß hat er dir nachspioniert.«

Al-Sindiq schmiegte das Gesicht in die Hände und blickte starr zu Boden. Dann hob er den Kopf, und Suhayr sah den Schmerz in seinen Augen. Sein runzliges Antlitz war plötzlich straff geworden. Seltsam, dachte Suhayr, er reagiert genau wie Ama.

»Es tut mir leid, Alter. Ich wollte keine schmerzlichen Erinerungen in dir wecken. Vergib mir.«

Al-Sindiq sprach mit einer eigentümlichen Stimme. »Für dich ist Miguel ein Abtrünniger, der das Grün, die Farbe des Propheten, verraten hat für ihre Hymnen und hölzernen Götzenbilder. Du siehst ihn als Bischof von Qurtuba einherstolzieren, gegen deine Religion lästern und schämst dich, daß du mit ihm verwandt bist. Habe ich nicht recht?« Suhayr nickte ernst.

»Aber weißt du, daß Meekal al-Malek als Knabe voller Lebhaftigkeit und Späße war? Er dachte gar nicht daran, mir nachzuspionieren und mit Petzgeschichten zu seinem Vater zu laufen, nein, er wollte, daß Sahra und ich glücklich sind. Er spielte Schach mit einer solchen Leidenschaft, daß man ihn, wenn er nichts anderes getan hätte, doch in Erinnerung behalten würde als den Erfinder von zumindest drei Eröffnungszügen, mit denen es die Meister des Spieles auf dieser Halbinsel nicht aufnehmen konnten, geschweige denn solche wie ich, ja nicht einmal der Vater des Zwerges, der ein vorzüglicher Spieler war. Mit seinen Tutoren ließ er sich oft auf philosophische Gefechte ein, die eine Frühreife enthüllten, daß es uns alle ängstigte, insbesondere seine Mutter. Es lag eine solche Verheißung in ihm, daß Ibn Farid zu Asma zu sagen pflegte: ›Lasse nicht zu, daß die Mägde ihn bewundernd anblicken. Sie werden ihn mit dem bösen Blick behaften.‹ Später, nach dem, was geschehen war, erinnerten sich viele von uns, was sein Vater viele Jahre zuvor gesagt hatte. Es war meine Mutter, Asmas Leibdienerin und Vertraute, die sich um Miguel gekümmert hat. Er kam oft in unseren Trakt, und ich hatte ihn sehr gern.«

»Wie kam es dann, daß dieses Schiff auf den Grund sank?« fragte Suhayr. »Was ist das Geheimnis seiner Verwandlung? Was ist geschehen, al-Sindiq?«

»Willst du es wirklich wissen? Manche Dinge läßt man besser ruhen.«

»Ich muß es wissen, und du bist der einzige, der es mir sagen kann.«

Der alte Mann seufzte. Er wußte, daß dem nicht so war. Amira wußte vermutlich mehr, als man ihm je erzählt hatte, aber ob einer von ihnen alles wußte, das stand dahin.

Zwei Frauen, und niemand sonst, hatten die ganze Wahrheit gekannt. Asma und ihre Dienerin und Vertraute. Meine vielgeliebte Mutter, dachte der einsame alte Mann auf der Hügelkuppe. Beide waren tot, und Wajid al-Sindiq war überzeugt, daß seine Mutter vergiftet worden war. Die Familie Hudayl verließ sich nicht auf das Schicksal. Nur der Friedhof, so fanden sie, konnte vollkommenes Schweigen gewährleisten. Wer hatte die Entscheidung gefällt? Al-Sindiq glaubte nicht einen Moment, daß es Umars Vater Abdullah bin Farid gewesen sein könnte. Das entsprach nicht seinem Charakter oder Temperament. Vielleicht war es Hischam aus Gharnata gewesen, der eine Sache stets gründlich zu Ende zu führen pflegte. Es änderte nichts, außer daß sie die genauen Einzelheiten dessen, was geschehen war, mit ins Grab genommen hatte.

Einige Jahre später hatten al-Sindiq und Ama sich eines Abends hingesetzt und alle Mosaiksteine der Tragödie zusammengefügt. Dennoch ließ sich nicht sagen, ob ihre Version korrekt war oder nicht, und aus diesem Grunde zögerte al-Sindiq, darüber zu sprechen.

»Al-Sindiq, du hast versprochen, mir alles zu erzählen.

»Das ist wahr, doch bedenke eines, al-Fahl. Was ich berichten werde, ist vielleicht nicht die ganze Wahrheit. Es ist mir nicht gegeben, sie zu kennen.«

»Bitte! Laß mich selbst urteilen.«

»Als dein Urgroßvater starb, waren deine zwei Großmütter verzweifelt. Maryam hatte viele Jahre sein Lager nicht geteilt, aber sie liebte ihn noch. Ibn Farid starb im Schlaf. Als Asma an sein Bett trat, massierte sie seine Schultern und seinen Hinterkopf, wie sie es immer tat, doch es kam keine Reaktion. Als sie feststellte, daß das Leben aus ihm gewichen war, schrie sie: ›Maryam! Maryam! Ein Unglück ist über uns gekommen.‹ Meine Mutter sagte, es war der herzzerreißendste Schrei, den sie je gehört hatte. Beide Ehefrauen trösteten einander, so gut sie konnten.

Ein Jahr später wurde Maryam zu Grabe getragen. Sie hatte einen langsamen, schrecklichen Tod. Ihre Zunge war mit einem schwarzen Belag bedeckt, und sie litt fürchterlich. Sie bat um Gift, aber dein Großvater wollte nichts davon hören. Man ließ die besten Ärzte aus Gharnata und Tschbiliya kommen, aber sie waren machtlos gegen die Geißel, die sich in ihrem Mund eingenistet hatte und in ihrem Körper ausbreitete. Ibn Sina sagte einmal, diese Krankheit habe keine bekannte

Ursache, und man kenne kein Heilmittel dafür. Er war der Meinung, in manchen Fällen liege die Ursache in der Anhäufung schlechter Gemütsverfassungen, die im Gehirn der Patienten eingeschlossen seien. Ich habe derartige Fälle nicht studiert und kann daher nicht Stellung dazu nehmen. Wie dem auch sei, was immer die Ursache war, Maryam starb fast genau ein Jahr nach Ibn Farid. Meine Mutter pflegte zu sagen, ihr Herz wäre schon zwanzig Jahre vor dem Tode ihres Gemahls in Trauer gewesen.

Asma war nun allein. Sahra befand sich im *maristan*. Meekal, ein heranwachsender Knabe, verspürte keine besondere Neigung, sich innerhalb des Hauses aufzuhalten. Dein Großvater war ein gütiger Mann, doch fehlte es ihm an geistiger Beweglichkeit. Seine Gemahlin, deine Großmutter, war von ähnlichem Wesen. Asma war viel mit deinem Vater zusammen, der damals etwa acht Jahre zählte. Er diente ihr als Ersatz für die Liebe, mit der sie ihren verstorbenen Gemahl überhäuft hatte. Außerhalb der Verwandtschaft wurde meine Mutter ihre beste Freundin. Ihre eigene Mutter, die alte Köchin Dorothea, weigerte sich trotz wiederholter Bitten, ganz ins Haus zu ziehen. Wann immer sie kam, verbesserte sich die Güte der aufgetragenen Speisen unermeßlich. Sie kam zu kurzen, aber denkwürdigen Besuchen. Sie waren unvergeßlich, weil sie kleine Mandelküchlein zu backen pflegte, die uns im Munde zergingen. Sie war wahrlich eine vorzügliche Köchin, und der Vater des Zwerges hat viel von ihr gelernt. Auch verliebte er sich in sie, und man erzählte sich Geschichten, daß – aber ich will nicht abschweifen. Tatsache ist jedenfalls, daß, wäre Dorothea nach Ibn Farids Tod zu Asma gezogen, die Tragödie sich vielleicht nie ereignet hätte.«

Suhayr war von der Geschichte so gefesselt gewesen, daß er seine Neugierde bis jetzt gezügelt hatte. Wenn er als kleiner Junge den unendlichen Erzählungen der Familiengeschichte lauschte, hatte er seinen Vater oft mit beharrlichen Fragen zu irgendeiner Nebensächlichkeit verärgert. Dorotheas Weigerung, ihrem Herrn Lebewohl zu sagen und ihrer Tochter nach al-Hudayl zu folgen, hatte ihm seit geraumer Zeit Rätsel aufgegeben, und so unterbrach er nun den Erzähler.

»Ich finde das merkwürdig, al-Sindiq. Warum? Ich meine,

im Hause von Don Alvaro war sie doch nur eine Köchin. Hier aber hätte sie in Wohlbehagen leben können bis zu ihrem Tode.«

»Ich weiß es nicht, bin Umar. Sie war eine sehr ehrbare Frau. Ich glaube, es machte sie verlegen, die Schwiegermutter eines Edelmannes wie Ibn Farid zu sein. Vielleicht war es aus der Ferne leichter, ihren plötzlichen Aufstieg hinzunehmen. Zu Ibn Farids großem Verdruß weigerte sie sich, im Hause zu übernachten. Meine Mutter räumte unser Zimmer im Quartier für die Bediensteten, und dort schlief sie.«

»Was war die Tragödie, al-Sindiq? Was ist geschehen? Ich habe das Gefühl, daß die Zeit uns abermals einholen könnte, und ich möchte nicht, daß das geschieht.«

»Du meinst, warum Asma starb und wer meine Mutter getötet hat?«

»Ganz recht. Asma war nicht alt, nicht wahr?«

»Nein, und darin lag das Problem. Sie war noch jung, voller Leben und stolz auf ihren Körper. Sie hatte erst zwei Söhne geboren.«

»Großonkel Miguel und Walid.«

»Sehr richtig. Walids Tod hat uns alle schrecklich erschüttert. Stelle dir nur vor, euer Yasid würde plötzlich Fieber bekommen und sterben. Siehst du, der bloße Gedanke schmerzt dich. Asma war bereit, noch viele Kinder zu gebären, als dein Urgroßvater beschloß, aus diesem Leben zu scheiden. Meine Mutter erzählte mir, daß die Witwe von Ibn Farid viele Freier hatte, doch sie wurden alle abgewiesen. Euer Großvater Abdallah wollte nichts davon hören, daß seines Vaters Gemahlin wie andere Frauen behandelt wurde. So lebte Asma abgeschieden im Kreise ihrer Familie.

Dein Großoheim Hischam hatte sich vermählt, kurz bevor Ibn Farid starb, und nahm seine Handelsgeschäfte in Gharnata auf – Geschäfte, darf ich sagen, die von allen, mit Ausnahme seiner Mutter, mit Mißbilligung betrachtet wurden. Daß ein Sohn der Banu Hudayl ein Markthändler wurde, galt nahezu als Sakrileg. Eine Beleidigung für die Ehre der Familie. Ihr gehörten Dichter, Philosophen, Staatsmänner und Krieger an, sogar ein verrückter Maler, dessen erotische Kunstwerke der Kalif in Qurtuba sehr geschätzt haben soll, aber alle waren fest auf dem Lande verwurzelt gewesen. Jetzt handelte der Neffe von Ibn Farid mit Kaufleuten, er feilschte mit Schiffseignern und freute sich wahrhaftig jeder Minute seines Lebens. Hätte Hischam nur vorgegeben, unglücklich zu sein, so wäre ihm vielleicht verziehen worden. Ibn Farid war außer sich vor Zorn, aber nachdem er ein Kind verbannt hatte, wollte er nicht mit einem weiteren brechen, und ohnedies würde Asma einen derartigen Unfug nicht geduldet haben.«

»Aber das mutet wie Wahnsinn an. Stammte die Banu Hudayl nicht von Beduinenkriegern ab, die jeden Tag ihres Lebens mit Karawanen handelten und feilschten, bevor sie in den Maghreb kamen? Stimmst du mir nicht zu?«

»Voll und ganz. Aber die Erklärung ist ganz einfach, mein al-Fahl: Die Nachfahren von Nomadenkriegern, die von Arabien bis zum Maghreb marschiert waren, hatten den Wandertrieb verloren und wurden dermaßen seßhaft auf dem Lande, daß ein Familienmitglied, das sich anders entschied, als Ketzer behandelt wurde.«

Suhayr, der den Kindern von Ibn Hischam sehr nahestand, war irritiert durch das Mißfallen, das ihr Großvater erregt hatte. »Ich weiß nicht recht, ob ich dir beipflichten kann. Ich meine, selbst in der Wüste brachten unsere Vorfahren den Stadtbewohnern Verachtung entgegen. Ich erinnere mich, wie Ama mir in meiner Kindheit erzählte, daß nur Parasiten in Städten lebten.«

Al-Sindiq lachte. »Ja, das sieht ihr ähnlich. Amira hat anderer Leute Vorurteile immer gerne übernommen. Aber siehst du, mein al-Fahl, Städte haben eine politische Bedeutung, die Dörfern wie dem euren fehlt. Was erzeugt ihr? Seide. Was erzeugen sie? Macht. Ibn Chaldun hat einmal geschrieben ...«

Suhayr merkte plötzlich, daß der alte Fuchs auf dem besten Wege war, ihn in eine ausgedehnte Diskussion über die Philosophie der Geschichte zu verwickeln und in eine endlose Debatte über Stadtleben kontra Landleben hineinzuziehen, und so unterbrach er ihn.

»Al-Sindiq, wie ist Asma gestorben? Ich möchte diese Frage nicht noch einmal stellen.«

Der alte Mann lächelte mit den Augen, und sein Gesicht legte sich in Falten. Binnen einer Sekunde waren dieselben

Augen von einer unheilvollen Vorahnung erfüllt. Er wollte das Thema wechseln, doch Suhayr blickte ihn fest an. Sein sanftes, bärtiges Gesicht trug einen grimmigen Ausdruck und zeigte plötzlich eine Bestimmtheit, die al-Sindiq erstaunte. Er atmete schwer.

»Drei Jahre nach Ibn Farids Tod wurde Asma schwanger.«

»Wie? Wer?« fragte Suhayr mit heiserer, gepreßter Flüsterstimme.

»Drei Menschen kannten die Wahrheit. Meine Mutter und die anderen zwei. Meine Mutter und Asma sind tot. Damit bleibt eine Person.«

»Das weiß ich, alter Narr.« Suhayr war wütend.

»Ja, ja, junger Suhayr al-Fahl. Du bist aufgebracht. Du kanntest keinen von diesen Menschen, und doch ist dein Stolz verletzt.«

Seltsam, dachte al-Sindiq, wie stark es den Knaben berührt hat. Was hat das mit ihm zu tun? Schürt die infernalische Macht vergangener Geister noch immer unsere Leidenschaften? Jetzt ist es zu spät, um innezuhalten. Er streichelte Suhayrs Gesicht und klopfte ihn auf den Rücken. Er gab ihm ein Glas Wasser.

»Du kannst dir die Atmosphäre im Hause vorstellen, als das bekannt wurde. Die alten Weiber der Familie, von denen man dachte, daß sie längst ihrer Gefräßigkeit zum Opfer gefallen wären, tauchten unvermutet wieder auf und fielen aus Qurtuba, Balansiya, Ischbiliya und Gharnata im Hause ein. Schlechte Nachrichten verbreiten sich immer geschwind. Asma kam nicht aus ihrem Zimmer. Meine Mutter betätigte sich als Mittlerin zwischen ihr und den alten Hexen. Eine bejahrte Hebamme aus Gharnata, die als bewandert galt in der Kunst des Entfernens unerwünschter Kinder aus dem Mutterleib, machte sich ans Werk, wobei meine Mutter ihr zur Seite stand. Ihr Eingriff war erfolgreich, die Peinlichkeit behoben. Eine Woche später starb Asma. Ein Gift war in ihren Blutstrom eingedrungen. Aber das war nicht alles. Als dein Großvater und deine Großmutter zu ihr hineingingen, flüsterte Asma deiner Großmutter ins Ohr, daß sie sterben wolle. Ihr Lebenswille war gebrochen. Die Schande war unerträglich. Hischam und seine Gemahlin waren auch da mit ihrem

Sohn, der ebenfalls ein großer Günstling von Asma war und sich wochenlang im Hause aufzuhalten pflegte. Deswegen stehen sich Hischam und dein Vater so nahe. Was Meekal angeht, er wurde sehr krank. Er suchte seine Mutter nicht am Sterbelager auf. Auch hatte sie nicht nach ihm geschickt.«

»Aber wer war es, al-Sindiq? Wie kann reines Wasser in einem Krug sich über Nacht in saure Milch verwandeln?«

»Meine Mutter hat nicht gesehen, wie es geschah, aber Asma erzählte ihr alles, was es zu wissen gab. Drei Wochen später war auch meine Mutter tot. Sie war in ihrem Leben nie krank gewesen. Ich war ins Dorf gekommen und bat um Erlaubnis, Asmas Begräbnis beizuwohnen. Dies wurde für unschicklich befunden, doch gelang es mir, mit meiner Mutter zu sprechen. Sie fuhr beharrlich fort, sich in Rätseln zu äußern. Sie wollte die Person nicht mit Namen nennen, doch aus der Zusammenfügung dessen, was sie mir an diesem Abend erzählte und was Amira mit eigenen Augen beobachtet hatte, wurde uns klar, was geschehen war – zumindest stellten wir es uns so vor.«

Suhayrs Atem ging schwerer, und vor Erwartung stieg ihm das Blut ins Gesicht. Sindiq trank einen Schluck Wasser.

»Sag es mir, Alter. Sag es mir!«

»Du kennst das Haus gut, Suhayr bin Umar. Asmas Gemächer waren dieselben, die jetzt deine Mutter bewohnt. Sage mir eines. Wird einem fremden Mann oder auch nur einem Diener jemals der Zutritt zu diesem Trakt gestattet?«

Suhayr schüttelte den Kopf.

»Welche männlichen Wesen können nach Belieben kommen und gehen, abgesehen von deinem Vater?«

»Ich nehme an, Yasid und ich.«

»So ist es.«

Suhayr begriff nicht sogleich, was ihm eröffnet worden war. Dann traf es ihn wie ein plötzlicher Hieb auf den Schädel. Er sah den Alten voller Entsetzen an.

»Du meinst doch nicht ... du kannst nicht meinen, daß ...« Doch der Name wollte ihm nicht über die Lippen. Al-Sindiq war es, der schließlich den Namen aussprechen mußte.

»Meekal. Miguel. Was ändert das schon?«

»Weißt du das ganz genau?«

»Wie könnte ich? Aber es ist die einzige Erklärung. Wochen, bevor die Schwangerschaft bekannt wurde, war allen aufgefallen, daß Meekal sich sehr merkwürdig benahm. Er ging nicht mehr im Dorf ins Bad, um die nackten Frauen zu beäugen. Er lachte nicht mehr. Sein bartloses Gesicht wurde düster und verdrießlich. Seine Augen waren schwer von Mangel an Schlaf. Ärzte kamen aus Gharnata, doch was konnten sie ausrichten? Sie vermochten die Krankheit nicht zu kurieren. Sie verordneten Seeluft, frisches Obst und Kräutertränke. Dein Großonkel wurde für einen Monat nach Malaka geschickt. Allein die Abwesenheit vom Haus muß wohltuend gewirkt haben.

Als er zurückkam, sah er viel besser aus. Aber zum Erstaunen aller, die nichts ahnten von der inneren Qual, die ihn verzehrte, ging er nie in die Nähe der Gemächer seiner Mutter. Ich glaube, sie sprach einmal mit ihm. Bei ihrem Begräbnis war er untröstlich. Er weinte vierzig Tage lang. Danach wurde er für lange Zeit krank. Er ist nie wieder ganz genesen. Der Meekal, den ich kannte, war auch gestorben. Die Tragödie forderte drei Menschenleben. Der Bischof von Qurtuba ist ein Geist.«

»Aber wie konnte das geschehen, al-Sindiq?«

»Das ist kein Geheimnis. Schon seit seiner frühesten Kindheit war Meekal der Liebling gewesen. Immer hat er mit seiner Mutter und den anderen Frauen gebadet. Amira erzählte mir, daß er noch mit sechzehn Jahren hereinkam, wenn Asma ein Bad nahm, und oft seine Kleider abwarf und zu ihr ins Wasser sprang.

Sie hatte die Blüte ihrer Jahre noch nicht überschritten. Ich weiß nicht, wer den ersten Schritt tat, aber ich kann ihr Dilemma verstehen. Sie war ja noch eine Frau und sehnte sich noch immer nach jener einzigartigen Freude, die seit dem Tode Ibn Farids aus ihrem Leben verschwunden war. Als es geschah, muß es so innig, so überschwenglich, so behaglich, so vertraut gewesen sein, daß sie vergaß, wer sie war und wer er war und wo sie waren. Unmittelbar danach wurde die Erinnerung zum Schmerz, der in ihrem Fall nur durch den Tod beseitigt werden konnte. Wer sind wir, sie zu richten, Suhayr? Wie können wir je verstehen, was sie empfand?«

»Ich weiß es nicht – ich will es nicht wissen –, aber es war Wahnsinn.«

»Ja, so war es, und die Menschen in ihrer Nähe wurden hart und unbeugsam. Ich habe den Verdacht, daß die alte Hebamme angestiftet wurde, den Tod von Mutter und Kind herbeizuführen.«

»Asma muß es bereut haben, zu unserer Religion übergetreten zu sein.«

»Warum sagst du das?«

»Nun, wäre sie eine Götzenanbeterin geblieben, hätte sie vor aller Welt behaupten können, die Erscheinung eines Kindes in ihrem Leibe sei ein göttliches Mysterium.«

»Du klingst verbittert. Es wird Zeit für dich heimzukehren.«

»Begleite mich, al-Sindiq. Du wirst willkommen sein.« Der alte Mann erschrak über die plötzliche Einladung. »Ich danke dir. Ich würde Sahra gerne sehen, aber ein andermal.«

»Wie kannst du diese Einsamkeit Tag für Tag ertragen?«

»Ich betrachte es anders. Hier sehe ich die Sonne aufgehen wie kein anderer Mensch, und hier genieße ich ihren Untergang wie wenige andere. Schau nur. Ist das nicht die Farbe des Paradieses? Und außerdem habe ich meine Manuskripte, die sich übers Jahr mehren. Die Einsamkeit hat ihre eigenen Freuden, mein Freund.«

»Wie aber steht es mit ihren Leiden?«

»Von vierundzwanzig Stunden ist stets eine erfüllt von Qual und Selbstmitleid, von Verwirrung und dem Verlangen, andere Gesichter zu sehen, doch eine Stunde ist rasch vergangen. Nun hurtig fort mit dir, mein junger Freund. Du hast heute abend eine wichtige Aufgabe zu erfüllen, und vergiß nicht, den jungen Mann zu mir zu bringen, der behauptet, ein Nachfahre von Ibn Chaldun zu sein.«

»Warum so skeptisch?«

»Weil die gesamte Familie Ibn Chalduns auf der Reise von Tunis nach al-Qahira bei einem Schiffbruch umgekommen ist! Nun geh, und Friede sei mit dir.«

6. KAPITEL

»Zwerg, wenn ich groß bin, will ich Koch werden wie du.«

Der Küchenchef saß vor einem riesigen Tiegel und stampfte mit einem großen Holzmörser eine Paste aus Fleisch, Hülsenfrüchten und Weizen. Lächelnd sah er den Knaben an, der ihm auf einem kleinen Schemel gegenübersaß.

»Yasid bin Umar«, sagte er, indes er fortfuhr, das Fleisch zu zerstampfen, »das ist harte Arbeit. Du mußt hundert Gerichte kochen lernen, bevor dich jemand in Dienst nimmt.«

»Ich will es lernen, Zwerg. Ich verspreche es.«

»Wie oft hast du schon *harrissa* gegessen?«

»Unzählige Male.«

»So ist es, junger Herr, aber weißt du auch, wie es zubereitet wird oder welche Zutaten gebraucht werden, um das Fleisch zu würzen? Nein, das weißt du nicht! Allein für dieses Gericht gibt es mehr als sechzig Rezepte. Ich koche es nach der Empfehlung des großen Lehrers al-Baghdadi, doch Kräuter und Gewürze verwende ich nach meinem Belieben.«

»Das ist nicht wahr. Ama hat mir erzählt, daß dein Vater dir alles beigebracht hat, was du weißt. Sie sagt, er war der Sultan unter den Köchen.«

»Und wer hat es ihm beigebracht? Deine Ama wird langsam zu alt. Nur weil sie mich kennt, seit ich so alt war, wie du jetzt bist, meint sie, ich hätte kein eigenes schöpferisches Können. Auf dem Gebiet des Naschwerks allerdings war mein Vater erfindungsreicher. Sein Dattel- und Maronenpüree, auf kleinem Feuer in Milch gekocht, zur Feier aller großen Hochzeiten und Festtage, war in ganz al-Andalus berühmt. Der Sultan von Gharnata war zu deines Großvaters Hochzeit hier. Als er die Nachspeise kostete, wollte er meinen Vater in die al-Hamra mitnehmen, aber Ibn Farid, seine Seele ruhe in Frieden, sagte ›niemals‹.

Auf dem Gebiet der Hauptgerichte aber war er kein so guter Koch wie mein Großvater, und das wußte er sehr wohl. Du mußt wissen, junger Herr, ein Genie kann sich nicht auf die Rezepte anderer verlassen. Wie viele Prisen Salz? Wieviel Pfeffer? Welche Kräuter? Es ist nicht allein eine Frage des Lernens, wiewohl dies wichtig ist, sondern der Naturbegabung. Das ist das einzige Geheimnis unseres Gewerbes. Und das geht so: Du beginnst mit der Bereitung einer Lieblingsspeise und stellst fest, es sind keine Zwiebeln in der Küche. Du zerstößt etwas Knoblauch, Ingwer, Granatapfelsamen und Piment zu einer Paste und verwendest diese an Stelle von Zwiebeln. Gib ein Täßchen gegorenen Traubensaft hinzu, und du hast ein ganz neues Gericht. Die Herrin Subayda, deren Großzügigkeit allseits bekannt ist, kostet es, wenn das Nachtmahl aufgetragen wird. Sie läßt sich nicht täuschen. Nicht einen Augenblick. Sie merkt sogleich, daß es etwas vollkommen Neues ist. Nach dem Mahl werde ich zu ihr befohlen. Sie gratuliert mir, dann erkundigt sie sich nach den Einzelheiten. Selbstverständlich weihe ich sie in mein Geheimnis ein, doch schon während ich mit ihr spreche, habe ich die genauen Abmessungen der Zutaten vergessen, die ich verwendet habe. Vielleicht werde ich dieses Gericht nie wieder kochen, aber wer es einmal gekostet hat, wird die einzigartige Gewürzmischung nie vergessen. Ein wirklich gutes Gericht ist wie ein großes Gedicht; es läßt sich nie genau wiederholen. Wenn du Koch werden willst, versuche dir einzuprägen, was ich dir soeben gesagt habe.«

Yasid war tief beeindruckt. »Zwerg? Findest du, daß du ein Genie bist?«

»Natürlich, junger Herr. Warum würde ich dir das sonst alles erzählen? Schau dir das *harrissa* an, das ich koche. Komm her und sieh genau zu.«

Yasid rückte seinen Schemel dicht neben den Koch und spähte in den Tiegel.

»Es hat die ganze Nacht gekocht. In früheren Zeiten nahm man nur Lammfleisch, aber ich habe oft Kalb-, Hühner- oder Rindfleisch verwendet, um den Geschmack zu verändern. Andernfalls würde deine Familie meiner Kochkunst überdrüssig, und das wäre sehr schmerzlich für mich.«

»Was hast du in dieses *harrissa* gegeben?«

»Das Fleisch von einem ganzen Kalb, drei Becher Reis, vier Becher Weizenkörner, einen Becher braune Linsen, einen Becher Kichererbsen. Dann habe ich den Tiegel mit Wasser aufgefüllt und es über Nacht kochen lassen. Doch bevor ich aus der Küche ging, habe ich getrocknete Koriandersamen und etwas schwarzen Kardamom in ein Mullsäckchen getan und dies in den Tiegel gegeben. Am Morgen war das Fleisch vollkommen mürbe, und nun stampfe ich alles zu einer Paste. Doch was werde ich noch tun, bevor ich sie euch am Freitag zum Mittagsmahl auftrage?«

»Zwiebeln und Pfefferschoten in geklärter Butter braten und über das *harrissa* gießen.«

»Sehr gut, junger Herr! Aber die Zwiebeln müssen gebräunt sein und in der geklärten Butter schwimmen. Nächste Woche werde ich dieses Gericht vielleicht etwas ergänzen. In Butter gebratene Eier, mit Kräutern und schwarzem Pfeffer bestreut, könnten sich gut mit *harrissa* vertragen, liegen aber vor dem Freitagsgebet vielleicht zu schwer im Magen. Was, wenn der Druck so groß wäre, daß, wenn sich die Häupter gen Mekka verneigen, dem anderen Ende der Leiber ein übelriechender Wind entführe? Diejenigen, die sich in der direkten Schußlinie befinden, würden das nicht sonderlich schätzen.«

Yasids Gelächter war so ansteckend, daß der Zwerg grinste. Dann wurde das Gesicht des Knaben ganz ernst. Ein kleines Runzeln erschien auf der großen Stirn. Die Augen wurden weit. Ein Gedanke war ihm durch den Kopf gegangen.

»Zwerg?«

»Ja?«

»Wünschst du dir nicht manchmal, du wärst kein Zwerg, sondern ein großer starker Mann wie Suhayr? Damit du ein Ritter sein könntest, statt den ganzen Tag in dieser Küche zu sein?«

»Du bist ein Schatz, Yasid bin Umar. Ich will dir eine Geschichte erzählen. Vor langer Zeit, als unser Prophet noch lebte, Friede sei mit ihm, wurde ein Affe in einer Moschee beim Pissen erwischt.«

Yasid fing zu kichern an.

»Bitte lach nicht. Es war ein sehr schweres Vergehen. Der Aufseher eilte zu dem Affen und schrie: ›Du gotteslästerlicher Bösewicht! Hast du keine Angst, daß Gott dich bestraft und in ein anderes Geschöpf verwandelt?‹ Der Affe schämte sich nicht. ›Eine Strafe wäre es nur‹, erwiderte das dreiste Tier, ›wenn er mich in eine Gazelle verwandeln würde!‹ Du siehst also, mein lieber junger Herr, ich bin viel lieber ein Zwerg, der in eurer Küche herrliche Gerichte komponiert, als ein Ritter, der ständig fürchten muß, von anderen Rittern gejagt zu werden.«

»Yasid! Yasid! Wo ist der kleine Halunke, Amira? Geh, such ihn. Sage ihm, ich wünsche ihn zu sehen.«

Miguels Stimme hallte durch den Hof und drang in die Küche. Yasid sah den Zwerg an und legte den Finger an die Lippen. Es war vollkommen still, bis auf das Blubbern in den zwei großen Töpfen, die Brühe aus den Knochen von Fleisch und Wild enthielten. Dann versteckte er sich hinter dem Podest, das eigens in der Küche aufgestellt worden war, damit der Zwerg an die Töpfe und Tiegel gelangen konnte. Es war zwecklos. Ama kam herein und steuerte geradewegs auf das Versteck zu.

»Wa Allah! Komm heraus und begrüße deinen Großonkel. Deine Mutter wird sehr zornig, wenn du deine guten Manieren vergißt.«

Yasid kam hervor. Das Gesicht des Zwerges verriet Mitgefühl.

»Zwerg?« fragte der Knabe. »Warum stinkt Großonkel Miguel so arg? Ama sagt …«

»Ich weiß, was Ama denkt, wir aber bedürfen einer weiseren Antwort. Sieh, junger Herr, ein jeder, der sich zwischen Zwiebel und Schale schiebt, ist mit einem scharfen Geruch behaftet.«

Ama funkelte den Koch böse an und nahm Yasid an die Hand. Dieser riß sich los und lief aus der Küche zum Haus. Er hatte vor, den Innenhof ganz zu meiden und sich in der Badestube zu verstecken, indem er den geheimen Eingang an der Seite des Hauses benutzte. Doch Miguel erwartete ihn schon, und der Knabe sah ein, daß er den Kampf verloren hatte.

»Friede sei mit dir, Großonkel.«

»Sei gesegnet, mein Kind. Ich dachte, wir könnten vor dem Mittagsmahl eine Partie Schach spielen.«

Yasid wurde sogleich heiter. Wenn er früher den Erwachsenen eine Partie vorgeschlagen hatte, waren diese immer ausgewichen unter dem Vorwand, sie hätten keine Zeit. Bei seinen seltenen Besuchen hatte Miguel kaum mit ihm gesprochen, geschweige denn sich sonst mit ihm befaßt. Der Knabe eilte ins Haus und kehrte mit seinem Schachspiel zurück. Er legte das Schachtuch auf den Tisch und öffnete vorsichtig die Schatulle. Dann kehrte er dem Bischof den Rücken zu, nahm eine Königin in jede Hand und streckte seinem Großoheim die geschlossenen Fäuste hin. Miguel wählte die Faust, welche die schwarze Königin enthielt. Yasid fluchte insgeheim. Jetzt bemerkte Miguel den besonderen Charakter dieser Schachfiguren. Er nahm sie näher in Augenschein. Seine Stimme war heiser vor Furcht, als er sprach.

»Woher hast du das Spiel?«

»Es ist ein Geburtstagsgeschenk von meinem Vater.«

»Wer hat es für dich geschnitzt?«

Der Name Juans wäre ihm beinahe entschlüpft, doch Yasid besann sich, daß der Mann, der da vor ihm saß, ein Diener der Kirche war. Eine beiläufige Bemerkung Amas hatte sich als Warnung in seinem Kopf eingenistet, und jetzt kam die einsichtige Klugheit des Kindes ins Spiel.

»Ich glaube, es war ein Freund in Ischbiliya!«

»Belüge mich nicht, Kind. Ich habe in meinem Leben so viele Beichten gehört, daß ich am Tonfall eines Menschen hören kann, ob er die Wahrheit spricht, und du sprichst sie nicht. Ich erwarte eine Antwort.«

»Ich dachte, du wolltest Schach spielen.«

Miguel sah das bekümmerte Gesicht des Knaben, der ihm mit leuchtenden Augen gegenübersaß, und mußte unwillkürlich an seine eigene Kindheit denken. Hier in diesem Hof hatte er Schach gespielt, auf eben demselben Tuch. Dreimal war er gegen einen Meister aus Qurtuba angetreten, und die ganze Familie hatte um den Tisch gestanden und aufgeregt zugesehen, wie der Meister jedesmal geschlagen wurde. Applaus und Lachen folgten, indes sein Bruder ihn hoch in die Luft hob, um ihn zu feiern. Am meisten von allen hatte sich seine Mutter Asma gefreut. Er schauderte bei der Erinnerung. Als er aufblickte, sah er, daß Hind, Kulthum und der junge Gast aus Ägypten ihn anlächelten. Hind hatte von ferne alles beobachtet und erkannt, daß Yasid in Not war. Unschwer zu erraten, daß dies mit den Schachfiguren zu tun hatte. Noch in seinen Tagträumereien hielt Miguel die schwarze Königin fest umklammert.

»Hast du das Spiel eröffnet, Yasid?« fragte Hind in gespielter Unschuld.

»Er mag nicht spielen. Er heißt mich einen Lügner.«

»Schäme dich, Großonkel Miguel«, sagte Hind und umarmte dabei ihren Bruder. »Wie kannst du so grausam sein?«

Miguel wandte sich ihr zu, seine Adlernase zuckte ein wenig, als ein mattes Lächeln über seine Wangen huschte. »Wer hat die Figuren geschnitzt? Woher sind sie?«

»Nun, aus Ischbiliya natürlich!«

Yasid sah seine Schwester verwundert an, dann ging er hin und befreite die schwarze Königin aus Miguels Umklammerung. Hind lachte.

»Spiel mit ihm, Großonkel Miguel. Es könnte sein, daß du nicht gewinnst.«

Miguel betrachtete den Knaben. Yasid hatte keine Furcht mehr. Sein Gesicht hatte wieder einen spitzbübischen Zug angenommen. Der Bischof mußte abermals an seine Jugend denken. Diese Umgebung, dieser Innenhof und ein naseweiser Zehnjähriger, der ihn mit einer Spur Dreistigkeit ansah. Miguel dachte daran, wie er alle Christen herausgefordert hatte, die seinen Vater aufsuchten. Oft unterlagen sie, und dann feierte die ganze Familie seinen Triumph.

Seltsam, wie jene Welt, die für ihn längst gestorben war, in dem alten Haus fortbestand. Miguel war nun doch geneigt, mit Yasid zu spielen. Er wollte sich gerade über das Schachtuch beugen, als Ama ein Zeichen gab, daß das Mittagsmahl angerichtet sei.

»Hast du dir die Hände gewaschen, Miguel?« Sahras schrille Stimme überraschte die Familie Umar bin Abdallahs, der Bischof aber lächelte, als er seine Schwester ansah. Er kannte diese Stimme gut.

»Ich bin nicht mehr zehn Jahre alt, Sahra.«

»Es ist mir einerlei, ob du zehn oder neunzig bist. Geh und wasche dir die Hände.«

Yasid bemerkte, wie Hind sich mühte, ihr Lachen zu unterdrücken, und brach in unbeherrschtes Kichern aus. Als auch Subayda sich anstecken ließ, erkannte Miguel, daß er rasch handeln mußte, wollte er verhindern, daß die ganze Mittagsmahlzeit zu einem Zirkus ausartete. Er lachte lahm.

»Amira! Du hast gehört, was Sahra gesagt hat. Komm!« Amira brachte ein Gefäß mit Wasser. Ein junger Diener kam mit einem Becken, gefolgt von einem Küchenjungen, der ein Handtuch trug. Miguel wusch seine Hände, während alles schweigend um ihn herumstand. Als er fertig war, klatschte seine Schwester Beifall.

»Es war dasselbe, als du ein Knabe warst. Wenn ich die Augen schließe, kann ich deine Schreie hören, wenn Umm Saidun und deine Mutter, die Gute, dir Kopf und Körper einseiften, dich gründlich wuschen und dich danach ins Badewasser schubsten.«

Suhayr erstarrte bei der Erwähnung von Asma. Er blickte zu Sahra und Miguel, aber es war nicht die Spur einer Gefühlsregung zu erkennen. Miguel blickte seine Schwester an und nickte.

»Es freut mich, dich wieder in diesem Hause zu sehen, Schwester.«

Das Mittagsmahl wurde mit hingebungsvollem Genuß verzehrt. Der Zwerg, der wie immer in der angrenzenden Kammer lauschte, war mit dem Ausmaß des Lobes zufrieden. Komplimente schwirrten wie zahme Vögel durch den Raum. Der Gipfel der Vollkommenheit war für den Zwerg erreicht, als Miguel und Sahra beide spontan bekundeten, dieses *harrissa* übertreffe bei weitem jenes, welches sein verstorbener, vielbetrauerter Vater bereitet hatte. Erst dann kehrte der Meisterkoch in seine Küche zurück, mit seinem Gewerbe und der Welt im reinen.

»Man sagt mir, du lebst in großem Stil im bischöflichen Palais in Qurtuba, wo Priester und dein fetter Sohn dir aufwarten. Warum, Miguel?« fragte Sahra ihren Bruder. »Warum mußte es so für dich enden?«

Miguel antwortete nicht. Suhayr beobachtete die zwei genau, während sie aßen. Sahra kannte doch gewiß den wahren Grund für Miguels Entschluß, sich ganz und gar von allem Herkömmlichen zu lösen. Dann verkündete Umar, für die

Männer sei es jetzt Zeit zum Aufbruch. Ibn Daud, Yasid und Suhayr sprangen auf und entschuldigten sich. Sie gingen aus dem Zimmer, um sich für den Ritt zur Moschee und zum Freitagsgebet bereit zu machen.

Sahra und Miguel wuschen sich die Hände und begaben sich in den Innenhof, wo man ihnen ein hölzernes Podest aufgestellt und mit Teppichen belegt hatte, damit sie die Frühlingssonne genießen konnten. Ama brachte ein Tablett, dessen Vertiefungen Mandeln, Walnüsse, Datteln und Rosinen enthielten, und stellte es vor sie hin.

»Allah sei gepriesen. Es tut meinem Herzen wohl, Euch beide zu Hause zu sehen.«

»Amira«, wies Miguel sie an, während er eine Dattel nahm, den Kern entfernte und durch eine Mandel ersetzte, »sei so gut und bitte meine Nichte, sich ein paar Minuten zu uns zu gesellen.«

Ama hinkte ins Haus zurück, und Sahra wiederholte ihre Frage: »Warum, Miguel? Warum?«

Miguels Herz begann zu klopfen. Sein Gesicht, das sich so sehr daran gewöhnt hatte, alle Gefühlsregungen zu verbergen, war plötzlich voller Qual. »Du weißt es wirklich nicht, nein?«

Sahra schüttelte den Kopf. Sie sahen Subayda kommen, und was Miguel seiner Schwester hätte sagen oder nicht sagen können, blieb in seinem Herzen vergraben.

»Setze dich, mein Kind«, sagte Miguel. »Ich habe dir etwas Wichtiges mitzuteilen, und das läßt sich am besten sagen, während die Männer fort sind.«

Subayda setzte sich neben ihn. »Ich bin neugierig, Onkel Miguel. Meine Ohren erwarten deine Botschaft.«

»Dein Verstand ist es, an den ich mich wenden will. Yasids Schachspiel ist die gefährlichste Waffe, die ihr in diesem Hause habt. Wenn das dem Erzbischof von Gharnata gemeldet würde, so würde er die Inquisition unterrichten, insbesondere, wenn es in Ischbiliya geschnitzt wurde.«

»Wer hat dir gesagt, daß es in Ischbiliya geschnitzt wurde?«

»Yasid und Hind.«

Subayda war gerührt über das instinktive Bedürfnis ihrer

Kinder, Juan den Tischler zu schützen. Das Leben im Dorf hatte sie selbstsicher gemacht, und im ersten Impuls wollte sie Miguel die Wahrheit sagen, doch sie hielt inne, um zu überlegen, und beschloß, der Linie zu folgen, die Yasid vorgezeichnet hatte.

»Sie müssen es wissen.«

»Du bist töricht, Subayda. Ich bin nicht hier, um meine Familie auszuspionieren. Ich wünsche, daß du die Schachfiguren verbrennst. Sie könnten den Knaben das Leben kosten. In diesem schönen Dorf wiegt die Musik des Wassers uns in eine Welt der Träume. Leicht, zu leicht, wird man selbstzufrieden. Ich hatte gedacht, hier wären wir für alle Zeit in Sicherheit. Ich habe mich geirrt. Die Welt, in die du hineingeboren wurdest, ist tot, mein Kind. Früher oder später werden die Winde, welche die Saat unserer Zerstörung tragen, die Berge durchdringen und auch dieses Haus erreichen. Die Kinder müssen gewarnt werden. Sie sind unduldsam. Unbesonnen. In den Augen des kleinen Knaben sehe ich meinen eigenen Trotz von damals. Hind ist ein sehr kluges Mädchen. Ich verstehe, warum du sie nicht mit meinem Juan vermählen möchtest. Widersprich nicht, Subayda. Ich mag alt sein, aber senil bin ich noch nicht. Ich an deiner Stelle würde es auch nicht wollen. Meine Beweggründe waren nicht die Förderung meines Sohnes sondern die Sicherheit deiner Kinder. Und vermutlich Sentimentalität. Juan würde innerhalb der Familie heiraten.«

Subayda fand den Bischof abstoßend, und doch war sie gerührt. Sie wußte, daß er die Wahrheit sprach.

»Möchtest du nicht heute abend zu allen sprechen, Onkel Miguel. Das könnte eine stärkere Wirkung haben als alles, was ich zu sagen vermöchte. Danach können wir beraten, was mit Yasids Schachspiel geschehen soll. Der Knabe wird untröstlich sein.«

»Gerne will ich heute abend mit euch allen sprechen. Das ist schließlich der Hauptgrund meines Besuchs.«

»Ich dachte, du bist gekommen, um mich zu sehen, Eure Heiligkeit. Du krummer alter Stock!« fuhr Sahra mit gackerndem Lachen dazwischen.

Als Subayda die beiden betrachtete, fiel ihr etwas ein, was

ihre Mutter sie einmal als Kind gelehrt hatte, und sie mußte lachen. Das Geschwisterpaar warf ihr grimmige Blicke zu. »Sag uns auf der Stelle, was so spaßig ist«, befahl Sahra.

»Das kann ich nicht, Tante. Zwinge mich nicht. Es ist zu kindisch, um es in Worte zu fassen.«

»Laß uns die Richter sein. Wir bestehen darauf«, sagte Miguel.

Subayda sah die beiden an, und wieder mußte sie lachen, weil alles so absurd war, aber sie sah ein, daß sie keine andere Wahl hatte als zu sprechen.

»Es muß wohl die Art und Weise gewesen sein, wie Yasids Großtante das Wort Heiligkeit benutzt hat. Das hat mich an einen Kinderreim erinnert:

›Sieb und Nadel hatten einst einen heiligen Streit.
Die Nadel sprach: Mit Löchern leben? Du tust mir wirklich leid.
Das Sieb entgegnet lächelnd: Du bist ein armer Tropf.
Ich seh das Garn als Zierat nicht; es geht durch deinen Kopf!‹«

Sie strahlte vor Heiterkeit.

»War er die Nadel?« fragte Sahra.

Subayda nickte.

»Und sie das Sieb?« wollte Miguel wissen.

Subayda nickte wieder. Einen Augenblick hielten sie an sich und sahen sich schweigend an, bis plötzlich alle gleichzeitig in schallendes Gelächter ausbrachen.

Als es verebbte, kullerten Ama, die unter dem Granatapfelbaum saß, die Tränen übers Gesicht. Es war das erste Mal seit dem Tod seiner Mutter, daß Miguel in diesem Hause gelacht hatte.

Die gelöste Stimmung im Innenhof des alten Familiensitzes der Banu Hudayl paßte so gar nicht zu der Anspannung, welche an diesem Freitag in der Dorfmoschee herrschte. Die Gebete waren ohne Zwischenfall vonstatten gegangen, wenngleich Umar bei seiner Ankunft verärgert hatte feststellen müssen, daß entgegen seinen Anweisungen ein halbes Dutzend Plätze in der ersten Reihe aus Ehrerbietung für seine Familie freigehalten worden war. Früher hatten sich die

Leute hingestellt und gebetet, wo sie Platz fanden. Der wahre Glaube kannte keine Hierarchie. An der Stätte der Anbetung waren vor Gott alle Menschen gleich.

Ibn Farid war es gewesen, der darauf bestanden hatte, daß die erste Reihe für seine Familie reserviert wurde. Ihn hatte die Gepflogenheit der christlichen Edelleute beeindruckt, sich bestimmte Bankreihen in der Kirche vorzubehalten. Er wußte, daß eine derartige Gepflogenheit dem Islam zuwiderlief, nichtsdestoweniger hatte er darauf beharrt, daß der muselmanischen Aristokratie in der Moschee ein gewisses Maß an Anerkennung gezollt wurde.

Umar stand mit dem Zwerg und anderen Dienern des Hauses diskret im Hintergrund, Suhayr und Yasid jedoch waren von hilfreichen Händen nach vorne geschoben worden und hatten Ibn Daud mit sich gezogen.

Die Gebete waren jetzt zu Ende. Ein junger blauäugiger Imam, neu im Dorf, machte sich bereit für die Freitagspredigt. Sein alter Vorgänger war ein sehr gelehrter Theologe und als Mensch sehr geachtet gewesen. Als Sohn eines armen Bauern hatte er an den *madresseh* in Gharnata studiert und sich großes Wissen erworben, ohne deshalb seine Herkunft je zu vergessen. Sein Nachfolger war Ende Dreißig. Sein üppiger brauner Bart unterstrich das Weiß seines Turbans und auch seine Hautfarbe. Er war ein wenig nervös, während er darauf wartete, daß die Gemeinde sich niedersetzte und die Zuspätgekommenen, die nicht muselmanischen Glaubens waren, einen Platz fanden. Den jüdischen und christlichen Bewohnern des kleinen Dorfes war es gestattet, an der Versammlung teilzunehmen, nachdem die Freitagsgebete beendet waren. Erfreut sah Yasid Juan den Tischler und Ibn Hasd das Gelände der Moschee betreten. In ihrer Begleitung befand sich ein dunkelrot gekleideter alter Mann. Yasid fragte sich, wer das wohl sein könnte, und stieß seinen Bruder an. Suhayr erkannte Wajid al-Sindiq und zitterte leicht, aber er sagte nichts.

Plötzlich zog Yasid die Stirn kraus. Ubaidallah, der gefürchtete Aufseher der Güter von al-Hudayl, hatte sich nach vorne geschoben und nahm unmittelbar hinter Suhayr Platz. Ama hatte dem Knaben mit ihren vielen abscheulichen Geschichten über die Bestechlichkeit und Ausschweifungen dieses Mannes einen blinden Haß eingeflößt. Der Aufseher lächelte Suhayr an, als sie Grüße wechselten. Yasid machte vor Zorn ein finsteres Gesicht. Er wollte unbedingt mit Juan sprechen und ihm erzählen, daß Großoheim Miguel sich nach dem Schachspiel erkundigt hatte, doch Suhayr runzelte die Stirn und legte seinen Arm schwer auf die Schulter des Knaben, auf daß er zu zappeln aufhöre.

»Benimm dich würdig und vergiß nicht, daß die Öffentlichkeit auf uns sieht«, flüsterte er seinem Bruder tadelnd ins Ohr. »Die Ehre der Banu al-Hudayl steht auf dem Spiel. Morgen müssen wir diese Leute vielleicht in den Krieg führen. Sie dürfen ihren Respekt vor uns nicht verlieren.«

»Dummes Zeug«, murmelte Yasid vor sich hin, doch ehe sein Bruder ihn schelten konnte, hatte der Prediger sich geräuspert und hob zu sprechen an.

»Im Namen Allahs des Wohltäters, des Barmherzigen. Friede sei mit euch, meine Brüder …«

Er begann die Herrlichkeit von al-Andalus und seinen muselmanischen Herrschern herunterzuleiern. Er wollte keinen Zweifel daran lassen, daß der Islam, der im Maghreb existiert hatte, der einzig wahre sei. Kalif Umayad von Qurtuba und seine Nachfolger hatten den wahren Glauben verteidigt, wie es der Prophet und seine Gefährten vorschrieben. Die Abbasiden in Bagdad waren moralisch degeneriert.

Solcherlei Reden hatte Yasid in den Moscheen vernommen, seit er begonnen hatte, dem Freitagsgebet beizuwohnen. Alle Prediger erinnerten ihn an Ama, nur daß er Ama mit einer Frage unterbrechen und von derlei hochtrabendem Gerede ablenken konnte. Das war in der Moschee unmöglich.

Yasid war durchaus nicht der einzige in der Gemeinde, dessen Gedanken vom Vortrag des Predigers abschweiften. Im Hintergrund der Moschee begannen die ergrauten Mitglieder der Freitagsgemeinde miteinander zu flüstern. Der junge Mann, der sich redlich mühte, eine Versammlung in seinen Bann zu ziehen, die Neuankömmlingen oder Anfängern nicht wohlgesonnen war, konnte einen dauern, und aus diesem Grunde legte Umar bin Abdallah den Finger an die Lippen und funkelte die Missetäter wütend an. Es wurde still. Die Ermutigung genügte, um den Mann mit dem braunen Bart zu entkrampfen. Von neuem Elan beflügelt, wich er ab von seinem sorgfältig vorbereiteten Text und verzichtete auf die Zitate aus dem al-koran, die er die halbe Nacht auswendig gelernt und geübt hatte. Statt dessen verlieh er seinen eigentlichen Gedanken Ausdruck.

»In der Ferne können wir die feierlichen Glocken ihrer Kirchen mit einem so unheilverkündenden Klang läuten hören, daß das Geräusch meine Eingeweide auffrißt. Sie haben unsere Leichentücher schon bereitgelegt, und aus diesem Grunde ist mein Herz schwer, meine Seele bedrückt und mein Gemüt unendlich bekümmert. Es sind erst acht Jahre vergangen, seit sie Gharnata eroberten, doch so viele Muselmanen fühlen sich schon tot und taub. Ist das Ende unserer Welt gekommen? Alle Erzählungen von unserem vergangenen Ruhm sind wahr, aber was nützt er uns jetzt? Wie kommt es, daß wir, die wir diese Halbinsel in Händen hatten, sie entgleiten ließen?

Oft höre ich unsere Ältesten von den noch schlimmeren Mißgeschicken sprechen, die den Propheten, Friede sei mit ihm, ereilten, und wie er alles überwand. Das ist wohl wahr; allein, zu jener Zeit hatten seine Feinde die Macht der wahren Welt nicht richtig verstanden. Wir bezahlen den Preis dafür, daß wir eine mächtige Religion geworden sind. Die christlichen Könige fürchten nicht uns allein; wenn sie hören, daß der Sultan der Osmanen erwägt, uns seine Flotte zu Hilfe zu schicken, beginnen sie zu zittern. Dort liegt die Gefahr, und deswegen, meine Brüder, befürchte ich das Schlimmste. Jimenez läßt seine Vertrauten wissen, der einzige Weg, uns zu besiegen, sei, alles zu vernichten ...«

Jedes Wort, das er sprach, wurde schweigend angehört. Selbst Yasid, ein strenger Kritiker theologischer Rituale, war von der Rechtschaffenheit des Predigers angetan. Es war offenkundig, daß er aus dem Herzen sprach. Sein Bruder war weniger beeindruckt. Suhayr ärgerte sich über den pessimistischen Ton, der hier angeschlagen wurde. Wollte der Mann eine Lösung des Problems anbieten oder einfach die Gemeinde entmutigen?

»Ich denke an unsere Vergangenheit. Unsere Banner, die in

der Luft flatterten. Unsere Ritter, die auf den Befehl warteten, der sie in die Schlacht schickte. Ich erinnere mich der Geschichten, die wir von unserem tapfersten aller Ritter vernommen haben, Ibn Farid, seine Seele ruhe in Frieden, der ihre Krieger herausforderte und alle an einem einzigen Tage erschlug. An all dies denke ich und bete zu dem Allmächtigen um Hilfe und Beistand. Wäre ich überzeugt, daß der Sultan in Konstantinopel tatsächlich seine Schiffe und Soldaten schickt, ich würde bereitwillig jede Faser meines Leibes opfern, um unsere Zukunft zu retten. Doch ich fürchte, meine Brüder, daß alle diese Hoffnungen nichtig sind. Es ist zu spät. Wir haben nur eine Lösung. Vertrauen auf Gott!«

Suhayr runzelte die Stirn. Ohne Ermahnung zu schließen war auch in guten Zeiten ein äußerst unüblicher Vorgang. In der gegenwärtigen Lage war es eine unerhörte Vernachlässigung der Pflicht eines Theologen. Vielleicht hielt er inne, um nachzudenken. Nein. Er war zu Ende. Er hatte in der ersten Reihe Platz genommen und saß drei Plätze von Yasid entfernt.

Gewöhnlich brach die Gemeinde nach der *khutba* auf. An diesem Freitag jedoch war es, als sei eine Lähmung eingetreten. Niemand rührte sich. Wie lange sie reglos und still verharrt hätten, bleibt der Vermutung überlassen, doch Umar bin Abdallah, der erkannte, daß Handeln geboten war, erhob sich, und wie ein einsamer Wächter auf einer Bergeshöhe betrachtete er die Landschaft ringsum. Keiner folgte seinem Beispiel. Vielmehr rückten alle wie auf Kommando gleichzeitig zur Seite, um eine Gasse für ihn zu bilden. Langsam schritt er durch diesen Korridor. Als er vorne anlangte, wandte er sich zu ihnen um. Yasid sah mit vor Erwartung und Stolz leuchtenden Augen zu seinem Vater auf. Suhayrs Züge waren wie eine Maske, aber sein Herz raste.

Einen Augenblick lang war Umar bin Abdallah in Gedanken vertieft. Er wußte, daß in Momenten wie diesem, wenn ein Volk sich von Unheil bedroht fühlt, jedes Wort und jeder Satz eine übersteigerte Bedeutung annehmen. Aus diesem Grunde muß alles sorgfältig erwogen werden, muß sich die Modulation mit den Worten verbinden. Die Rhetorik hat ihre eigenen Gesetze und ihre eigene Magie. Dieser Mann, der in dem geregelten heiteren Frieden der Familiengüter aufgewachsen war, der in Wasser, parfümiert mit dem Öl von Orangenblüten, gebadet hatte, der stets von dem köstlichen Duft von Bergkräutern umgeben gewesen war und von Kind an die Kunst erlernt hatte, andere Männer und Frauen zu führen, er wußte, was von ihm erwartet wurde.

Reich war der Schatz seiner Erinnerungen; dennoch gab es nichts, was er davon hätte bergen können, um diesen Menschen, die da vor ihm saßen, auch nur ein geringes Maß an Trost zu spenden.

Umar hob zu sprechen an. Er berichtete alles, was unter der christlichen Besatzung in Gharnata geschehen war. Lebendig und in allen Einzelheiten beschrieb er die Flammenwand, und während er sprach, füllten sich seine Augen mit Tränen, und sein Kummer griff auf die Gemeinde über. Er sprach von der Angst, die in jedem muselmanischen Hause herrschte; er schilderte die Ungewißheit, die wie ein düsterer Nebel über der Stadt hing. Er erinnerte die Männer daran, daß Wolken sich nicht durch das Heulen von Hunden verschieben ließen, daß die Muselmanen von al-Andalus wie ein Fluß waren, der unter dem strengen Blick der Inquisition in eine neue Bahn gelenkt wurde.

Umar sprach eine Stunde, und sie lauschten jedem seiner Worte. Er war keinesfalls ein Redner zu nennen. Seine sanfte Stimme und sein bescheidenes Auftreten hoben sich vorteilhaft ab von dem Lärm vieler Prediger, die sich anhörten wie hohle Trommeln und die ihre Rezitation der heiligen Texte mit übertriebenen Wendungen begleiteten. Das brachte sie nicht nur nach wenigen Minuten um die Aufmerksamkeit ihrer Zuhörer, sondern hatte zudem die unerwünschte Wirkung, Yasid und seine Freunde ungemein zu erheitern.

Umar wußte, daß er nicht lange mit seiner Unglückslitanei fortfahren konnte. Er mußte Maßnahmen vorschlagen. Dies war seine Pflicht als führender Edelmann des Dorfes, und doch zögerte er. Denn um die Wahrheit zu sagen, war sich Umar bin Abdallah noch nicht sicher, in welche Richtung er seine Leute führen sollte. Er hielt in seiner Rede inne und ließ seine Augen suchend zu den Dorfältesten schweifen. Von dort kam keine Hilfe, und Umar entschied, daß Aufrichtigkeit in dieser Situation das einzig Gebotene wäre. Er wollte ihnen seine Unsicherheit anvertrauen.

»Meine Brüder, ich habe euch ein Geständnis zu machen. Ich habe keine Möglichkeit, mich unmittelbar mit unserem Schöpfer zu besprechen. Gleich euch bin ich verlassen, und ich muß euch sagen, daß es keine einfache Lösung für unsere Schwierigkeiten gibt. Einer unserer größten Denker, Meister Ibn Chaldun, hat uns vor vielen Jahren gewarnt, daß ein Volk, das von einem anderen besiegt und unterworfen wird, alsbald untergeht. Selbst nach dem Fall von Qurtuba und Ischbiliya haben wir nichts gelernt. Es gibt keine Entschuldigung, wenn man dreimal in dasselbe Loch fällt. Diejenigen unter uns, die einstmals Zuflucht in des Sultans Schatten suchten, waren Narren, da er rasch verging.

Es gibt drei Wege aus dem Labyrinth. Der erste ist, zu tun, was viele unserer Brüder andernorts getan haben. Zu sagen, daß ein wissender Feind besser ist als ein unkundiger Freund, und zu ihrer Religion überzutreten, während wir im Herzen glauben, was wir glauben wollen. Was haltet ihr von einer solchen Lösung?«

Einige Sekunden waren sie wie betäubt. Es war ein gefährlich ketzerischer Gedanke, und das Dorf war so abgelegen von Gharnata, ganz zu schweigen vom Rest der Halbinsel, daß sie seinem Gedankengang nicht folgen konnten. Sie faßten sich geschwind, und ein spontaner Gesang stieg von der Erde auf, auf der sie saßen, und schwang sich zum Himmel empor.

»Es gibt keinen Gott außer Allah, und Mohammed ist sein Prophet.«

Umars Augen wurden feucht. Er nickte, und mit einem traurigen Lächeln wandte er sich abermals an die Männer.

»Ich dachte mir, daß dies eure Antwort sein würde, aber ich halte es für meine Pflicht, euch zu warnen, daß die christlichen Könige, die nun über uns herrschen, uns vielleicht nicht mehr lange die Freiheit gewähren, Allah anzubeten. In jedem Falle muß die Entscheidung bei euch liegen.

Die zweite Möglichkeit ist, jedem Einfall in unser Gebiet Widerstand zu leisten und zu kämpfen bis zum Tode. Es wird euer Tod sein. Mein Tod. Unser aller Tod und die Entehrung unserer Mütter, Ehefrauen, Schwestern und Töchter. Es ist eine ehrenvolle Entscheidung, und wenn ihr so beschließt, werde ich an eurer Seite kämpfen. Aber ich muß aufrichtig sein. Ich werde die Frauen und Kinder meiner Familie vor dem Kampf in eine sichere Zuflucht schicken und würde euch raten, dasselbe zu tun. Wie steht ihr zu dieser Sache? Wie viele von euch wünschen mit dem Schwert in der Hand zu sterben?«

Wieder schwiegen sie, doch diesmal ohne Zorn. Die alten Männer sahen sich an. Dann erhoben sich in der Mitte der Versammelten fünf Jünglinge. In der ersten Reihe sprang Suhayr al-Fahl auf. Der Anblick des jungen Herrn, der sich erbot, sein Leben für die Sache hinzugeben, rief eine kleine Sensation hervor. Ein paar Dutzend junge Männer erhoben sich, nicht aber Ibn Daud. Seine Gedanken waren zu Hind gewandert, deren ansteckendes Lachen noch in seinem Kopf nachhallte. Yasid war hin und hergerissen zwischen seinem Vater und seinem Bruder. Er rang ein paar Minuten mit sich, dann stand er auf und ergriff Suhayrs Hand. Diese Geste zumal war es, die alle Anwesenden rührte, aber nur eine Minderheit war auf den Beinen. Umar war unendlich erleichtert. Von Suizid hielt er nicht sonderlich viel. Er gab seinen Söhnen ein Zeichen, sich zu setzen, und ihre Anhänger taten desgleichen. Umar räusperte sich.

»Die letzte Wahl ist, Haus und Hof in diesem Dorf zu verlassen, welches unsere Vorväter errichteten, als hier nichts war als große Gesteinsbrocken, welche die Erde bedeckten. Unsere Vorväter haben den Boden gerodet. Sie sind auf Wasser gestoßen und haben die Saat ausgebracht. Sie haben die reiche Ernte gesehen, die der Boden hervorbrachte. Mein Herz sagt mir, dies ist die schlechteste Wahl von allen, mein Kopf aber mahnt, daß es die einzige Möglichkeit sein könnte, uns zu retten. Es mag nicht dahin kommen, doch sollten wir innerlich bereit sein, al-Hudayl zu verlassen.«

Ein erstickter Schrei unterbrach Umar. »Und wohin sollen wir gehen? Wohin? Wohin?«

Umar seufzte. »Es ist sicherer, die Treppe Stufe für Stufe zu erklimmen. Noch weiß ich keine Antwort auf deine Frage. Ich will euch nur deutlich machen, daß das Festhalten an unserem Glauben Opfer kosten wird. Wir müssen uns die Frage stellen, ob wir hier als Ungläubige leben oder uns einen Ort suchen wollen, wo wir Allah in Frieden anbeten können. Mehr habe ich nicht zu sagen, aber wenn jemand von euch sprechen und uns eine annehmbarere Wahl darlegen will, dann ist jetzt die Zeit dafür. Sprecht, solange eure Lippen frei sind.«

Mit diesen Worten setzte sich Umar neben Yasid. Er nahm seinen kleinen Sohn in die Arme und küßte ihn aufs Haupt. Yasid umklammerte seines Vaters Hand und hielt sie fest, ganz so, wie ein Ertrinkender nach allem greift, was schwimmt.

Umars Worte hatten einen tiefen Eindruck hinterlassen. Eine ganze Weile sprach niemand. Dann erhob sich Ibn Saidun, der sich Wajid al-Sindiq nannte, von seinem Platz und fragte, ob er seine Meinung äußern könne. Umar wandte sich um und nickte eifrig. Die älteren Anwesenden blickten finster und strichen sich die Bärte. Sie kannten Ibn Saidun als Skeptiker, der junge Gemüter in großer Zahl vergiftet hatte. Aber, so redeten sie sich zu, sie befanden sich in einer Krise, und selbst Ketzer hatten das Recht, ihre Meinung zu äußern. Die Stimme, die Suhayr al-Fahl so vertraut war, hob nun an, brüchig vor Entrüstung.

»Zwanzig Jahre habe ich versucht, euch zu sagen, daß Vorsichtsmaßnahmen vonnöten wären. Daß blinder Glaube allein nirgends hinführen würde. Ihr dachtet, die Sultane würden bleiben bis zum Tage des jüngsten Gerichts. Als ich euch warnte, daß derjenige, der des Sultans Suppe ißt, sich am Ende den Mund verbrennt, habt ihr mich verspottet, mich angeprangert als Ketzer, als Abtrünnigen, als Ungläubigen, der den Verstand verloren hat.

Und jetzt ist es zu spät. Alle Brunnen sind vergiftet. Es gibt auf dieser ganzen Halbinsel kein reines Wasser mehr. Das ist es, was Umar bin Abdallah euch in der vergangenen Stunde zu erklären versuchte. Anstatt in die Zukunft zu blicken, haben wir Muselmanen uns immer der Vergangenheit zugewandt. Wir singen noch die Lieder aus der Zeit, als unsere ersten Zelte in diesen Tälern errichtet wurden, als wir uns grimmig zur Verteidigung unseres Glaubens vereinigten, als unsere weißen Banner gefärbt vom Schlachtfeld zurückkehrten, getränkt mit dem Blut unseres Feindes. Und wie viele Becher Wein wurden allein in diesem Dorf geleert, um unsere Siege zu feiern.

Nach siebzig Jahren bin ich des Lebens müde. Wenn der Tod gleich einem nachtblinden Kamel meines Weges gestolpert kommt, werde ich nicht beiseite treten. Lieber im vollen Besitz meiner Sinne sterben, als zertrampelt werden, wenn mein Verstand schon zu existieren aufgehört hat. Und was für den einzelnen gilt, trifft ebenso für eine Gemeinschaft zu ...«

»Alter!« rief Suhayr gequält. »Was bringt dich auf den Gedanken, daß wir bereit sind zu sterben?«

»Suhayr bin Umar«, erwiderte al-Sindiq mit fester Stimme. »Ich sprach in Symbolen. Der einzige Weg, wie ihr und eure Kinder und Kindeskinder in dem Land überleben könnt, das jetzt von den Kastilen besetzt ist, ist die Einsicht, daß die Religion eurer Väter und deren Väter sich am Vorabend ihres Ablebens befindet. Unsere Leichentücher sind schon bereitgelegt.«

Diese Bemerkung verstimmte die Gläubigen. Etliche Gesichter blickten grimmig, und ein vertrauter Gesang wurde dem Skeptiker entgegengeschleudert. »Es gibt keinen Gott außer Allah, und Mohammed ist sein Prophet.«

»Ja«, erwiderte der alte Mann. »So sprechen wir seit Jahrhunderten, aber Königin Isabella und ihr Beichtvater stimmen euch nicht zu. Wenn ihr dies weiterhin wiederholt, werden die Christen euch mit scharfen Speeren die Herzen aufreißen.«

»Al-Sindiq«, rief Ibn Hasd im Hintergrund der Moschee. »Es mag wahr sein, was du sagst, aber wir haben in diesem Dorf fünfhundert Jahre in Frieden gelebt. Die Juden wurden anderswo gefoltert, aber niemals hier. Die Christen haben in denselben Bädern gebadet wie Juden und Muselmanen. Möchten die Kastilen uns nicht in Frieden lassen, wenn wir ihnen nichts zuleide tun?«

»Das ist unwahrscheinlich, mein Freund«, erwiderte der Weise. »Was gut ist für die Leber, ist schlecht für die Milz. Ihr Erzbischof wird erklären, wenn auch nur in einem einzigen

Fall das Überleben gestattet wird, könnte dieses Beispiel Schule machen. Würde man uns nämlich in dieser Region weiterleben lassen wie bisher, so könnte früher oder später, wenn andere, weniger zu Gewalt neigende Könige und Königinnen auf dem Throne sind, unsere Existenz sie veranlassen, die Beschränkungen gegen die Anhänger von Hasrat Musa und Mohammed, Friede sei mit ihm, zu lockern. Sie wünschen, daß nichts von uns übrigbleibt. Das ist alles, was ich sagen will. Ich danke dir, Umar bin Abdallah, daß meine Stimme gehört werden durfte.«

Als al-Sindiq sich entfernen wollte, nahm Umar Yasid auf den Schoß und winkte den alten Mann an seine Seite. Der ließ sich auf dem Gebetsteppich nieder, und Umar flüsterte ihm ins Ohr. »Komm und iß heute abend mit uns, Ibn Saidun. Meine Tante wünscht es so.«

Ausnahmsweise war al-Sindiq verblüfft. Er unterdrückte seine Gefühlsregungen und nickte stumm. Dann erhob Umar sich abermals.

»Wenn niemand anderer mehr sprechen möchte, wollen wir uns zerstreuen, aber denkt daran, die Entscheidung liegt bei euch. Es steht euch frei, zu tun, was euch beliebt, und ich will helfen, wo ich kann. Friede sei mit euch.«

»Und Friede sei mit dir«, erwiderten sie im Chor.

Darauf erhob sich der junge Prediger und rezitierte eine Sura aus dem al-koran, die danach alle, Christen und Juden eingeschlossen, wiederholten. Das heißt, alle außer al-Sindiq.

»Sprich: ›O ihr Ungläubigen,
Ich verehre nicht, was ihr verehrt,
Auch ihr verehrt nicht, was ich verehre.
Weder ich werde verehren, was ihr verehrt habt,
Noch werdet ihr verehren, was ich verehre.
Ihr habt eure Religion, und ich habe meine Religion.‹«

Als die Versammlung sich auflöste, murmelte al-Sindiq vor sich hin: »An dem Tage, als er diese Zeilen diktierte, muß der Schöpfer an einer Verdauungsstörung gelitten haben. Der Rhythmus ist gebrochen.«

Ibn Daud hatte es mit angehört und konnte sich ein Lächeln nicht verkneifen. »Abtrünnigkeit wird mit dem Tode bestraft.«

»Ja«, erwiderte al-Sindiq und sah dem jungen Mann in die grünen Augen, »aber kein lebender *quadi* würde heute ein solches Urteil fällen. Bist du der, der sich Ihn Chalduns Enkel nennt?«

»Der bin ich«, erwiderte Ibn Daud, während sie aus der Moschee schritten.

»Merkwürdig«, meinte al-Sindiq nachdenklich, »wo doch seine ganze Familie auf See umgekommen ist.«

»Er lebte später mit einer anderen Frau, meiner Großmutter.«

»Interessant. Vielleicht können wir heute abend über seine Werke diskutieren? Nach dem Nachtmahl?«

»Suhayr erzählte mir, daß Ihr seine Bücher und vieles mehr studiert habt. Es ist nicht mein Wunsch, mit Euch zu streiten oder mit Eurem Wissen zu wetteifern. Ich befinde mich noch auf der Stufe des Lernens.«

Ibn Daud grüßte seinen Gesprächspartner und eilte zu der Stelle, wo die Pferde angepflockt waren. Er wollte seinen Gastgeber nicht warten lassen, aber als er ankam, sah er nur Yasid und Suhayr. Der Knabe lächelte. Suhayrs Miene war abweisend, und er blickte Ibn Daud stirnrunzelnd an. Er war böse auf seinen neuen Freund. Im Badehaus in Gharnata hatte Ibn Daud mit seinem Gerede von einem bewaffneten Aufstand gegen die Besatzer die Phantasie der jungen Männer beflügelt. Hier hatte er sein Fähnchen nach dem Wind gehängt. Suhayr starrte den Qahirener kalt an und fragte ihn, ob er überhaupt an etwas glaube.

»Wo ist dein verehrter Vater?« fragte der Gast, dem ein wenig unbehaglich zumute war.

»Er geht seinen Geschäften nach«, fauchte Suhayr. »Bist du bereit?«

Umar war von den Dorfältesten umringt. Sie waren begierig, die Zukunft um vieles gründlicher und ungestört in vertrauter Umgebung zu erörtern. Zu diesem Behufe hatten sich alle in das Haus von Ibn Hasd, dem Schuster, begeben, wo sie mit Mandelküchlein und mit Kaffee, der mit Kardamomkapseln gewürzt und mit Honig gesüßt war, bewirtet wurden.

Die Vorgänge in der Moschee hatten Suhayr zutiefst verstört. Sein Zorn richtete sich gegen sich selbst. Zum allererstenmal hatte er begriffen, wie grausam die Lage tatsächlich war und daß es anscheinend keine Möglichkeit des Entkommens gab. Jetzt wußte er, daß jeder Aufstand in Gharnata verloren war. Aus den niedergeschlagenen und verzweifelten Gesichtern in der Moschee hatte er mehr erfahren als aus Gesprächen mit Großoheim Miguel oder Oheim Hischam, und doch ... Und doch, es war alles geplant. Es war zu spät.

Suhayr schien vergessen zu haben, daß ein Gast an seiner Seite ritt. Er stupste sein Pferd sacht in den Bauch, und das Tier reagierte mit einem plötzlichen Spurt, was Yasid in Erstaunen versetzte. Zuerst dachte er, sein Bruder wollte mit ihm um die Wette nach Hause reiten.

»Al-Fahl! Al-Fahl! Warte auf mich!« Er grinste und wollte seinem Bruder nachsetzen, doch Ibn Daud hielt ihn zurück.

»Ich kann nicht reiten wie dein Bruder, und ich brauche einen Führer.«

Yasid seufzte und zügelte sein Pferd. Er hatte erkannt, daß sein Bruder allein sein wollte. Vielleicht hatte er ein Treffen mit einigen der jungen Männer verabredet, die kämpfen wollten. Yasid begriff, daß er die Stelle seines Bruders einnehmen mußte. Andernfalls würde Ibn Daud womöglich denken, sie seien mit Absicht unhöflich.

»Ich begleite dich wohl besser nach Hause. Meine Schwester Hind würde mir nie verzeihen, wenn du dich verirrtest!«

»Deine Schwester Hind?«

»Ja! Sie ist in dich verliebt.«

7. KAPITEL

IN NOMINE DOMINI Nostri Jesu Christi.

Erhabenste, christlichste und tapferste Majestäten, König und Königin von ganz Spanien.

Acht volle Jahre sind nun vergangen, seit der Halbmond von der Alhambra entfernt und die letzte Festung der Sekte Mohammeds für unseren Heiligen Vater zurückerobert wurde. Eure Hoheiten baten mich, die Kapitulationsbedingungen zu respektieren, welche von dem Sultan und Euch unterzeichnet wurden, als jener sich einer überlegenen moralischen Macht ergab. Ihre Majestät wird sich des Befehls an ihren ergebensten Diener erinnern: »Als unser getreuester Bischof werdet Ihr nicht allein als Diener der Kirche angesehen, sondern als die Augen und Ohren Eures Königs in Granada. Ihr werdet euch solchermaßen verhalten, daß niemals gesagt werden kann, Ihr hättet unserem Namen Unehre bereitet.« Ich verstand Ihre Majestät dahingehend, daß die Anhänger des falschen Propheten gütig zu behandeln seien und ihnen zu gestatten sei, ihre Andacht auf ihre gewohnte Weise zu verrichten. Ich habe Euren Majestäten niemals die Unwahrheit gesagt. Ich glaube, daß die von meinem Vorgänger bewiesene Güte von den Mauren mißverstanden wurde. Sie zeigten keine Neigung, zu unserem heiligen Glauben überzutreten. Aus diesem Grunde gelangte ich zu dem Schluß, sie müßten belehrt werden, daß die Zeit für Götzenanbetung und Ketzereien vorüber sei. Ihre Majestät wird sich unserer Dispute in Toledo erinnern, als ich den Charakter des al-koran darlegte. Ich betonte, daß die Bücher dieser Sekte sowie ihre Rituale und ihr Aberglaube ein unerschöpfliches Meer seien. In jedem Hause, in jedem Zimmer stellen sie die Gebote ihres Propheten in Verspaaren zur Schau. Es war Ihre Majestät, die als erste die Ansicht äußerte, daß solch üble Bücher und die darin enthaltenen zersetzenden Lehren den Flammen der Hölle übergeben werden sollten. Ich glaube nicht, daß irgendeine andere Person in Granada die öffentliche Verbrennung sämtlicher al-korans und jeglichen auf dieses Buch bezogenen Schrifttums hätte anordnen können.

Ich behaupte nicht, daß ich als Individuum für die mir von Euren

Majestäten und unserer heiligen Kirche zugewiesene Aufgabe unentbehrlich bin. Wie kann ein einzelner Mensch für eine Kirche wie die unsere unersetzlich sein? Dessenungeachtet habe ich ein Gelübde abgelegt, als ich Erzbischof von Toledo wurde. Ich gelobte, alle Jünger Mohammeds zum Glauben an unseren Herrn Jesus Christus zu bekehren. Ich bitte um Eure Hilfe, mein Gelübde zu erfüllen, und mir alle Macht zu erteilen, die zur Durchführung meiner Mission vonnöten ist.

Der Generalkapitän, der erlauchte Marques von Tendilla, dessen Familie unseren überaus scharfsinnigen Kardinal Mendoza hervorbrachte, meinen verehrten Vorgänger, behauptet unaufhörlich, da Eure Majestäten den Krieg gewannen, sei es nur eine Frage der Zeit, bis die Mauren unsere Sprache, Sitten und Religion annehmen. Als ich ihn darauf hinwies, daß drei maurische Frauen von einem meiner Priester dabei beobachtet wurden, wie sie auf Kruzifixe urinierten, welche aus der Kirche entfernt worden waren, erwiderte er: »Was erwartet Ihr anderes, Erzbischof? Immerhin habt Ihr beschlossen, ihre Bücher zu verbrennen. Dies ist ihre Rache. Ein gotteslästerlicher Frevel, aber besser, als Euch auf dem Marktplatz zu entmannen.«

Einstellungen dieser Art sind in unseren eigenen Reihen zu vernehmen. Der Marques hat wahrlich wenige Christen in seinem Gefolge, aber diejenigen, die ihm aufwarten, spotten öffentlich über unsere Kirche, brandmarken sie als korrupt, machen sich lustig über die Zahl der Bischöfe und Klosterbrüder, welche in Sünde leben, Kinder zeugen und sodann ihre Söhne auf Posten innerhalb der Kirche ernennen. Selbst Don Pedro Gonzales de Mendoza, der Kardinal, der Eurer Majestät auf seinem Sterbelager riet, mich an seiner Stelle zu ernennen, der Mann, der Eure Sache verfocht, ehe Ihr den Thron bestiegt, der erlauchte Vorfahre unseres tapferen Generalkapitäns, selbst dieser heilige Mann hatte sieben Kinder von zwei Damen aus den höchsten Kreisen. Wie Ihre Majestät weiß, wurde Don Pedro allgemein als unser »dritter Monarch« bezeichnet, und er konnte in den Augen derer, die ihm dienten, nichts Unrechtes tun. Vor kurzem trat im Garten nahe dem Palast ein Maure auf mich zu und erkundigte sich überaus höflich: »Sind Eure Kinder gesund und wohlauf, Euer Gnaden? Wie viele habt Ihr?« Er mochte es gutgemeint haben, aber ich hätte ihm am liebsten seine gotteslästerliche Zunge herausgerissen und ihn fortgeschickt, auf daß er in der Hölle schmore.

Ich bin mir freilich bewußt, daß dies ein uraltes Leiden ist, dazumal gefördert von dem höchstgelehrten aller Bischöfe, Gregor von Tours, dessen Familie sechshundert Jahre nach der Geburt unseres Herrn viele Jahre lang über die Kirche im fränkischen Reich herrschte.

Unsere Kardinäle und Bischöfe, nebst denjenigen, welche unter ihnen dienen, schwammen in den letzten sechs Jahrhunderten in einem Meer der Sünde. Selbst nachdem wir unsere meisten Gebiete zurückerlangt hatten, wurde Granada eine Oase, in welcher die Mohammedaner Tag und Nacht den Ausschweifungen des Fleisches frönen konnten. Mohammeds Jünger haben die Gewohnheit, sich zu bespringen wie Vieh auf einem Bauernhof. Dieses Beispiel unendlichen Frevels hat unsere Kirche infiziert und unserer Sache den ärgsten Schaden zugefügt. Das ist ein weiterer Grund, das Überleben dieser üblen Gepflogenheiten in unserem Lande nicht zu dulden. Ich bitte Eure Majestäten um die Erlaubnis, die Edikte unseres Glaubens in diesem Königreich zu verkünden und einen apostolischen Inquisitor zu bestellen, damit er mit seinem Werke bei diesen Menschen beginne, auf daß ein jeder hergehen und uns melden kann, wenn er irgendeine Person, lebendig oder tot, anwesend oder abwesend, hörend oder sehend beobachtete, wie sie etwas sagte oder tat, das ketzerisch, unbesonnen, obszön, skandalös oder gotteslästerlich ist.

Gelingt dies nicht, muß ich Eure Majestäten unterrichten, daß es notwendig sein wird, alle öffentlichen Bäder in der Stadt zu zerstören. Es ist schlimm genug, daß die Mohammedaner uns diese Höhlen der Sinnenlust Tag für Tag protzig vor Augen führen. Ihr werdet Euch erinnern, wie unsere Soldaten bei der Entdeckung, daß Alhama über mehr Bäder verfügte als jede andere Stadt auf dieser Halbinsel, befanden, daß der beste Weg, die Stadt zu retten, ihre Zerstörung sei, und sie dies mit den Worten unseres Erlösers auf den Lippen vollbrachten. Die Obszönitäten, welche auf die Seitenwände der Bäder gemalt waren, bestärkten sie in ihrem inbrünstigen Entschluß. Unter diesen Gegebenheiten haben unsere Kreuzritter die Sünde restlos ausgerottet.

In Granada ist die Sache ernster, und nicht nur auf geistlichem Niveau. Diese vermaledeiten Bäder sind auch regelmäßige Treffpunkte, wo die Mauren unter sich sind, um zu reden und aufwieglerische und verräterische Komplotte zu schmieden. Es herrscht große

Unruhe in der Stadt. Tag für Tag bringen mir meine zuverlässigsten Konvertiten Berichte von Gesprächen im Albaicin und den maurischen Dörfern, die das Alpujarras übersäen wie Pestbeulen.

Ich selber neige dazu, der Unzufriedenheit durch die Festnahme der Rädelsführer und ihre Verbrennung auf dem Scheiterhaufen ein Ende zu machen. Welch eine Tragödie ist unserer Kirche mit dem Tode unseres Tomas de Torquemada widerfahren. Der erlauchte Marques vertritt einen gänzlich anderen Standpunkt. Für ihn war Torquemada nichts weiter als ein jüdischer Konvertit, *der sich verzweifelt mühte, seine Loyalität gegenüber dem neuen Glauben zu beweisen. Der Marques ist jedweden Maßnahmen gegen die Heiden in unserer Mitte abhold. Er bildet sich ein, indem er ihre Sprache spricht und sich kleidet wie sie, wird er sie zu unserem Brauchtum bekehren. Eure Majestät wird vielleicht verstehen, daß ich die diesem Verhalten zugrundeliegende Logik weder begreifen noch billigen kann. Viele unserer Ritter, die wie die Löwen kämpften, als wir Alhama nahmen, frönen in Granada unaufhörlich unbekümmerter Lustbarkeit. Sie glauben, daß ihr Krieg vorüber ist. Sie verstehen nicht, daß das entscheidende Stadium unseres Krieges eben erst begonnen hat. Aus diesem Grunde bitte ich Eure Majestät, die unten aufgelisteten Verfügungen zu genehmigen und den Generalkapitän von Granada, Don Inigo Lopez de Mendoza, gütigst zu instruieren, die von der Kirche durchgeführten Maßnahmen nicht zu behindern.*

– Wir müssen die Mauren anweisen, nicht mehr arabisch zu sprechen, weder unter sich noch zu dem Zwecke, auf dem Markt zu kaufen und zu verkaufen. Mit der Vernichtung ihrer Bücher der Gelehrsamkeit und des Wissens dürfte sich die Durchsetzung eines solchen Erlasses mühelos erzwingen lassen.
– Es muß ihnen untersagt werden, in Gefangenschaft geborene Sklaven zu halten.
– Es sollte ihnen nicht gestattet sein, ihre maurischen Gewänder zu tragen. Vielmehr müssen sie veranlaßt werden, sich in Kleidung und Haltung dem kastilischen Brauch anzupassen.
– Die Gesichter ihrer Frauen dürfen unter keinen Umständen verschleiert sein.
– Sie müssen angewiesen werden, die Eingangstüren ihrer Häuser nicht zu verschließen.

– Ihre Bäder müssen zerstört werden.
– Ihre öffentlichen Feste und Hochzeiten, ihre ausschweifenden Lieder und ihre Musik müssen verboten werden.
– jede Familie mit mehr als drei Kindern muß gewarnt werden, daß alle weiteren Nachkommen in die Obhut der Kirche in Kastilien und Aragon gegeben werden, damit sie als gute Christen aufwachsen können.
– Widernatürliche Unzucht ist hierzulande so verbreitet, daß wir, um sie auszurotten, mit äußerster Härte vorgehen müssen. Sie sollte unter normalen Umständen mit dem Tode bestraft werden. Wo die Handlung mit Tieren begangen wird, wären fünf Jahre als Galeerensklave eine angemessene Bestrafung.

Diese Maßnahmen mögen den von uns gebilligten Kapitulationsbedingungen widersprechen, aber es ist die einzig dauerhafte Behebung eines Leidens, das sich seit langem in unsere Seelen frißt. Wenn Eure Allergnädigsten Majestäten mit meinen Vorschlägen einverstanden sind, würde ich anregen, daß die heilige Inquisition unverzüglich in Granada ein Kontor eröffnet und ihre Beamten in dieser sündigen Stadt aussendet, um Beweise zusammenzutragen. Zwei, höchstens drei Autodafés werden diesen Leuten begreiflich machen, daß sie nicht mehr mit der Macht spielen können, die nach Gottes Willen über sie herrscht.

In Erwartung einer baldigen Antwort verbleibe ich Eurer Majestäten ergebenster Diener,
Francisco Jimenez de Cisneros

Jimenez faltete das Blatt und versiegelte das Pergament mit seinem Petschaft. Dann rief er seinen getreuesten Mönch, Ricardo de Cordoba, einen muselmanischen Konvertiten, der zur gleichen Zeit wie sein Herr, Miguel, übergetreten und von diesem der heiligen Kirche zum Geschenk gemacht worden war. Er übergab ihm das Schreiben.

»Nur für die Augen der Königin oder des Königs. Niemand sonst. Verstanden?«

Ricardo lächelte, nickte und entfernte sich.

Jimenez dachte nach. Was dachte er? Sein Verstand verweilte bei seinen eigenen Unzulänglichkeiten. Er wußte, daß er nicht gewandt im Reden oder Schreiben war. Er hatte nie das Geschick besessen, Feuer mit Wasser zu paaren. Was er als Knabe in Alcala an Grammatik gelernt hatte, war von der primitivsten Art gewesen. Später hatte er sich an der Universität von Salamanca dem Studium des bürgerlichen und kanonischen Rechts gewidmet. Weder dort noch in Rom hatte er eine Liebe zur Literatur oder Malerei entwickelt.

Die Fresken der römischen Kirchen vermochten ihn nicht anzurühren. Dagegen war er unwillkürlich beeindruckt von den abstrakten geometrischen Mustern auf den Kacheln, die er in Salamanca und später in Toledo gesehen hatte. Wenn er über solche Dinge nachdachte, was nicht sehr oft geschah, gestand er sich ein, daß es viel natürlicher wäre, den Herrn als Begriff zu verehren. Er konnte die Abbilder nicht leiden, die zuhauf vom Heidentum ererbt und mit den Farben des Christentums bekleidet worden waren.

Hätte er nur seines erlauchten Vorgängers Kardinal Mendozas Geschick zum Schreiben von Briefen besessen. Sein Brief an Isabella und Ferdinand wäre in einer äußerst blumigen und eleganten Sprache abgefaßt worden. Die königlichen Hoheiten wären von der literarischen Qualität des Schriftstückes so angetan, daß sie den hinter der Wortwahl versteckten Dolch als notwendiges Beiwerk hingenommen hätten; aber er, Jimenez, konnte und wollte seine Königin nicht täuschen.

Er war Isabellas Beichtvater geworden, als Talavera als Erzbischof nach Granada geschickt wurde, und zu ihrer großen Freude und Überraschung hatte er, als man ihn zu ihr führte, keinerlei Aufregung oder Besorgnis gezeigt. Auch hatte sie weder in seinem Gesichtsausdruck noch in seinem Gebaren eine Spur von Unterwürfigkeit wahrgenommen. Sein Gespür für Würde sowie die Frömmigkeit, die jede Pore seines Leibes verströmte, waren unverkennbar echt.

Isabella wußte, daß sie in ihm einen inbrünstigen Priester hatte, dessen Unbeugsamkeit ihrer eigenen verwandt war. Talavera hatte sie mit Respekt behandelt, war aber nicht imstande gewesen, seine Verzweiflung über die Verbindung aus Habgier und Vorurteilen, die er bei ihr zu gewahren vermeinte, zu verbergen. Er hatte stets versucht, sie über die Tugenden der Duldsamkeit und die Notwendigkeit des friedlichen Zusammenlebens mit ihren muselmanischen Untertanen zu belehren. Jimenez war aus härterem Holz geschnitzt. Ein Priester mit einem scharfen Verstand gleich dem ihren, aber ohne jede Seelenregung. Isabella forderte ihn auf, sich ihres Gewissens anzunehmen. Sie schüttete ihm ihr Herz aus. Ferdinands wiederholte Untreue. Ihre eigenen Versuchungen. Ängste um eine Tochter, deren Verstand sie unversehens zu verlassen schien. All dies hörte sich der Priester mit mitfühlender Miene an. Ein einziges Mal war er über ihre Enthüllung dermaßen verblüfft gewesen, daß seine Gefühlsregungen die Oberhand über seinen Intellekt gewannen und eine Maske des Entsetzens sich über sein Gesicht breitete. Isabella hatte eine unbefriedigte fleischliche Begierde gebeichtet, welche sie drei Jahre vor der Reconquista von Granada erfaßt hatte. Ihr Gegenstand war ein muselmanischer Edelmann in Cordoba gewesen.

Jimenez erinnerte sich schaudernd jenes Augenblicks und dankte seinem Herrn Jesus Christus im stillen, daß er Spanien diese Katastrophe erspart hatte. Hätte ein Maure das Gemach der Königin betreten, wer vermöchte zu sagen, welche Wende die Geschichte genommen hätte? Er schüttelte heftig den Kopf, als sei allein der Gedanke ketzerisch. Die Geschichte hätte keinen anderen Verlauf nehmen können. Wenn Isabella ihre eigenen Fähigkeiten stumpf gemacht hätte, wäre ein schärferes Instrument gefunden worden.

Jimenez war der erste wirklich zölibatäre Erzbischof Spaniens. Während seiner Studientage in Salamanca hatte er eines Nachts die Geräusche vernommen, die in jener aufregenden Zeit oft in den Dormitorien vorherrschten, und er hatte festgestellt, daß seine Studiengefährten das Gebaren von brünstigen Tieren nachahmten. Das Vergnügen, das einige der sich Paarenden einander verschafften, war für alle vernehmbar. Jimenez hatte ein erregtes Zucken unterhalb seiner Lenden verspürt. Das Erschrecken darüber hatte nicht vermocht, ihn um den Schlaf zu bringen, doch als er am nächsten Morgen erwachte, hatte er zu seinem Entsetzen entdeckt, daß sein Nachthemd durchnäßt war. Das konnte nur sein eigener Samen sein. Verschlimmert wurde die Sache durch einen sündhaften Zufall. Die nasse Stelle wies eine unheimliche Ähnlichkeit mit der Landkarte von Kastilien und Aragon auf.

Zwei volle Tage war Jimenez außer sich gewesen vor Furcht und Sorge. Noch in derselben Woche schilderte er den Vorfall in der Kirche seinem Beichtvater, welcher sehr zum Abscheu des zukünftigen Erzbischofs schallend gelacht und mit so lauter Stimme erwidert hatte, daß Jimenez vor Verlegenheit zitterte.

»Wenn ich ...« hatte der Mönch lachend begonnen, doch als er den blassen, zitternden Jüngling vor sich sah, hatte er gezögert und nach einer ernsthafteren Vervollständigung des Satzes gesucht. »Wenn die Kirche widernatürliche Unzucht als unverzeihliche Sünde ansähe, würden alle Priester Spaniens in die Hölle kommen.«

Jene Begegnung im Beichtstuhl hatte, mehr noch als die Vorgänge im Dormitorium, dazu geführt, daß Jimenez das Keuschheitsgelübde ablegte. Auch als er in Siguenza auf den Gütern Kardinal Mendozas arbeitete, widerstand Jimenez der Versuchung – und das zu einer Zeit, da es als selbstverständlich erachtet wurde, daß ein Priester sich jede Bäuerin nahm oder jeden Knaben, nach dem ihn gelüstete. Anders als ein Eunuch konnte er nicht einmal stolz auf den Penis seines Herrn sein. Er wandte sich vielmehr dem Mönchstum zu und trat in den Orden der Franziskaner ein, um seiner aufrichtigen Verpflichtung zu einem enthaltsamen, frommen Leben Halt zu geben.

Kardinal Mendoza, über die außergewöhnliche Selbstbeschränkung seines Lieblingspriesters unterrichtet, tat grunzend seine Mißbilligung kund: »Solch außerordentliche Potenz« – es wurde allgemein angenommen, daß sich dies auf Jimenez' intellektuelles Vermögen bezog – »darf nicht im Schatten eines Klosters begraben sein.«

Jimenez schritt im Zimmer auf und ab. Von seinem Bogenfenster aus konnte er die Kathedrale sehen, welche die Bauhandwerker auf den Ruinen einer alten Moschee im Blickfeld des Palastes errichteten. Er dachte erhabene Gedanken, doch zuweilen dringen unvorhergesehene und unerwünschte Bilder ins Innerste des Denkens ein und stören die hochfliegendsten Meditationen. Jimenez war von einem überaus anstößigen Sakrileg unterrichtet worden, das vor einem Monat in Toledo begangen wurde, als ein Anhänger des Islams, der sich unbeobachtet wähnte, dabei ertappt wurde, wie er seinen entblößten Penis in das Weihwasserbecken tauchte. Als ihn zwei wachsame Mönche ergriffen, machte er keine Anstalten, seine Tat zu leugnen oder um Gnade zu bitten oder tiefe Reue über sein unbesonnenes Gebaren zu bekunden. Er behauptete vielmehr, er sei jüngst konvertiert, und ein alter christlicher Freund habe ihn angewiesen, diese besondere Waschung vorzunehmen, bevor er in der Kathedrale seine Gebete verrichte.

Der Missetäter hatte sich geweigert, seinen Freund beim Namen zu nennen. Er wurde gefoltert. Seine Lippen blieben versiegelt. Die Inquisition fand die Geschichte unglaubwürdig und übergab ihn der Staatsmacht zur letzten Bestrafung. Erst vor wenigen Tagen war er auf dem Scheiterhaufen verbrannt worden. Die Vorstellung von der anstößigen Tat verfolgte Jimenez. Er nahm sich vor, sich die Aufzeichnungen der Inquisition über diesen Fall kommen zu lassen.

Jimenez war nicht ohne Gewissen. Der Mann, der sich als grausamer Exekutor des islamischen Gharnata empfahl, war einst selbst ein Opfer gewesen. Er hatte auf Anordnung des verstorbenen Kardinals Carillo eine Zeitlang in einem Kirchenkerker gesessen. Der Kardinal, dem alsbald Erzbischof Mendoza nachfolgte, hatte Jimenez gebeten, eine untergeordnete Stellung in der spanischen Kirche, welche ihm von Rom zugewiesen worden war, zugunsten eines Mannes aus dem Kreise von Speichelleckern, die den Kardinal umgaben, aufzugeben. Jimenez hatte sich geweigert. Seine Strafe waren sechs Monate Einzelhaft gewesen. Das Erlebnis hatte den Priester empfänglich gemacht für Fragen wie etwa nach dem Unterschied zwischen Schuld und Unschuld, und dies veranlaßte ihn, über den Tod des Mannes in Toledo nachzudenken, der sein Geschlecht im Weihwasser gereinigt hatte. Vielleicht war er unschuldig gewesen, aber kein Katholik würde ihn mit solchen Anweisungen in die Kathedrale geschickt haben. Es mußte einer von diesen französischen Ketzern sein, welche der Bestrafung entgangen waren. Die Augen des Prälaten begannen zu leuchten, da er das Gefühl hatte, die

Wahrheit aufgedeckt zu haben. Er wollte die Aufzeichnungen genau studieren.

Es klopfte an der Tür.

»Herein.«

Ein Soldat trat ein und flüsterte ihm etwas ins Ohr.

»Schicke ihn herein.«

Ibn Hischam trat ins Zimmer. Er ging geradewegs auf den Erzbischof zu, der seine Hand ausstreckte. Ibn Hischam beugte ein Knie und küßte den Ring. Jimenez half ihm auf und hieß ihn Platz nehmen.

»Mein Oheim Miguel gab strikte Anweisungen, daß ich Euer Gnaden aufsuche und meinen Respekt erweise.«

Jimenez betrachtete den jüngsten Konvertiten aus den Reihen von Granadas Edelleuten und deutete ein Lächeln an. »Auf welchen Namen wurdet Ihr von dem Bischof von Cordoba getauft?«

»Pedro de Gharnata.«

»Ihr meint gewiß Pedro de Granada.«

Pedro nickte. Seine Augen verrieten die Traurigkeit und die Demütigung, die er sich selber zugefügt hatte. Er sah die halb triumphierende, halb verächtliche Miene des Mannes, dem er die Hand geküßt hatte, und er wünschte, er wäre tot. Aber er lächelte matt und verfluchte sich für seine Unterwürfigkeit.

Jimenez sah ihn an und nickte. »Euer Besuch ist unnötig. Ich habe Eurem Oheim bereits mitgeteilt, daß Euch gestattet wird, weiterhin Eurem Gewerbe nachzugehen. Ich bin ein Mann, der Wort hält. Sagt mir eines, Pedro. Ist Eure Tochter ebenfalls zu unserem Glauben übergetreten?«

Pedro de Granada begann zu schwitzen. Der Teufel wußte alles. »Sie wird es tun, wenn sie aus Ischbi ... ich meine Sevilla zurück ist, Euer Gnaden. Wir erwarten ihre Rückkehr.«

»Seid gesegnet, mein Sohn. Wenn Ihr mich jetzt entschuldigen wollt, es ist Zeit für die Abendandacht, und danach muß ich mich anderen Geschäften widmen. Nur eines noch. Wie Ihr vermutlich wißt, wurden sieben unserer Priester vorige Woche auf dem Wege zur heiligen Kommunion aus dem Hinterhalt überfallen. Eine Flut von menschlichen Exkrementen in Holzkübeln wurde über ihren Häuptern entleert.

Kennt Ihr zufällig die Namen der jungen Männer, welche diese Tat verübt haben?«

Pedro schüttelte den Kopf.

»Nein, das dachte ich mir. Sonst hättet Ihr die Angelegenheit längst gemeldet. Versucht es herauszufinden, wenn Ihr könnt. Solche Freveltaten können nicht ungesühnt bleiben.«

Der frisch getaufte Pedro de Granada stimmte dieser Ansicht energisch zu. »Wenn Gott eine Ameise vernichten will, Euer Gnaden, läßt er ihr Flügel wachsen.«

Als Pedro sich verbeugt hatte und gegangen war, wurde Jimenez von einer Welle von Übelkeit überwältigt.

»Verhaßte, haltlose, wirre, einfältige Tropfe«, dachte er bei sich. »Tag für Tag kommen sie zu mir. Manche aus Furcht. Andere, um ihre Zukunft zu sichern. Bereit, ihre eigenen Mütter zu verraten, wenn ... wenn ... wenn ... immer ein wenn ... wenn die Kirche ihnen ihren Besitz garantiert, wenn die Kirche sich nicht in ihr Gewerbe einmischt, wenn die Kirche die Inquisition aus Granada heraushält. Nur dann treten sie frohgemut zu unserem Glauben über und bringen ihr erbarmungsloses habgieriges Streben mit. Gott soll sie alle verfluchen. Unsere Kirche braucht solche erbärmlichen Wracks nicht. Pedro de Granada wird Mohammedaner bleiben bis zum Tage seines Todes. Möge Gott ihn und seinesgleichen verfluchen.«

8. KAPITEL

Von den fernen Berghängen her waren die weißen Häuser des Dorfes nicht mehr zu erkennen, und das Flackern der Öllampen, die davor aufgehängt waren, wirkte von Yasids Platz aus märchenhaft. Yasid wußte, die Lichter würden nicht verlöschen, bis die rings um ihn versammelten Männer und Frauen nach Hause gingen.

Im Außenhof des Hauses waren Besucher zusammengeströmt. Sie saßen in einem großen Kreis auf dicken Teppichen, die auf dem Gras ausgebreitet waren. Hin und wieder erhellte eine kleine Flamme das Antlitz al-Sindiqs oder Miguels, die in der Mitte des Kreises saßen. Die Kohlenfeuer in den Ofen wärmten sie alle. Mehr als zweihundert Menschen hatten sich am Abend eingefunden, als der Disput begann.

Diese Familie, der jahrhundertelang nichts wichtiger gewesen war als die Vergnügungen der Jagd, die Beschaffenheit der Marinade, welche die Köche für den Lammbraten verwendeten, der selbigen Tages zubereitet wurde, oder die neuen Seidenstoffe aus China, die in Gharnata eintrafen, diese Familie setzte sich heute abend mit der Geschichte auseinander.

Miguel hatte den Abend beherrscht. Anfangs klang er verbittert und zynisch. Der Erfolg der katholischen Kirche, ihre praktische Überlegenheit, so hatte er argumentiert, liege darin begründet, daß sie gar nicht erst versuche, den bitteren Geschmack ihrer Medizin zu versüßen. Sie mache sich nicht die Mühe des Täuschens, sie buhle nicht um Beliebtheit, sie verkleide sich nicht, um ihren Anhängern zu gefallen. Sie sei furchtbar aufrichtig. Sie rüttele den Menschen an den Schultern und schreie ihm ins Ohr:

»Du bist in Kot geboren und wirst darin leben, aber wir können dir vergeben, daß du so übelriechend, so unrein, so abstoßend bist, wenn du auf die Knie sinkst und jeden Tag um Verzeihung betest. Dein erbärmliches, jämmerliches Dasein muß von beispielhafter Demut getragen sein. Das Leben ist und bleibt eine Marter. Alles, was du tun kannst, ist deine

Seele retten, und wenn du dies tust und deine Unzufriedenheit wohlverborgen hältst, magst du erlöst werden. Dies, und dies allein wird dein Leben auf Erden um ein Geringes weniger schmutzig machen, als es an dem Tage war, an dem du geboren wurdest. Nur die Verdammten suchen Glück in dieser Welt.«

An dieser Stelle hatte Miguel innegehalten und seine Zuhörer betrachtet. Sie schienen wie in Trance und starrten ihn verwundert an. Mit sanfter, ruhiger Stimme nahm er sie mit auf eine Reise in ihre Vergangenheit; er erinnerte sie nicht nur an den Ruhm des Islams, sondern auch an seine Niederlagen, an das Chaos, die Tyrannei der Paläste, die gegenseitigen Vernichtungskriege und die unvermeidliche Selbstzerstörung.

»Wenn unsere Kalifen und Sultane gewollt hätten, daß alles unverändert bliebe, dann hätten sie ihre Art, dieses Land zu regieren, ändern sollen. Glaubt ihr, es hat mir Freude gemacht, die Religion zu wechseln? Selbst heute abend habe ich einige meiner Angehörigen erzürnt, wie ihr beobachtet habt, aber ich bin jetzt an einen Punkt gelangt, wo ich die Wahrheit nicht mehr verbergen kann.

Ich liebe dieses Haus und dieses Dorf. Weil es mein Wunsch ist, daß sie bestehen bleiben und es euch allen wohlergeht, bitte ich euch abermals, sehr ernsthaft nachzudenken. Es ist bereits spät, aber wenn ihr tut, was ich sage, können wir euch noch retten. Am Ende werdet ihr konvertieren, aber bis dahin wird die Inquisition hier sein, und man wird euch alle ins Verhör nehmen, um festzustellen, welche Konvertierung echt und welche falsch ist. Da es neben anderem ihr Ziel ist, eure Ländereien für die Kirche und die Krone zu beschlagnahmen, werden sie im Zweifelsfalle zu ihren Gunsten entscheiden. Ich kann euch nicht zwingen, aber die nach mir kommen, werden nicht so milde sein.«

Wenngleich, was er zu sagen hatte, nicht angenehm war, hatten die meisten Anwesenden das Empfinden, daß er der Wahrheit näher war als die Heißsporne, die einen Krieg beginnen wollten; denn hinter der Gelassenheit, welche das Herrenhaus einhüllte, verbarg sich eine starke Spannung.

Einige Leute mit kleinen Kindern waren nach den Eröffnungsreden fortgegangen, Yasid aber war noch hellwach und genoß jeden Moment. Er saß neben seiner Mutter, die ihren großen wollenen Umhang mit ihm teilte. Neben ihm saß seine Schwester Hind, die ihrem von der Familie ihrer Mutter ererbten Berbercharakter gemäß einen Überschwang bewiesen hatte, der alle, ausgenommen Yasid, in Erstaunen setzte. Sie hatte ihren Großoheim mehrere Male unterbrochen, hatte sarkastisch über seine bemühten witzigen Bemerkungen gelacht und hie und da etwas Zotiges vor sich hin gemurmelt, doch die Nachtluft hatte ihre Stimme weitergetragen, und die Dorffrauen klatschten Beifall. Miguel hatte nicht zornig erwidert; insgeheim bewunderte er Hinds Courage, und öffentlich erklärte er, daß er sie innig liebe. Ihre Erwiderung auf diese onkelhafte Erklärung war bezeichnend gewesen, doch diesmal war sie zu weit gegangen und hatte keinen Beifall gefunden.

»Eine Schlange, die sagt, daß sie mich liebt, trage ich als Halsband.«

Ama hatte laut gackernd gelacht, was Yasid überraschte, wußte er doch, daß Ama Hinds Benehmen aufs schärfste verurteilte. Doch Ama war die einzige gewesen. Auch wenn Miguel nicht allgemein beliebt war, eine solche Unverschämtheit behagte den Dorfleuten nicht, die sie als Verletzung der Gastfreundschaft gegenüber Ibn Farids Sohn empfanden. Der Vergleich mit einer Schlange hatte Hinds Großoheim bestürzt. Die Gehässigkeit schmerzte in seinen Ohren, und er war außerstande, die verräterische Feuchtigkeit in seinen Augen zurückzuhalten.

Der Anblick seines Oheims in Tränen hatte wiederum Umar bestürzt, und er sah stirnrunzelnd zu seiner Gemahlin auf der anderen Seite des Ofens hinüber. Subayda deutete das Zeichen richtig. Sie rief Hind flüsternd zur Ordnung, drohte ihr, sie mit Miguels Sohn, dem einfältigen Juan, zu vermählen, wenn sie nicht unverzüglich ihre Zunge mäßige. Die Erpressung wirkte vortrefflich. Hind schlich zu Miguel und flüsterte ihm eine Entschuldigung ins Ohr. Miguel lächelte und streichelte ihren Kopf. Der Friede war wieder eingekehrt. Kaffee wurde serviert.

Hind war nicht im mindesten verlegen, daß ihre persönlichen Ansichten den Versammelten und insbesondere dem Fremden, der in ihrer Mitte saß, deutlich kundgetan worden waren. Ibn Daud, der grünäugige Jüngling aus Qahira, dem ihre Zuneigung galt, war in Gedanken vertieft. Ibn Daud war von Hind hingerissen gewesen, noch bevor Yasid das Geheimnis seiner Schwester ausgeplaudert hatte. Ihre ungestüme Zunge und ihre scharfen, übermütigen Gesichtszüge bezauberten ihn, doch heute abend lenkte der Disput ihn ab. Er hatte über Hinds dreisten Angriff auf ihren Großonkel gelächelt, doch es waren al-Sindiqs ernüchternde Darlegungen, die an diesem Abend im Mittelpunkt seines Denkens standen.

In krassem Gegensatz zu Miguel hatte al-Sindiq den christlichen Glauben und Aberglauben scharf kritisiert. Er hatte die alte Kirche verspottet ob ihres Unvermögens, sich dem Einfluß der heidnischen Traditionen zu entziehen. Weswegen hätte sie sonst aus Isa eine Gottheit und aus seiner Mutter einen Gegenstand der Anbetung gemacht? Anders der Prophet Mohammed: Er hatte sich gegen das Heidentum behauptet, hatte der Versuchung widerstanden und der Anbetung dreier weiblicher Gottheiten abgeschworen. Nur insoweit war al-Sindiq heute abend mit seinen Glaubensbrüdern einig. Er verteidigte den Islam nicht mit der geistigen Schärfe, für die er bekannt war und die man an diesem Abend von ihm erwartete. Er war ein zu aufrichtiger Mensch, um denjenigen Behauptungen Miguels zu widersprechen, welche er für unstrittig erachtete. Er versuchte vielmehr, seine Zuhörer zu fesseln, indem er sie daran erinnerte, daß ein Stern, der an einem Firmament verblaßt, durchaus an einem anderen aufgehen kann. Er beschrieb die muselmanischen Siege in Konstantinopel so anschaulich, daß alle seine Zuhörer vor Stolz erbebten. Was den Niedergang von al-Andalus anging, so schenkte er den gängigen Erklärungen keinen großen Glauben.

»Erinnert ihr euch«, fragte er sie, »der Geschichte von dem Sultan von Tlemcen und dem heiligen Mann? Der Sultan hatte seine kostbarsten Gewänder angelegt, als er Abu Abdallah al-Tunisi empfing. ›Ist es rechtmäßig, wenn ich in diesen feinen Kleidern bete?‹ fragte er seinen gelehrten Gast. Abu Abdallah lachte und erklärte seinem Gastgeber den Grund dafür mit folgenden Worten: ›Ich lache, o stolzer Sultan, über die Schwäche deines Verstandes, deine Unkenntnis deiner selbst und deine erbarmungswürdige Geisteshaltung. Für mich bist du wie ein Hund, der im Blute eines Kadavers schnüffelt und Dreck frißt, beim Urinieren aber sein Bein hebt, damit das Naß seinen Körper nicht beschmutze. Du fragst mich nach deinen Kleidern, wenn die Leiden der Menschen über dein Haupt kommen.‹ Der Sultan begann zu weinen. Er verzichtete auf seinen Rang und wurde ein Jünger des heiligen Mannes.«

Das Ende von al-Sindiqs Geschichte wurde von »Wa Allah«-Rufen begleitet, und viele der Zuhörer äußerten die Ansicht, hätten alle muselmanischen Könige von al-Andalus so gehandelt, befänden sich die Anhänger des Propheten heute nicht in einer solch traurigen Lage. Genau diese Reaktion hatte al-Sindiq erwartet, und jetzt sprach er ganz unverblümt zu ihnen.

»Es hört sich gut an, aber würde es uns gerettet haben? Ich glaube nicht. Keiner noch so großen Frömmigkeit wird es gelingen, die Gepflogenheiten von Königen zu ändern, wenn sie auf so schwachen Füßen steht; dazu braucht sie etwas mehr, nämlich das, was unser großer Lehrer Ibn Chaldun Zusammenhalt nannte. Unsere Niederlagen sind die Folge unseres Unvermögens, die Einheit von al-Andalus zu bewahren. Wir haben das Kalifat untergehen und an seiner Statt giftige Unkräuter wachsen lassen, bis sie jeden Fußbreit unseres Gartens bedeckten. Die großen Herren sind über al-Andalus hergefallen und haben es unter sich aufgeteilt. Jeder von ihnen wurde zu einem großen Fisch in einem winzigen Teich, während der genau entgegengesetzte Prozeß bewirkte, daß die Königreiche der Christenheit neu gestaltet wurden. Wir haben viele Dynastien gegründet, doch wir haben es unterlassen, unser Volk nach den Regeln der Vernunft zu regieren. Wir haben es versäumt, politische Gesetze zu erlassen, die alle unsere Bürger vor den Launen von Willkürherrschern geschützt hätten. Wir, die wir dem Rest der Welt die Gebiete der Wissenschaft und Architektur, der Medizin und Musik, der Literatur und Astronomie erschlossen haben, wir, die wir ein auserwähltes Volk waren, konnten den Weg zu Beständigkeit und zu einer auf Vernunft gegründeten Regierung nicht finden. Das war unsere Schwäche, und die Christen Europas haben aus unseren Fehlern gelernt. Dies, und nicht die Art unserer Könige, sich zu kleiden, ist hierzulande der Fluch des Islams gewesen. Ich weiß, daß einige von euch denken, vom Sultan in Konstantinopel werde Hilfe kommen. Ich glaube nicht daran, meine Freunde. Ich glaube, die Osmanen werden den Osten einnehmen und uns den Christen überlassen, auf daß sie uns vernichten.«

Umar war sowohl von Miguel wie von al-Sindiq sehr beeindruckt, aber er war müde. Andere, dringendere Angelegenheiten, die seine Familie betrafen, bedrückten ihn und hatten ihn daran gehindert, den Vorgängen des Abends seine volle Aufmerksamkeit zu widmen. Er wollte die Versammlung aufheben, doch es gab bestimmte Traditionen, über die er sich nicht einfach hinwegsetzen konnte, da sie einen nahezu religiösen Charakter angenommen hatten und zum festen Bestandteil der Regeln des Disputes geworden waren. In einem Ton, der eher abschreckend wirkte, fragte Umar, ob noch jemand das Wort zu ergreifen wünsche. Zu seinem großen Verdruß erhob sich ein alter Weber.

»Friede sei mit euch allen, und möge Gott Euch und Eure Familie erhalten, Umar bin Abdallah«, begann der Weber. »Ich habe seine Exzellenz den Bischof von Qurtuba und Ibn Saidun, der sich al-Sindiq nennt, mit großer Aufmerksamkeit angehört. Ich besitze nicht ihr Wissen, aber ich möchte doch auf eines hinweisen. Ich glaube, besiegelt war unser Untergang schon in den ersten hundert Jahren, nachdem Tarik Ibn Sidjad bei dem Affenfelsen an der Meerenge gelandet war, der heute seinen Namen trägt. Als zwei unserer Generäle das Gebirge erreichten, welches die Franken Pyrenäen nennen, standen sie auf dem Berggipfel und blickten auf das Land der Gallier hinab. Dann sahen sie sich an. Sie sprachen kein Wort, aber beide Generäle dachten dasselbe: Wenn sie al-Andalus schützen wollten, mußten sie das Land der Franken in ihre Hand bekommen. Wir haben uns bemüht. O ja, wir haben alles versucht, und viele Städte sind uns zugefallen. Doch der entscheidende Kampf in unserer Geschichte war der Zusammenstoß unserer Heere mit denen von Karl Martell vor jener Stadt, welche sie Poitiers nennen. An jenem Tage haben wir die Chance vertan, das fränkische Königreich zu erringen, aber wir haben auch al-Andalus verloren, wenngleich nur wenige von uns dies bis heute einsehen. Die einzige Möglichkeit, dieses Land für unseren Propheten zu retten, wäre die Errichtung einer Moschee in Notre Dame gewesen. Das ist alles, was ich sagen wollte.«

Umar dankte ihm überschwenglich für seine Ausführungen, die ihnen geholfen hätten, ihre gegenwärtige Misere aus einer höheren Warte zu betrachten, und dann entbot er allen Anwesenden eine gute Nacht.

Als die Versammlung sich auflöste, nahm Ama Yasid bei der Hand und führte ihn ins Haus; dabei entging ihr nicht, daß eine ungewöhnlich große Anzahl Männer Miguel mit ungewöhnlicher Herzlichkeit die Hand schüttelten. Zu diesen zählte auch sein leiblicher Bruder Ibn Hasd, und als die zwei beisammen standen, war Hind wieder einmal verblüfft, wie ähnlich sie sich sahen, wenn man sie im Profil betrachtete. Subayda stand bei ihrem Gemahl und tauschte freundliche Worte mit den Männern und Frauen aus dem Dorf, die sich von ihnen verabschiedeten.

Anders als sein Vater und sein Großvater pflegte Umar freundschaftliche, ja herzliche Beziehungen zu den Bauern und Webern, deren Familien den Hauptanteil der Dorfbewohner von Hudayl ausmachten. Er nahm an ihren Hochzeiten und Begräbnissen teil, und es erstaunte und erfreute die Leute, daß er die Namen und die Anzahl der Kinder in jeder Familie kannte. »Dieser Gebieter ist ein wahrer Herr«, mochte ein Weber wohl zu seiner Frau sagen. »Daran kann es keinen Zweifel geben. Er macht sich unsere Arbeit zunutze, wie seine Vorväter es taten, aber er ist ein anständiger Gebieter.«

Heute abend war keine Zeit für Artigkeiten. Umar war ungeduldig. Er hatte bei der Diskussion nicht viel gesagt, und nun konnte er es kaum erwarten, daß alle nach Hause gingen. Subayda hatte ihn beim Nachtmahl, das an diesem Tage wegen des Disputes schon zeitiger eingenommen wurde, darüber unterrichtet, daß ihr Erstgeborener an einem ebenso unbesonnenen wie törichten Unternehmen beteiligt sei. Sie fürchte um sein Leben. Dienerinnen aus dem Dorf hatten ihr zugetragen, daß Suhayr junge Männer für »den Kampf« rekrutiere. Suhayr war nicht anwesend gewesen, und auf die Frage nach seinem Verbleib hatte der Stallknecht gemeldet, er hätte dem jungen Herrn sein Lieblingsstreitroß gesattelt, aber keinen Hinweis auf sein Ziel erhalten. Er wüßte nur, daß Suhayr al-Fahl zwei Decken mitgenommen hätte. Als der Stallknecht hinausging, hatte Hind sich ein Lächeln nicht verkneifen können. Mehr bedurfte Umar nicht, um einen Schluß zu ziehen.

»Unhöflicher Kerl! Sein Großoheim will mit seinem großen Freund Ibn Saidun über eine Sache disputieren, bei der es für seine Familie, für seinen Glauben, für unsere Zukunft um Leben und Tod geht, und wo ist unser Ritter? Er treibt sich in der Gegend herum und schwängert irgendeine elende Dienstmagd.«

Aus dem Inneren des Hauses beobachtete Suhayr die Scheidenden. Er bereute, daß er sich von dieser wichtigen Veranstaltung ferngehalten hatte. Sein Mangel an Disziplin und seine anhaltende Triebhaftigkeit widerten ihn an, aber ... aber, dachte er, als er das Abenteuer im Geiste nacherlebte, Umaima ist so anders als die geschminkten Huren in Gharnata, deren Fleisch zu jeder Stunde des Tages und der Nacht traktiert wird. Bei Umaima vergaß er sich. Sie erregte seine Sinnenlust. Mehr erwartete oder verlangte sie auch nicht. Wäre er heute abend nicht zu ihr gegangen, er hätte sie vielleicht nie wiedergesehen. In drei Monaten würde sie mit Suleiman vermählt sein. Sicher, der kahlköpfige, schieläugige Weber spann das feinste Seidengarn im Dorfe, doch mit ihm, Suhayr al-Fahl, konnte er es kaum in jenen Kunstfertigkeiten aufnehmen, die wirklich zählten.

»Nun?« sagte Umar, und sein Sohn erschrak. »Wo bist du gewesen? Daß du das Mahl versäumt hast, war ohne Bedeutung, aber in einer Zeit wie dieser beim Disput zu fehlen! Deine Abwesenheit ist aufgefallen. Ibn Hasd und Suleiman der Weber haben sich beide nach deinem Befinden erkundigt!«

»Friede sei mit dir, Vater«, murmelte Suhayr, verzweifelt bemüht, sein Unbehagen zu verbergen. »Ich bin mit Freunden ausgewesen. Ein ganz harmloser Abend, wirklich.«

Umar sah seinen Sohn an und mußte unwillkürlich lächeln. Der Gute war ein so ungeschickter Lügner. Er hatte die hellbraunen Augen seiner Mutter, und als er ihm so gegenüberstand, wurde Umar von einer starken Gefühlsregung erfaßt.

Es hatte eine Zeit gegeben, da sie sich sehr nahe gewesen waren. Umar hatte Suhayr im Reiten und Jagen unterwiesen, er war mit ihm im Fluß schwimmen gewesen. Als Kind hatte Suhayr seinen Vater oft an den Hof in der al-Hamra begleitet. Umar spürte plötzlich, daß er seinen Ältesten viel zu lange sich selbst überlassen hatte, insbesondere seit Yasids Geburt. Wie verschieden sie waren, und wie er sie beide liebte!

Er ließ sich auf ein großes Kissen fallen. »Setz dich, Suhayr. Deine Mutter sagt mir, du hättest Pläne gefaßt. Was sind das für Pläne?«

Suhayrs Gesicht wurde sehr ernst. Mit einemmal wirkte er viel älter, als er an Jahren war.

»Ich gehe fort, Vater. Morgen in aller Frühe. Ich wollte schon heute abend von euch allen Abschied nehmen, aber Yasid schläft fest, und ich könnte nicht fortgehen, ohne ihn zu umarmen. Ich will nach Gharnata. Wir können nicht zulassen, daß die Mönche uns lebendig begraben. Wir müssen jetzt handeln, ehe es zu spät ist. Die Pläne für einen Aufstand sind gefaßt. Es ist ein Zweikampf mit dem Christentum, Vater. Lieber kämpfend sterben als ein Sklavenleben führen.«

Umars Herz begann zu hämmern. Er hatte eine Vision. Ein Zusammenstoß mit den Soldaten des Generalkapitäns. Ein Gemenge. Schwerter werden erhoben, Schüsse sind zu hören, und sein Suhayr liegt im Gras, in seinem Kopf ein Loch.

»Es ist ein irrwitziger Plan, mein Kind. Die meisten jungen Männer, die sich in den Badestuben von Gharnata mit lauten Reden hervortun, werden beim ersten Anblick der Kastilen die Flucht ergreifen. Laß mich zu Ende sprechen. Ich habe keinen Zweifel, daß du einige hundert Jünglinge finden wirst, die an deiner Seite kämpfen. Die Geschichte ist voll von jungen Toren, die sich in blindem Glaubenseifer in die Schlacht mit den Ungläubigen stürzten. Es ist soviel leichter, unter einem Baum am Fluß Gift zu trinken und friedlich zu sterben. Aber noch besser ist es zu leben, mein Sohn.«

Suhayr war nicht frei von Zweifeln, doch er hütete sich, diese seinem Vater einzugestehen. Das Unternehmen, das er und seine Freunde seit dem großen Feuer am Bab al-Ramla geplant hatten, wollte er sich keinesfalls ausreden lassen. Sein Gesicht blieb todernst.

»Entgegen deiner Annahme, Vater, setze ich keine großen Hoffnungen in das Gelingen unseres Aufstandes, aber er muß sein.«

»Warum?«

»Damit in Gharnata alles bleibt, wie es ist. Es steht schlimm um unser Reich, aber besser so, als daß es den Bestien Torquemadas, welche sie Priester und Inquisitoren nennen, in die Hände fällt. Hätte unser letzter Sultan, Gott möge ihn verfluchen, sich nicht kampflos ergeben, wäre die Lage vielleicht anders. Isabella behandelt uns wie ausgepeitschte Hunde. Unsere Herausforderung wird ihnen und anderen unseres Glaubens auf dieser Halbinsel zeigen, daß wir aufrecht sterben, nicht auf den Knien, daß sich noch Leben regt unter den Ruinen unserer Zivilisation.«

»Was für törichte Reden, mein Sohn!«

»Frag Ibn Daud, was er auf dem Weg nach Gharnata in Sarakusta und Balansiya sah. Ein jeder Muselman, der vor den Christen floh, hat dasselbe gesagt.«

Trotz allem war Umar ungeheuer stolz auf seinen Sohn. Er hatte Suhayr unterschätzt.

»Wovon redest du, mein Sohn? Es ist nicht deine Art, in Rätseln zu sprechen.«

»Ich spreche von den Mienen ihrer Priester, wenn sie hingehen, die Folterung und Ermordung Unschuldiger in den Verliesen der Inquisition zu überwachen! Wenn wir jetzt nicht kämpfen, wird alles zugrunde gehen, Vater. Alles!«

»Vielleicht geht ohnehin alles zugrunde, ob ihr kämpft oder nicht.«

»Vielleicht.«

Umar wußte, daß Suhayr im tiefsten Innern von Unsicherheit gequält wurde. Er hatte mitleidiges Verständnis für das Dilemma seines Sohnes. Nachdem er in der Moschee das Wort ergriffen und sich vor seinen Freunden mit künftigen Siegen gebrüstet hatte, mußte er sich wie in einer Falle fühlen. Umar beschloß, den Fortgang seines Sohnes zu verhindern.

»Du bist noch ein junger Mann, Suhayr. In deinem Alter erscheint einem der Tod wie ein Trugbild. Ich werde nicht zulassen, daß du dein Leben wegwirfst. Mir könnte alles mögliche zustoßen, nachdem ich mich gegen die Konversion entschieden habe. Wer würde für deine Mutter und deine Schwestern sorgen? Für Yasid? Sie haben uns Macht und Autorität genommen, aber die Landgüter sind noch unversehrt. Wir können uns unseres Wohlstandes in Frieden und Würde erfreuen. Warum sollte al-Hudayl die Kastilen stören? Ihre Augen sind auf eine neue Welt gerichtet, auf die Berge von Silber und Gold, die sie dort erwarten. Sie haben uns besiegt, und Widerstand ist vergebens! Ich verbiete dir fortzugehen!«

Suhayr hatte noch nie in einer richtigen Schlacht gekämpft. Seine Erfahrung beschränkte sich auf die gründliche Ausbildung in der Kriegskunst, die er als junger Knabe erhalten hatte. Er war ein geschickter Fechter und seine tollkühnen Wagnisse auf dem Pferderücken waren allen bekannt, die den Turnieren in Gharnata am Tage der Geburt des Propheten beiwohnten. Aber er konnte nicht vergessen, daß ihm der Kampf gegen einen richtigen Feind erst noch bevorstand.

Als er seinem Vater in das ergrimmte Antlitz sah, wußte Suhayr, dies war die letzte Gelegenheit, sich anders zu besinnen. Er könnte seinen Mitverschwörern einfach sagen, sein Vater hätte ihm verboten, das Haus zu verlassen. Umar war weithin geachtet, und sie würden es verstehen. Oder vielleicht doch nicht? Suhayr war der Gedanke unerträglich, einer seiner Freunde könnte ihn der Feigheit bezichtigen. Doch das war nicht seine einzige Sorge. Suhayr glaubte nicht, daß al-Hudayl sicher war, solange Jimenez in Gharnata herrschte. Das gab ihm das Gefühl, daß Umar auf gefährliche Weise den Ernst der Lage verkannte.

»Abu«, begann Suhayr wehmütig, »nichts liegt mir so am Herzen wie die Sicherheit unseres Heims und unserer Besitztümer. Deswegen muß ich fort. Mein Entschluß steht fest. Wenn du mir befiehlst, gegen meinen Wunsch und Willen hierzubleiben, werde ich natürlich gehorchen, aber ich werde unglücklich sein, und wenn ich unglücklich bin, Abu, dann ist mir der Tod ein Trost.

Siehst du nicht, daß die Mönche alles zerstören werden? Früher oder später müssen sie nach al-Hudayl kommen. Sie wollen al-Andalus in eine Wüste verwandeln. Sie wollen unsere Erinnerung verbrennen. Wie können sie auch nur eine einzige Oase überleben lassen? Zwinge mich nicht zu bleiben.

Du mußt verstehen, mein Vorhaben ist vielleicht der einzige Weg zur Rettung unseres Heims und unseres Glaubens.«

Umar war nicht überzeugt, und sie debattierten weiter; die Stunden vergingen, und Suhayr wurde immer unerbittlicher. Am Ende sah Umar ein, daß sein Sohn gegen seinen Willen nicht zu Hause zu halten war. Seine Züge entspannten sich. Da wußte Suhayr, daß er seine erste Schlacht gewonnen hatte. Er kannte seines Vaters Veranlagung. War Umar einmal mit einer Sache einverstanden, hielt er sich zurück und mischte sich nicht mehr ein.

Die beiden Männer standen auf. Umar umarmte seinen Sohn und küßte ihn auf die Wangen. Dann trat er an eine große Truhe und entnahm ihr eine schön ziselierte silberne Scheide, die das Schwert Ibn Farids enthielt. Er zog die Waffe, nahm sie in beide Hände, hob sie über Suhayrs Haupt und reichte sie ihm.

»Wenn du kämpfen mußt, tust du es am besten mit einer Waffe, die sich in vielen Schlachten bewährt hat.«

Suhayrs Augen wurden feucht.

»Komm«, sagte Umar bin Abdallah. »Laß uns gehen und es deiner Mutter sagen.«

Als Suhayr, stolz das Schwert seines Urgroßvaters tragend, seinem Vater durch den Innenhof folgte, stießen sie auf Miguel und Sahra. Vier Stimmen ertönten im Chor. »Friede sei mit euch.«

Miguel und Sahra sahen ihres Vaters Schwert, und alles war ihnen klar.

»Gott schütze dich, mein Kind«, sagte Sahra und küßte Suhayr auf die Wangen.

Suhayr erwiderte nichts, sondern starrte das eigenartige Paar nur an. Die Begegnung hatte ihn verstört. Dann klopfte sein Vater ihm sacht auf die Schulter, und sie gingen von dannen. Suhayr hielt die Begegnung für ein böses Omen.

»Wird Miguel ...?« begann er, doch sein Vater schüttelte den Kopf.

»Undenkbar«, flüsterte er. »Dein Großoheim Miguel würde die Kirche niemals über seine Familie stellen.«

Sahra und Miguel standen eine Weile still, wie Wächter auf Posten. Relikte einer fast ausgestorbenen Generation. Die einsame Lampe an der Mauer über dem Eingang zum Badehaus spendete nur ein spärliches Licht. Im nächtlichen Schatten, die gebeugten Rücken in dicke wollene Schals gehüllt, ähnelten sie zwei verkrüppelten, verwitterten Pinien. Schließlich brach der Bischof das Schweigen.

»Ich befürchte das Schlimmste.«

Sahra wollte gerade etwas sagen, als Hind und Ibn Daud, gefolgt von drei Dienerinnen, in den Hof traten. Keiner von ihnen bemerkte die alte Dame oder Miguel. Der junge Mann verbeugte sich und machte Anstalten, sich in sein Zimmer zu begeben, als er eine Stimme vernahm.

»Ibn Daud!«

Hind war es, die antwortete. »Wa Allah! Du hast mich erschreckt, Großonkel. Friede sei mit dir, Großtante.«

»Komm«, sagte Miguel zu Ibn Daud, »du kannst mich zu meinem Zimmer begleiten, es liegt gleich neben deinem. Nie hätte ich gedacht, daß einmal der Tag kommen würde, da ich in diesem Hause in den für Gäste vorgesehenen Gemächern wohne.«

»Unsinn«, sagte Sahra. »Wo hätten sie dich sonst unterbringen können? Im Stall? Hind, ich brauche dich heute abend zum Massieren. Die Kälte frißt sich mir in die Knochen, und ich fühle Schmerzen in Brust und Schultern.«

»Ja, Großtante«, sagte Hind. Sie entließ die Dienerinnen mit einem Nicken und blickte sehnsüchtig dem jungen Mann mit den grünen Augen nach. Ibn Daud geleitete den Bischof durch den Gang, welcher den Hof mit einer Reihe von Zimmern verband, die Ibn Farid an das Haus angebaut hatte. Hier waren die zu Gast weilenden christlichen Ritter beköstigt und mit nächtlicher Kurzweil unterhalten worden.

Seltsam, dachte Sahra, wie sehr dieses junge, gerade siebzehn jährige Mädchen, das ich doch kaum kenne, mich an meine eigene Jugend erinnert. Ihr Vater sieht sie noch als knospende Blume. Wie er sich irrt, wie alle Väter sich irren und immer irren werden! Sie steht in voller Blüte, wie Orangenblüten im Frühling mit ihrem sinnenbetörenden Duft. Wie um sich zu vergewissern, richtete sich Sahra mit Hilfe eines Kissens auf und betrachtete ihre Großnichte, die emsig, aber sacht die Zehen ihres linken Fußes massierte. Selbst im matten Schimmer des Lampenlichts konnte sie erkennen, daß Hinds Teint, gewöhnlich von der Farbe wilden Honigs, gerötet und belebt war. Ihre Augen leuchteten, und ihre Gedanken weilten woanders. Das waren bekannte Anzeichen.

»Liebt er dich ebenso?«

Die unvermutete Frage erschreckte das Mädchen.

»Von wem könntest du sprechen, Tante?«

»Komm, Kind, es ist nicht deine Art, so scheu zu tun. Dir steht alles im Gesicht geschrieben. Zuerst dachte ich, du hast dich aufgeregt über das, was heute abend geschah. Miguel erzählte mir, wie du ihn angefahren hast. Er zürnt dir nicht – er bewundert dich dafür –, aber du hast das alles vergessen, nicht wahr? Wo bist du gewesen?«

Anders als ihre stille, bescheidene ältere Schwester Kulthum war Hind ihrem Naturell nach außerstande, sich zu verstellen. Mit neun Jahren hatte sie einen frommen Gelehrten aus Ischbiliya, der überdies ein Vetter ihrer Mutter war, dadurch in Verlegenheit gebracht, daß sie seine Auslegung des al-koran in Frage stellte. Der Theologe hatte jede denkbare Lustbarkeit, der sich muselmanische Edelleute hinzugeben pflegten, als »verboten« gebrandmarkt und Argumente vorgebracht, um darzulegen, wie dieses verantwortungslose Treiben zum Niedergang von al-Andalus geführt habe. Mitten in seinem Redefluß hatte Hind ihn mit einem denkwürdigen Einwurf unterbrochen, dessen sich der Zwerg und seine Freunde im Dorf noch heute mit Vergnügen erinnerten.

»Oheim«, hatte das kleine Mädchen gefragt, mit einem liebreizenden Lächeln, das vollkommen unangebracht war, »sagte unser Prophet, Friede sei mit ihm, nicht einmal in einem *hadith*, welches niemals angezweifelt wurde, daß die Engel nur drei Arten von Vergnügungen lieben?«

Der Theologe, getäuscht durch ihr Lächeln und erfreut, daß ein so junger Mensch in den religiösen Schriften so bewandert war, hatte sich den Bart gestrichen und freundlich erwidert: »Und welches sind diese, meine kleine Prinzessin?«

»Nun, Pferderennen, Scheibenschießen und Kopulation natürlich!«

Der Oheim aus Ischbiliya wäre beinahe an dem Fleisch erstickt, das er bis dahin durchaus genüßlich verzehrt hatte.

Suhayr entschuldigte sich und brach in der Küche vor Lachen zusammen. Subayda konnte sich ein Lächeln nicht verkneifen, und Umar blieb es überlassen, das Gespräch auf ein anderes Thema zu lenken, was ihm mit einiger List gelang. Allein Kulthum blieb ruhig und reichte ihrem Oheim ein Glas Wasser. Aus irgendeinem Grunde hatte diese Geste den Gelehrten tief beeindruckt. Es war sein Sohn, den Kulthum nächsten Monat ehelichen sollte.

Subayda hatte Sahra diese Geschichte erzählt und die alte Frau damit zum Lachen gebracht. Daran mußte sie denken, als sie ihre Großnichte jetzt anlächelte.

»Meine Ohren werden ungeduldig, Kind.«

Hind, die bislang nicht gewagt hatte, irgendjemanden in ihr Geheimnis einzuweihen, mit Ausnahme ihrer Lieblingsdienerin, war von dem dringenden Wunsch beseelt, sich einem Mitglied der Familie anzuvertrauen. Sie beschloß, Sahra die ganze Geschichte zu erzählen. Ihre Augen strahlten wieder.

»Es war am allerersten Tag, Großtante. Vom allerersten Tage an, als ich ihn sah, wußte ich, daß ich keinen anderen Mann will.«

Sahra nickte und lächelte nachdenklich. »Die erste Liebe mag nicht die beste sein, aber sie ist meistens die tiefste.«

»Die tiefste und die beste! Es muß die beste sein!«

Hinds Augen strahlten wie Lampen. Sie schilderte Ibn Dauds Ankunft in al-Hudayl und welchen Eindruck er auf die ganze Familie gemacht hatte. Ihr Vater, der dem jungen Scholaren sogleich gewogen war, hatte ihm eine Stellung als Hauslehrer der Familie angeboten. Sie hatten alle seiner ersten Lektion beigewohnt. Ibn Daud erläuterte die Philosophie des Ibn Chaldun, wie sie in al-Qahira ausgelegt wurde. Subayda befragte ihn eingehend, wie Ibn Chalduns Theorien die Tragödie von al-Andalus erklären könnten. »Mit losen Steinen«, erwiderte er, »läßt sich niemals eine massive Stadtmauer errichten.«

»Hind«, bat Sahra, »ich bin zu alt, um mich an allen Einzelheiten zu ergötzen. Ich erkenne unbestritten an, daß der junge Mann klug und stattlich ist, aber wenn du so weitermachst, werde ich das Ende deiner Geschichte vielleicht nicht mehr erleben! Was geschah heute abend? Nach der Versammlung?«

»Vater war besorgt wegen Suhayr, und ehe ich's mich versah, war die ganze Familie im Hause verschwunden. Ich ging zu Ibn Daud, sagte ihm, daß ich frische Luft brauche, und bat ihn, mit mir spazierenzugehen.«

»Du hast ihn gebeten?«

»Ja, ich habe ihn gebeten.«

Sahra warf den Kopf zurück und lachte. Dann nahm sie Hinds Gesicht zwischen ihre welken Hände und streichelte es.

»Die Liebe kann eine Schlange sein, die sich als Halsband verkleidet oder als eine Nachtigall, die sich weigert, ihr Lied zu enden. Bitte erzähl weiter.«

Und Hind schilderte, wie eine der Dienerinnen mit einer Lampe vorausgegangen war, während die zwei anderen ihnen in diskretem Abstand folgten, bis sie den Granatapfelhain erreichten.

»*Den* Granatapfelhain?« fragte Sahra mit flüsternder Stimme, bemüht, ihr Herzklopfen zu bändigen. »Die Baumgruppe, kurz bevor man das Haus sieht, wenn man vom Dorf kommt? Wenn du dich flach auf die Erde legst, ist es dann immer noch wie unter einem Zelt aus Granatäpfeln mit einem runden Fenster an der Spitze? Und wenn du die Augen aufschlägst und hindurchblickst, tanzen die Sterne noch immer am Himmel?«

»Das weiß ich nicht, Großtante. Ich hatte keine Gelegenheit, mich hinzulegen.«

Die beiden Frauen sahen sich an und lachten.

»Wir unterhielten uns«, fuhr Hind fort, »über unser Haus, das Dorf, den Schnee auf den Bergen, den kommenden Lenz, und als alles, was es an Förmlichkeiten auszutauschen gibt, erschöpft war, da verstummten wir und blickten uns an. Es dünkte mich wie ein Jahr, bis er wieder sprach. Er nahm meine Hand und flüsterte: ›Ich liebe dich.‹ Die Dienerinnen husteten vernehmlich. Ich warnte sie, sollten sie es noch einmal tun, würde ich nach der Inquisition schicken, auf daß sie bei lebendigem Leibe geröstet würden. Dann könnten sie auf dem ganzen Weg zur Hölle husten. Ich sah ihm in die Augen und bekannte ihm meine Liebe. Ich nahm sein Antlitz zwischen meine Hände und küßte ihn auf den Mund. Er sagte, er wolle morgen bei Vater um meine Hand anhalten. Ich riet zur Vorsicht. Es wäre besser, wenn ich es in die Wege leiten würde. Auf dem Rückweg schmerzte mich mein Leib, und ich wußte, es war aus Verlangen nach ihm. Ich erbot mich, heute nacht mit in sein Zimmer zu gehen, aber bei dem Gedanken wurde er beinahe ohnmächtig. ›Ich bin deines Vaters Gast. Bitte, bringe mich nicht dazu, seine Gastfreundschaft und sein Vertrauen zu mißbrauchen. Es wäre eine Schande.‹ Dank sei Gott, daß du hier bist, Großtante Sahra. Ich hätte es nicht mehr lange für mich behalten können.«

Sahra setzte sich im Bett auf und umarmte Hind. Ihr eigenes Leben lief in Blitzesschnelle vor ihr ab, und sie schauderte. Sie wollte nicht, daß dieses Mädchen, das an der Schwelle seines Lebens stand, dieselben Fehler machte, von denselben Gefühlswunden zernarbt würde. Sie wollte bei Umar und Subayda ein Wort für das junge Paar einlegen. Der Jüngling war sichtlich mittellos, doch die Zeiten hatten sich geändert. Sie fand aufmunternde Worte für die Großnichte.

»Wenn du seiner sicher bist, darfst du dir keine Zurückhaltung auferlegen. Ich möchte nicht, daß man sich in hundert Jahren von einem grünäugigen Jüngling erzählt, der verzweifelt und mit gebrochenem Herzen durch dieses Gebirge streifte und dem Fluß seine Sehnsucht nach einer Frau namens Hind anvertraute.

Sieh mich an, mein Kind. Noch immer bedrückt ein Schmerz meine Seele. Ich habe mich einst vor Liebe verzehrt. Sie verschlang mein Innerstes, bis nichts mehr übrig war und ich meine Beine für jeden *caballero* spreizte, der Einlaß begehrte, ungeachtet, ob mir das Erlebnis behagte oder nicht. Das war meine Art, alle Empfindung in mir zu zerstören. Als sie mich dann nackt auf den Pfaden außerhalb von Qurtuba fanden, beschlossen sie, mich nach Gharnata ins *maristan* zu schicken. Du darfst nie dieselben Fehler begehen wie ich. Anstatt dich mit einer Weigerung deiner Eltern abzufinden, wäre es viel besser, du würdest mit diesem Jüngling fortlaufen und nach sechs Monaten entdecken, daß er nichts weiter wollte, als sich an diesen zwei Pfirsichen gütlich tun. Dies wird dir vielleicht ein paar Monate, vielleicht sogar ein Jahre Trübsinn bescheren. Doch jenes wird zu Verzweiflung führen, und Verzweiflung zerfrißt die Seele. Das ist das Schlimmste auf der Welt. Ich werde mit deiner Mutter und deinem Vater sprechen. Die Zeiten haben sich geändert, und jedenfalls ist Ibn Daud nicht der Sohn einer Dienerin in diesem Hause. Nun gehe in dein Zimmer und träume von deiner Zukunft.«

»Ja, Großtante, aber erlaubst du mir noch eine Frage?«

»Nur zu!«

»Man erzählt sich im Dorf eine Geschichte über Großonkel Miguel ...«

»O ja! Die alte Sache mit der Weberstochter. Das ist kein Geheimnis. Was ist damit?«

»Nichts. Es ist nie ein Geheimnis gewesen. Ich wollte nur fragen, ist es wahr, was man sich von Miguel und seiner Mutter Asma erzählt?«

Sahra schloß die Augen ganz fest. Sie hoffte, die Dunkelheit würde die Erinnerung an jenen Schmerz dämpfen, die Hind wieder zu erwecken trachtete. Langsam wich die Anspannung aus ihrem Gesicht, und sie hob die Augenlider. »Ich weiß die Antwort nicht. Man hatte mich schon aus dem Hause vertrieben, und ich lebte damals in Qurtuba. Wir pflegten Asma ›kleine Mutter‹ zu nennen, was uns alle zum Lachen brachte, sogar Ibn Farid. Ich war sehr aufgewühlt, als ich hörte, daß Asma tot war. Meekal? Miguel?« Sahra zuckte die Achseln.

»Aber Großtante ...« begann Hind.

Die alte Frau gebot ihr mit einer Handbewegung Schweigen. »Hör mir gut zu, Hind bin Subayda. Ich habe es nie wissen wollen. Die Einzelheiten waren nicht von Belang. Asma, die ich liebte wie eine Schwester, konnte nicht wieder zum Leben erweckt werden, ebensowenig wie Ibn Saiduns Mutter. Vielleicht ist alles so gewesen, wie man es sich erzählt, aber die genauen Umstände waren nur drei Personen bekannt. Zwei von ihnen sind tot, und ich glaube nicht, daß irgend jemand Meekal jemals gefragt hat. Als er konvertierte, hat er die ganze Wahrheit vielleicht in den Beichtstuhl getragen, in welchem Falle eine weitere Person ins Vertrauen gezogen worden wäre. Was würde das jetzt noch ändern?

Wenn du älter wirst, werden dir ohne Zweifel ähnliche Tragödien zu Ohren kommen, die andere Familien heimgesucht haben. Erinnerst du dich an den Vetter deiner Mutter aus Ischbiliya?«

Hind stellte sich ahnungslos.

»Du mußt dich erinnern! Der fromme Vetter aus Ischbiliya, der so erschüttert war über deine Kenntnis der *hadith?*«

»Der?« sagte Hind und feixte. »Ibn Hanif. Kulthums zukünftiger Schwiegervater! Was ist mit ihm?«

»Sollten sie jemals die Geschichte von der armen Asma zur Sprache bringen, um unsere Kulthum zu demütigen, dann kannst du sie nach dem Namen von Ibn Hanifs richtigem Vater fragen. Er lautete gewiß nicht Hanif«

Alle Schalkhaftigkeit, die Hind im Leibe hatte, regte sich nun. Diese unerwartete Enthüllung vermochte sogar Ibn Daud für einige Minuten aus ihren Gedanken zu verbannen.

»Erzähle es mir, bitte Tante! Bitte!«

»Das will ich gerne tun, aber du darfst es Kulthum nie weitersagen, es sei denn, du glaubst, daß ihr die Aufklärung etwas nützt. Versprichst du das?«

Hind nickte eilfertig.

»Ibn Hanifs Vater war auch der Vater seiner Mutter. In jener Familie befand es niemand für nötig, sich das Leben zu nehmen. Ich glaube nicht, daß Ibn Hanif sich der Tatsache überhaupt bewußt ist. Wie könnte er? Seine Mutter und sein Vater nahmen das Geheimnis mit ins Grab. Aber die alten Bediensteten im Hause waren im Bilde. Dienstboten wissen alles. Auf diesem Wege ist die Geschichte in dieses Haus gelangt.«

Hind war über die Mitteilung erschüttert. In Asmas Fall hatte der Tod wenigstens reinen Tisch gemacht, aber in Ischbillya ...

»Ich bin müde, Kind, und du mußt schlafen gehen«, sagte Sahra und bedeutete ihr, sie möge sich entfernen.

Hind, die erkannte, daß es zwecklos war, die Angelegenheit weiter zu verfolgen, stand vom Bett auf, beugte sich hinunter und küßte Sahra auf die welken Wangen.

»Friede sei mit dir, Großtante. Ich hoffe, du wirst gut schlafen.«

Als das Mädchen hinausgegangen war, stürmten die Erinnerungen an ihre eigene Jugend auf Sahra ein. Es verging jetzt kaum ein Tag, ohne daß ihr nicht eine Episode aus der Vergangenheit überdeutlich in den Sinn gekommen wäre. In der unheimlichen Stille des *maristan* von Gharnata hatte sich ihr Denken auf die drei oder vier guten Jahre in ihrem Leben gerichtet – diese hatte sie wiederbelebt und sogar zu Papier gebracht. Doch drei Tage vor ihrer Rückkehr ins Dorf der Banụ Hudayl hatte sie alles kurzerhand verbrannt. Sie hatte es in dem Glauben getan, daß ihr Leben für niemanden außer für sie selbst von großem Interesse sei und sie bald sterben würde. Es kam ihr nicht in den Sinn, daß sie durch die Auslöschung der mumifizierten Erinnerungen ihrer eigenen Geschichte auch die einmalige Chronik einer ganzen Lebensart vernichtete.

Sie war wirklich froh gewesen, in ihr altes Zuhause zurückzukehren und es von Umar und seiner Familie bewohnt zu finden. Sie hatte ihre Gefühlsregungen jahrzehntelang beherrscht, hatte sich aus freien Stücken der Verbindung zur gesamten Familie beraubt, und so war sie nun überwältigt von dem Übermaß an Zuneigung, das ihr zuteil wurde. Nur wenn sie allein war, kamen ihr die wunden Punkte ihres Lebens quälend zu Bewußtsein.

Zum Beispiel die Begegnung mit Ibn Saidun heute beim Nachtmahl. Unwillkürlich hatte ihr Herz geflattert wie ein gefangener Vogel, genau wie einst vor vielen Jahren, als sie ihn zum erstenmal erblickte. Als die Familie sie taktvoll mit ihm allein ließ und die beiden ihren Pfefferminztee tranken, sah sie sich außerstande, mit ihm zu sprechen. Auch als er ihr mit eben jener Stimme, welche zu hören sie nie aufgehört und welche sich nicht verändert hatte, erklärte, er hätte ihr seit ihrer gewaltsamen Trennung jede Woche einen langen Brief geschrieben, war sie seltsam unbewegt geblieben. War dies der Mann, für den sie ihr ganzes Leben zerstört hatte?

Er hatte gespürt, wie das Gefühl in ihr erstarb, und war auf die Knie gesunken, um ihr zu offenbaren, daß er nie aufgehört hätte, sie zu lieben, daß er nie mehr eine andere Frau angesehen, daß er an jedem Tag eine Stunde der Qual erlitten hätte. Sahra blieb ungerührt. Sie erkannte, daß ihre Verbitterung, ihr Zorn über seine Feigheit, als er sich vor vielen Jahren mit seiner Rolle als Sohn einer Haussklavin abgefunden und sie, Sahra, ihrem Stande preisgegeben hatte, daß all diese Gefühle nie vergangen waren. Auch wenn dieser Groll während der Zeit ihres Arrestes bisweilen von angenehmeren Bildern aus den Tagen ihres ungestümen, heimlichen Werbens verdrängt worden war, hatte er sich doch beständig verändert, so daß sie jetzt nichts mehr für den Mann empfand. Diese Erkenntnis erleichterte sie. Nach so vielen Jahren der Versklavung durch das Gift der Liebe war sie nun wieder frei. »Und wenn wir uns schon vor zwanzig Jahren wiederbegegnet wären?« dachte sie bei sich. »Hätte ich mich dann auch so leicht von ihm lösen können?«

Ibn Saidun wußte, daß ihre trügerische Beziehung zu Ende war. Als er ihr alles Gute wünschte und Abschied nahm, sah er die Kälte in ihren Augen, und er fühlte sich leer und elend. »In diesem verfluchten Hause«, dachte er, »bin ich abermals nichts als der Sohn meiner Mutter, die hier schuftete und an ihrem Leid zugrunde ging.« Es war das erstemal, daß ihn diese Empfindung in Sahras Beisein überkam.

Sahra löste die Spangen, die ihr schneeweißes Haar zusammenfaßten. Es entrollte sich wie eine Riesenschlange und hing ihr bis auf den halben Rücken hinab. Sie hatte sich heute abend wirklich Mühe mit ihrer Kleidung gegeben, und das Ergebnis hatte alle verblüfft. Sie kicherte bei der Erinnerung daran und löste die Diamantbrosche, die ihren Schal zusammenhielt. Der Diamant war ein Geschenk von Asma. Irgendein Narr hatte ihr gesagt, dicht an der Haut getragen, würde er jeden Wahnsinn kurieren.

Die liebreizende, unglückliche Asma! Sahra erinnerte sich des Tages, da die Reisegesellschaft ihres Vaters aus Qurtuba zurückgekehrt war. Sie und Abdallah wußten nicht, was sie erwartete, als sie im Außenhof am Hauseingang standen, die Hände der Schwester ihrer Mutter fest umklammernd, wie um ihr beizustehen. Daß Ibn Farid sich eine christliche Konkubine genommen hatte, mußte Maryam, die Ersatzgemahlin, zutiefst verletzen. Ihr erster Eindruck von Asma war verblüfftes Staunen gewesen. Sie sah so jung und unschuldig aus. Sie war von mittlerer Statur, aber wohlgebaut und großzügig proportioniert. Einen gewissen Kontrast zu ihrem üppigen Körper bildete das tugendsame Gesicht. Ihr pfirsichfarbener Teint war rein wie Milch, und ihr Mund sah aus wie mit dem Saft von Granatäpfeln gemalt. Sie hatte volles rabenschwarzes Haar, darunter ein Paar scheue, beinahe verängstigte Augen. Alle konnten sehen, wieso Ibn Farid von ihr betört worden war.

»Wie konnte es sein, daß du meinen Vater liebtest?« hatte Sahra sie einige Jahre später gefragt, nachdem sie inzwischen gute Freundinnen geworden waren. Die alte Frau mußte lächeln, als sie sich an das schallende Gelächter erinnerte, das dieser Frage begegnete. »Möchtest du wissen, wie es war?« fragte Asma, nachdem sie sich wieder gefaßt hatte. »Ja! ja!« rief Sahra in Erwartung einer phantastischen erotischen Schilderung. »Es war seine Art zu furzen. Es erinnerte mich an die Küche, wo meine Mutter arbeitete. Ich hatte das Gefühl, wieder daheim zu sein, und das war der Grund, weshalb ich ihn liebte.« Sahras Verblüffung war ungläubigem Lachen gewichen. Ohne sich dessen bewußt zu sein, hatte Asma der riesenhaften, schwerfälligen Gestalt Ibn Farids einen menschlichen Zug verliehen.

Sahra zog die mit Schafswolle gefüllte und mit ihrer Lieblingsseide bezogene Steppdecke über sich. Der Schlaf wollte sich nicht einstellen. Es war, als hätte die endgültige Verbannung Ibn Saiduns aus ihrer Erinnerung Raum für alle anderen Menschen geschaffen. Nun erschien ihr Vater vor ihr. Nicht in Gestalt des hochmütigen Gebieters von despotischem Charakter, der ihr unter Androhung von Strafe befahl, sich seinem Willen zu beugen und von ihrem Liebsten zu lassen, sondern als freundlicher, zu Späßen aufgelegter Riese, der sie lehrte, ein Pferd so zu reiten, daß sie mit Abdallah um die Wette rennen konnte. Wie geduldig war er gewesen, und wie hatte sie ihn verehrt. In derselben Woche hatte er sie gelehrt, auf eine Scheibe zu schießen. Ihre Schultern hatten sie danach tagelang geschmerzt, was ihn zum Lachen brachte. Dann war Miguel zur Welt gekommen, und Ibn Farid, glücklich über dieses Kind der Liebe, hatte Abdallah und Sahra sich selbst überlassen. Wer weiß, dachte sie, hätte er uns nicht ganz und gar vernachlässigt, wäre ich vielleicht nicht so sehr von Ibn Saldun gebannt und Abdallah vielleicht nicht so von Rennpferden besessen gewesen.

Plötzlich sieht sie im Geiste eine junge Frau. Sahra kann sich überhaupt nicht an sie erinnern, aber sie ist ihr sehr vertraut. Sie hat Abdallahs Stirn und ihre eigenen Augen. Es muß ihre Mutter sein. Sahra schreit den Tod an: »Ich habe lange auf dich gewartet. Du wirst bald kommen. Warum nicht jetzt gleich? Ich kann die Qual des Wartens nicht mehr ertragen.«

»Tante Sahra! Tante Sahra!«

Sie schlug die Augen auf und sah Subaydas besorgtes Gesicht.

»Kann ich etwas für dich tun?«

Sahra lächelte matt und schüttelte den Kopf. Dann fiel ihr etwas ein, und sie nahm ihre Diamantbrosche und reichte sie Subayda.

»Ich sterbe. Dies ist für deine Tochter Hind. Vergewissere dich, daß der Jüngling aus al-Qahira sie liebt. Dann laß sie sich vermählen. Sage Umar, es war der letzte Wunsch seiner sterbenden Tante.«

»Soll ich Onkel Miguel holen?« fragte Subayda, während sie sich die Tränen aus dem Gesicht wischte.

»Laß ihn in Frieden schlafen. Er würde nur versuchen, mir die Sterbesakramente zu spenden, und ich bestehe darauf, als Muselmanin zu sterben. Sag Amira, sie soll mich ordentlich waschen, so wie sie es in alter Zeit zu tun pflegte.«

Subayda massierte der alten Frau Beine und Füße.

»Du stirbst nicht, Tante Sahra. Deine Füße sind so warm wie glühende Kohlen. Hat man je gehört, daß jemand mit warmen Füßen starb?«

»Was bist du doch für ein Kind, Subayda«, erwiderte ihre Tante mit schwacher Stimme. »Hast du nie von den armen Unschuldigen gehört, die auf dem Scheiterhaufen verbrannt werden?«

Der Schrecken in Subaydas Antlitz brachte Sahra zum Lachen. Die Heiterkeit war ansteckend, und Subayda stimmte ein. Unvermittelt brach das Lachen ab, und das Leben entwich. Subayda drückte die alte Frau an ihre Brust.

»Noch nicht, Tante Sahra. Verlaß uns noch nicht.«

Sie erhielt keine Antwort.

9. KAPITEL

Am folgenden Tag wurde Sahra zu Grabe getragen. Ama hatte ihren Leichnam lange vor Sonnenaufgang sorgsam und liebevoll gewaschen. Als die frühmorgendliche Brise die ersten Sonnenstrahlen grüßte, war das Werk vollbracht.

»Warum wolltest du, daß *ich* es tue, Sahra? Meine letzte Bestrafung? Oder war es eine Geste der Versöhnung? Wenn du nicht gewesen wärst, Herrin, hätte ich den Mann auf dem Berg geheiratet, der jetzt den Mund so voll nimmt und sich al-Sindiq nennt. Ich hätte ihm drei Kinder geboren. Vielleicht vier! Ihn glücklich gemacht. Ich rede wie eine alte Närrin. Vergib mir. Ich denke, es war wohl Gottes Wille, daß wir getrennt voneinander lebten. So! Nun bist du bereit für die letzte Reise. Ich bin so froh, daß du hierher zurückgekehrt bist. In Gharnata hätten sie dich in eine Holzkiste gelegt und ein Kreuz auf dein Grab gesteckt. Was hätte Ibn Farid gesagt, wenn du ihm im ersten Himmel begegnet wärst? Hm?«

In ein schneeweißes Leichentuch gehüllt lag Sahras Körper auf der Bettstatt, zum Begräbnis bereit. Die Kunde von ihrem Ableben hatte das Dorf ereilt, und die Weber und Bauern, die in ihr eine Aristokratin sahen, welche bereit gewesen war, sich aus Liebe mit einem der Ihren zu vermählen, hatten sie so verehrt, daß sie vor Beginn ihres Tagewerks zum Herrenhaus geeilt waren, um ihr die letzte Ehre zu erweisen und mitzuhelfen, den Leichnam der alten Frau zur letzten Ruhe zu betten.

Langsam hoben vier Händepaare die Bettstatt empor und setzten sie sacht auf vier kräftige Schultern. Umar und Suhayr hoben das Kopfende, Ibn Daud und der Sohn des Zwerges, ein stämmiger Bursche von zwanzig Jahren, das hintere Ende in die Höhe. In der Mitte stellten sich al-Sindiq und Miguel auf. Sie waren zu alt, um die Last auf ihre Schultern zu nehmen, doch standen sie der Toten zu nahe, als daß sie sie ausschließlich einer jüngeren Generation überlassen hätten. Yasid folgte dicht hinter seinem Vater. Er hatte die alte Frau gern gehabt, aber da er sie kaum kannte, konnte er nicht so um sie trauern wie Hind.

Die Frauen hatten Sahra zuvor beweint. Am frühen Morgen hatte Ama mit ihrem Wehklagen, das sie zu Sahras Lobpreisung anstimmte, das ganze Haus geweckt. Tränen der Trauer waren Hinds Augen entströmt, als sie in Subaydas Schoß Trost suchte. Alle hatten über Sahras menschliche Eigenschaften gesprochen. Wie sie als Kind gewesen war, als junge Frau, und dann waren sie verstummt. Niemand wollte sich darüber auslassen, was ihr in Qurtuba widerfahren war, oder erwähnen, daß sie den Großteil ihres Lebens im *maristan* von Gharnata verbracht hatte.

Der Trauerzug bewegte sich mit Bedacht sehr langsam voran. Der Familienfriedhof lag unmittelbar vor der hohen Steinmauer, welche das Haus umfriedete. Sahra wurde bei ihren Angehörigen bestattet. Für sie war ein Platz neben ihrer Mutter Najma vorgesehen, die vor neunundsechzig Jahren wenige Tage nach Sahras Geburt gestorben war. Sie lag unter einer Palme begraben. Zu ihrer anderen Seite ruhte Ibn Farid, der Vater, den sie so geliebt und gehaßt hatte. Die *hadith* bestimmten, daß die Anhänger des Propheten auf schlichte Weise beerdigt werden sollten, und in strengem Einklang mit dieser Tradition war keines der Gräber gekennzeichnet. Die Banu Hudayl berief sich darauf, von einem Gefährten des Propheten abzustammen, und ungeachtet, ob dies nun der Wahrheit entsprach oder reine Erfindung war, hatten doch selbst die unfrommsten Mitglieder der Sippe an dem Brauch festgehalten. Ein schlichter Lehmhügel auf ihren Gräbern, das war alles. Die kleinen, von Hand geformten Grabhügel waren mit gepflegtem Rasen bepflanzt und mit leuchtenden Wildblumen geschmückt.

Sahra wurde von der Bettstatt gehoben und in das frische Grab gelegt. Miguel, der sich jetzt ganz als Meekal empfand, warf eine Handvoll Lehm auf den Leichnam seiner Schwester und legte die hohlen Hände aneinander, um Allah Gebete darzubringen. Alle folgten seinem Beispiel. Dann umarmten die Trauernden nacheinander Umar bin Abdallah und entfernten sich. Erst als Miguel Juan den Tischler sich bekreuzigen sah, erinnerte er sich seiner eigenen kirchlichen Zugehörigkeit. Pflichtgetreu fiel er auf die Knie und betete.

Der Bischof von Qurtuba mußte mehrere Minuten in dieser Positur verharrt haben, denn als er die Augen öffnete, sah er sich allein an dem frisch errichteten Grabhügel. In diesem Moment verließ ihn die Kraft seiner Selbstbeherrschung. Er brach zusammen und weinte. Ein lang unterdrückter Schmerz wallte in ihm auf. Zwei kleine Sturzbäche strömten seine Wangen hinab und versickerten in seinem Bart. Miguel wußte sehr wohl, daß jeder, der geboren wird, sterben muß. Sahra hatte ihr neunundsechzigstes Lebensjahr vollendet. Alle Klagen an den Allmächtigen waren unangebracht.

Doch daß seine Schwester so plötzlich verschieden war, das hatte ihn erschüttert. Es war genau wie einst vor vielen Jahren, als sie das Haus verlassen hatte, ohne ihm Lebewohl zu sagen. Es wäre ihm ein großes Bedürfnis gewesen, ihr zu erzählen, was ihm alles nach jenem schicksalhaften Tag der Schande widerfahren war; er hätte ihr so gerne den Ausbruch von Leidenschaften beschrieben, die ihn, dem uralten Tabu zum Trotz, in einen unbekannten Raum geschleudert hatten, und die entsetzlichen Nachwirkungen; zum erstenmal hatte er über Asmas Tod sprechen wollen, über einen Tod, der ihn eines Menschen beraubt hatte, welchem er die Schuld an seinen eigenen inneren Qualen und seinem Unglück gab; über die Schuldgefühle, die er ständig mit sich herumtrug; über den Zerfall der alten Welt und die Entstehung einer neuen. Die letzten drei Tage hatte er an nichts anderes gedacht. Miguel erkannte nun, daß er ohne ein letztes Gespräch mit dem einzigen Mitglied der Familie, das derselben entschwundenen Welt angehört hatte, sterben würde. Es war ein unerträglicher Gedanke.

»Das alles geschah, nachdem du uns in Schande verließest, Sahra«, stöhnte Miguel leise. »Wärst du geblieben, vielleicht wäre alles anders gekommen. Du nahmst die Wahrheit und die Großmut mit dir. Wir blieben mit Furcht, Kummer und Bosheit zurück. Dein Fortgang hat uns alle verunstaltet. Ich glaube, unser Vater ist wahrhaftig aus Gram gestorben. Er vermißte dich mehr, als er zugestehen wollte. Fast ein halbes

Jahrhundert ist nun vergangen, und ich bin nicht imstande gewesen, mit einem einzigen Menschen über all dies zu sprechen. Ich war bereit, dir mein wundes Herz auszuschütten. An dem Tage, da ich sprechen wollte, bist du, meine Schwester, dahingegangen. Friede sei mit dir.«

Als er sich erhob und noch einmal auf den Flecken Erde blickte, der seine tote Schwester bedeckte, drang eine bekannte Stimme in seine Einsamkeit, und er erschrak.

»Ich habe mit ihr gesprochen, Euer Exzellenz!«

»Ibn Saidun!«

»Ich habe auf der anderen Seite des Grabes geweint. Ihr habt mich nicht gesehen.«

Die beiden Männer umarmten sich, Al-Sindiq erzählte Miguel, wie er endgültig von Sahra abgewiesen worden war; wie der Stolz der Hudayl-Sippe die reuige Tochter am Ende heimgeholt hatte; wie der wahre Kern meisterhaft getarnt gewesen war; wie sie in den Wochen vor ihrem Tode bei der Erinnerung an ihrer beider Liebe gelitten hatte; wie sie zu der Einsicht gelangt war, daß sie sich die schlimmsten Verletzungen selbst zugefügt hatte, und wie sie den Bruch mit Ibn Farid und ihrer Familie, für den sie allein die Verantwortung auf sich nahm, bereut hatte.

»Ich habe immer gewußt«, bemerkte Miguel, »daß unser Vater das Wichtigste in ihrem Leben war.«

Das Glück, das Miguel empfand, als er diese Neuigkeit vernahm, war ebenso groß wie die Traurigkeit, die sie bei al-Sindiq ausgelöst hatte. Einen Augenblick standen sie sich reglos gegenüber, der Bischof und der Skeptiker. Einst hatten sie derselben untergegangenen Kultur angehört, doch das Universum, das ein jeder bewohnte, war von einem unsichtbaren Meer geteilt worden. Die Frau, die versucht hatte, die Kluft zwischen ihren beiden Welten zu überbrücken, und dafür bestraft worden war, lag wenige Fuß von ihnen entfernt begraben.

Daß sie in ihren letzten Tagen auf Erden mit dem Herzen zu ihrer Familie zurückgekehrt war, tröstete ihren Bruder. Für al-Sindiq, den traurigen, verbitterten al-Sindiq, war es nur ein weiteres Beispiel für die tiefgreifenden Spaltungen in al-Andalus, welche die Kinder des Propheten auseinandergerissen hatten. Sie hatten es versäumt, ihren frühen Errungenschaften ein dauerhaftes Denkmal zu setzen.

»Alles, was uns bleibt«, flüsterte al-Sindiq vor sich hin, »ist Aussicht auf die Inquisition. Sie wird uns mit Haut und Haaren verschlingen!«

Miguel hörte es, aber er schwieg.

Während die zwei Männer ins Haus zurückkehrten, der eine, um sich zu seiner Familie zu gesellen, der andere, um in der Küche ein Morgenmahl einzunehmen, war Suhayr auf dem Weg nach Gharnata. Er ritt in gestrecktem Galopp, doch seine Gedanken weilten bei denen, die er zurückließ. Der Abschied von seinem kleinen Bruder hatte ihn am stärksten bewegt. Wie von einem geheimnisvollen Instinkt geleitet, hatte Yasid gespürt, daß er seinen Bruder nie wiedersehen würde. Er hatte Suhayr fest umarmt und ihn weinend angefleht, nicht nach Gharnata in den sicheren Tod zu gehen. Das ganze Haus hatte diese Szene miterlebt, und allen waren die Tränen in die Augen getreten, auch dem Zwerg, was Yasid in Erstaunen versetzt und ihn von der Ursache seines Kummers abgelenkt hatte.

»Ich werde mich immer an diese rote Erde erinnern«, dachte Suhayr, als er das Dorf hinter sich ließ, und streichelte Chalids Mähne. Als er die Kuppe eines Hügels erreichte, hielt er das Pferd an, wandte sich um und blickte auf al-Hudayl zurück. Die weißgetünchten Häuser glitzerten im Licht, und dahinter waren die dicken Steinmauern des Hauses, wo er geboren war.

»Ich werde mich eurer immer erinnern: in der Wintersonne, im Frühjahr, wenn der Duft der Blüten unseren Lebenssaft an die Oberfläche steigen läßt, und in der Hitze des Sommers, wenn der sachte Laut eines einzelnen Wassertropfens das Gemüt besänftigt und die Sinne kühlt, wenn dann einige Regentropfen fallen, daß der Staub sich legt, und der Duft von Jasmin sich verbreitet.

Ich werde mich an den Geschmack des Wassers aus den Bergquellen erinnern, die unser Heim durchfließen, an das satte Gelb der Blüten, welche den Stechginster krönen, an die berauschende Bergluft, die durch die Pinien streicht, und an die majestätischen Palmen, wenn sie im himmlischen Wind tanzen, an den würzigen Duft von Thymian, den Geruch der Holzfeuer im Winter. Und daran, wie der blaue Himmel an einem klaren Sommertag sich plötzlich verfinstert und der kleine Yasid ein Stück Glas umklammert, welches unserem Urgroßvater gehörte, und geduldig auf der Terrasse vor dem alten Turm darauf wartet, daß die Sterne wieder sichtbar werden. Dort steht er und betrachtet das Universum, bis unsere Mutter oder Ama ihn hinunterholt und ins Bett bringt.«

»All dies«, sagte Suhayr bei sich, »wird stets der heißgeliebte Mittelpunkt meines Lebens bleiben.«

Er zog die Zügel an, kehrte al-Hudayl den Rücken und drückte seine Hacken sanft gegen den Bauch des Pferdes, worauf das Tier im Galopp der Straße zustrebte, welche zu den Toren von Gharnata führte.

Suhayr war mit tausenderlei Geschichten von Ritterlichkeit und Rittertum groß geworden. Das Beispiel Ibn Farids, dessen Schwert er bei sich trug, wog schwer auf seinen jungen Schultern. Er wußte, jene Tage waren vorüber, doch die romantische Vorstellung von einer letzten Schlacht, einem Ritt ins Unbekannte, der Traum, den Feind zu überraschen und vielleicht sogar einen Sieg zu erringen, war tief in seiner Seele verankert. Und dies hatte ihn auch zu seinem impulsiven Tun verleitet.

Aber, und das erklärte er sich und seinen Freunden immer wieder, seine Taten waren nicht ausschließlich von Phantasien über die Vergangenheit oder von Visionen einer glorreichen Zukunft beflügelt. Suhayr war vielleicht nicht das scharfsinnigste von Umars und Subaydas Kindern, zweifellos aber das empfindsamste.

Als er halb so alt war wie Yasid heute, hatte die Nachricht von der Zerstörung und Eroberung von al-Hama durch die Christen das Dorf erreicht. Al-Hama, die Stadt der Bäder, wohin er alle sechs Monate mitgenommen wurde, um seine Vettern und Cousinen zu besuchen. Für sie gehörten die Bäder und die heißen Quellen zum alltäglichen Leben. Für Suhayr war ein Besuch der berühmten Quellen, wo der Sultan von Gharnata höchstselbst zu baden pflegte, ein ganz besonderer Genuß. Sie waren alle tot. Männer, Frauen und Kinder, alle waren niedergemetzelt worden, und ihre Leichen hatte man vor den Stadttoren den Hunden zum Fraß vorgeworfen.

Die Kastilen waren in Blut gewatet, und wenn man ihren Chronisten Glauben schenken durfte, hatten sie sich an dem Erlebnis geweidet. Das ganze Königreich Gharnata, darunter zahlreiche christliche Mönche, war über das Ausmaß des Massakers entsetzt gewesen. Man konnte lautes Wehklagen im Dorfe vernehmen, als die Bürger in die Moschee eilten, um für die Toten zu beten und Rache zu schwören. Suhayr konnte an jenem Tag an nichts anderes denken als an die Vettern und Cousinen, mit denen er so oft gespielt hatte. Der Gedanke, daß zwei Knaben seines Alters und ihre drei älteren Schwestern ohne Erbarmen getötet worden waren, hatte ihn mit Schmerz und Haß erfüllt. Er dachte an das betrübte Gesicht seines Vaters, als er die Nachricht verkündete: »Sie haben unser schönes al-Hama zerstört. Jetzt halten Ferdinand und Isabella den Schlüssel Gharnatas in Händen. Nicht lange, und sie werden auch unsere Stadt einnehmen.«

Suhayr war in die tiefsten Winkel seiner Erinnerung vorgedrungen und hörte nun die alten Stimmen. Ibn Hasd beschrieb die Reaktion in Gharnata, als die Nachricht von dem Blutbad in al-Hama den Palast erreichte. Suhayr stellte sich den alten Sultan Abul Hassan vor. Er hatte ihn nur einmal gesehen, als er zwei oder drei Jahre alt gewesen war, aber er hatte das wettergegerbte, zernarbte Gesicht und den schmucken weißen Bart nie vergessen können. Mit seiner mutigen, aberwitzigen Attacke und der Eroberung der Grenzstadt Sahara hatte dieser alte Mann die Christen zum Gegenangriff auf al-Hama herausgefordert. Er war mit seinen Soldaten zur Rettung der Stadt geeilt, aber es war zu spät gewesen. Die christlichen Ritter hatten ihn zum Rückzug gezwungen. Der Sultan hatte in ganz Gharnata Ausrufer ausgeschickt, eskortiert von Trommlern und Tamburinschlägern, deren laute, düstere Musik den Bürgern verkündete, daß eine Verlautbarung aus dem Palast auf dem Weg zu ihnen sei. Die Leute hatten sich auf den Straßen versammelt, aber der Ausrufer hatte nur einen einzigen Satz von sich gegeben:

»*Ay de mi al-Hama.* Wehe mir, Alhama.«

Bei der Erinnerung an diese Greueltaten wurde es Suhayr

heiß, und er stimmte eine volkstümliche Ballade an, die aus Anlaß des Blutbades verfaßt worden war:

»Der Maurensultan ritt einmal
Durch die Stadt Gharnata,
Von dem Bab al-Ilbira
Zu dem Bab al-Ramla.
Depeschen wurden ihm gebracht:
Al-Hama war gefallen
Ay de mi al-Hama!

Er warf die Briefe in das Feuer,
Und tötete den Boten;
Er fuhr sich mit der Hand durchs Haar
Und raufte sich vor Zorn den Bart.
Er stieg von seinem Maultier
Und ritt auf einem Pferd;
Hinauf zum Zacatin
Und weiter zur al-Hamra.
Er befahl der Trompeten lauten Schall
Und den seiner Silberhörner,
Auf daß die Mauren es vernahmen,
Als sie die Felder pflügten.
Ay de mi al-Hama!

Vier mal vier, fünf mal fünf,
Lief eine große Schar zusammen.
Ein alter Weiser sprach also
Durch seinen dicken grauen Bart:
›Was rufest du uns, Sultan?
Was künden die Trompeten?‹
›Daß ihr, meine Freunde, hört
Vom großen Verlust al-Hamas.
Ay de mi al-Hama!‹

›Geschieht dir recht, guter Sultan,
Guter König, hast es wohlverdient;
Du tötetest die Prinzen,
Die Zierde von Gharnata;
Du nahmst die Abtrünnigen

Von Qurtuba, die berühmten.
Und drum, König, verdienst du
Eine schwere Strafe,
Deinen und deines Reiches Untergang
Und bald das Ende unseres Gharnata.
Ay de mi al-Hama!‹«

Die Ballade erinnerte ihn an seine toten Vettern und Cousinen. Ihr Lachen klang ihm in den Ohren, doch die frohen Erinnerungen hielten nicht lange an. Er sah sie nun als zerstückelte Leichname, und ihn fröstelte. Wut, hochfahrender Stolz und Verbitterung überkamen ihn abwechselnd, während er sein Roß zu immer schnellerem Tempo anspornte. Unversehens zog er Ibn Farids Schwert aus der Scheide. Er hielt es über seinen Kopf und stellte sich vor, er reite an der Spitze der maurischen Kavallerie zur Befreiung al-Hamas.

»Es gibt nur einen Gott, und Mohammed ist sein Prophet!« rief Suhayr aus vollem Halse. Zu seinem Erstaunen antwortete ihm ein Echo – ein vielstimmiges Echo. Er zügelte sein Pferd. Tier und Reiter verharrten reglos. Das Schwert wurde sacht in die Scheide geschoben. Suhayr vernahm Hufgetrappel, dann sah er die Staubwolke. Wer konnten sie sein? Einen Augenblick dachte er, es wären christliche Ritter, die auf seinen Ruf geantwortet hätten, um ihn in eine Falle zu locken. Er wußte, daß kein anderes Pferd im Königreich es mit seinem Streitroß an Schnelligkeit aufnehmen konnte, aber Fliehen wäre feige und verstieße gegen die Gesetze der Ritterlichkeit. Er wartete, bis sich die Reiter der Straße näherten, dann ritt er ihnen entgegen. Zu seiner großen Erleichterung trugen alle vierzehn Männer Turbane, und einen jeden zierte der bekannte Halbmond. Die Gewandung der Männer war etwas ungewöhnlich, doch ehe Suhayr ergründen konnte, was daran fremdartig war, richtete der Fremde, welcher dem Alter nach der Anführer der kleinen Gruppe zu sein schien, das Wort an ihn.

»Friede sei mit dir, Bruder! Wer bist du, und wohin des Weges?«

»Ich bin Suhayr bin Umar. Ich komme aus dem Dorf al-Hudayl und bin auf dem Weg nach Gharnata. Wa Allah! Ihr seid alle Anhänger des Propheten. Ich war zunächst erschrocken, als ich die Staubwolke sah. Aber bitte sagt, wer seid ihr, und wohin geht eure Reise?«

»So!« erwiderte der Fremde. »Du bist der Urenkel von Ibn Farid. Al-Sindiq hat uns viel von dir erzählt, Suhayr al-Fahl!«

Hierauf brüllte der Fremde vor Lachen, und seine Gesellen stimmten ein. Suhayr lächelte höflich und betrachtete sie alle der Reihe nach. Jetzt erkannte er, was ihn anfangs ungewöhnlich gedünkt hatte. Am linken Ohr eines jeden Mannes hing ein silberner Ohrring in Gestalt eines Halbmondes. Suhayr blieb fast das Herz stehen, aber er gab sich alle Mühe, seine Angst zu verbergen. Die Männer waren Banditen, und wenn sie merkten, daß er Goldmünzen in seinem Beutel trug, würden sie ihn von der Last befreien, vielleicht ihm auch das Leben nehmen. Lieber würde er im Kampf gegen die Christen sterben. Er wiederholte seine Frage.

»Du sagst, du kennst meinen Lehrer al-Sindiq. Das stimmt mich froh, doch weiß ich noch immer nicht, wer ihr seid und was ihr treibt.«

»Wir reiten durchs ganze Land, sind bald hier, bald da«, lautete die Antwort. »Wir haben unseren Stolz abgeworfen, uns drücken keine Sorgen und Plagen. Wir können die Stromschnelle hemmen, ein schwieriges Streitroß zähmen. Wir können eine Flasche Wein leeren, ohne Atem zu holen, ein Lamm verzehren, während es noch auf dem Spieße brät, einen Priester am Bart ziehen und singen nach Herzenslust. Wir leben ohne den Zwang, unseren guten Ruf bewahren und beschützen zu müssen, denn wir haben keinen. Wir tragen alle gemeinsam denselben Namen. Den Namen von al-Ma'ari, dem blinden Poeten, der vor gut vierhundert Jahren zwischen Aleppo und Dimaschk gelebt hat. Komm, teile unser Brot und unseren Wein mit uns, und du wirst noch mehr erfahren. Komm jetzt, Suhayr al-Fahl. Wir werden dich nicht lange aufhalten.«

Suhayr war bestürzt über diese eigenartige Erwiderung, doch sie beruhigte ihn auch. Diese Männer waren zu außergewöhnlich, um kaltblütige Mörder zu sein. Er nahm das Angebot mit einem Kopfnicken an, und als sie ihre Pferde wendeten, ritt er an ihrer Seite. Nach wenigen Meilen gelangten sie zu einigen Gesteinsblöcken. Diese wurden vorsichtig entfernt, sie bogen vom Weg ab und passierten den verborgenen Eingang. Nach drei Minuten befand Suhayr sich in einem bewehrten Lager. Es war ein Dorf aus Zelten, strategisch nahe bei einem Flüßchen errichtet. Ein Dutzend Frauen und halb so viele Kinder saßen vor einem Zelt. Die Frauen mahlten Korn. Die Kinder spielten ein kompliziertes Spiel mit Steinen.

Der Hauptmann der Bande, der sich jetzt förmlich als Abu Seid al-Ma'ari vorstellte, lud Suhayr in sein Zelt ein. Das Innere war karg, abgesehen von einem Teppich, auf dem einige zerlumpte Kissen lagen. Als sie Platz genommen hatten, erschien eine junge Frau mit einer Flasche Wein, zwei winzigen Laiben braunen Brotes sowie etlichen Gurken, Rettichen und Zwiebeln. Sie stellte alles vor die beiden Männer hin und eilte hinaus, um sogleich mit einer Schale voll Olivenöl zurückzukehren. Und nun machte Abu Said seinen Gast mit ihr bekannt.

»Meine Tochter Fatima.«

»Friede sei mit dir«, murmelte Suhayr, bezaubert von dem unbefangenen Auftreten der jungen Frau. »Möchtest du nicht das Brot mit uns brechen?«

»Ich leiste euch nachher mit den anderen Gesellschaft, wenn wir gegessen haben«, erwiderte Fatima mit einem raschen Blick auf Abu Seid. »Ich glaube, mein Vater wünscht allein mit dir zu sprechen.«

»Nun, mein junger Freund«, hob Abu Seid al-Ma'ari an, nachdem seine Tochter sie allein gelassen hatte, »es war nicht das Schicksal, das uns zusammenführte, sondern al-Sindiq. Wie du siehst, leben wir von dem, was wir den Reichen stehlen können. In Übereinstimmung mit den Lehren des großen al-Ma'ari machen wir keinen Unterschied zwischen Muselman, Christ oder Jude. Wohlstand ist nicht das Privileg einer einzigen Religion. Bitte fürchte dich nicht. Ich sah den Schrecken in deinen Augen, als du den silbernen Halbmond erblicktest, der unser linkes Ohr durchbohrt. Du hast dich wohl gefragt, ob dein Gold in Sicherheit ist?«

»Offen gestanden«, erwiderte Suhayr, indem er Brot in das Olivenöl tunkte, »fürchtete ich mehr um mein Leben.«

»Ja, natürlich«, fuhr Abu Said fort, »und du tatest recht

daran, so ängstlich zu sein, doch, wie ich vorhin sagte, es war der alte Mann in der Berghöhle, der mir erzählte, daß du dich auf ein wildes Wagnis in Gharnata eingelassen hast. Er bat mich zu versuchen, dich davon abzuhalten, dich zu überreden, entweder in das Heim deiner Väter zurückzukehren oder dich unserer kleinen Bande anzuschließen. Wir gedenken diese Gegend zu verlassen und in die al-Pudjarras zu ziehen, wo viele unseresgleichen sind. Dort wollen wir auf den richtigen Moment warten. Dann werden wir die Gelegenheit ergreifen und den Kampf aufnehmen.«

»In diesen Zeiten«, bekannte Suhayr, während er den gegorenen Dattelsaft trank, »ist es viel schwerer, neue Freunde zu gewinnen, als alte Feinde zu behalten. Ich werde es mir sorgfältig überlegen, bevor ich entscheide, ob ich deinen liebenswürdigen Vorschlag annehme.«

Der Anführer der Banditen kicherte und machte Anstalten, etwas zu erwidern, als seine Tochter, gefolgt von dreien ihrer fünf Brüder, eintrat und seinen Gedankengang unterbrach. In der Hand trug sie eine irdene Kanne voll Kaffee. Das Aroma des frisch gebrühten, mit Kardamom gewürzten Getränkes erfüllte das Zelt und erinnerte Suhayr an sein Heim, das er erst vor einer Stunde verlassen hatte. Die Neuankömmlinge setzten sich mit gekreuzten Beinen auf den Teppich, und Fatima schenkte den Kaffee ein.

»Ich denke nicht«, eröffnete Abu Said den Versammelten, »daß unser junger Freund sich uns anschließen wird. Er ist ein *caballero*, ein Ritter, der an die Gesetze der Ritterlichkeit glaubt. Habe ich nicht recht?«

Es machte Suhayr verlegen, daß man ihn so bald durchschaut hatte. »Wie kannst du so reden, Abu Said al-Ma'ari? Habe ich dir nicht soeben gesagt, daß ich nachdenken will, ehe ich mich entscheide?«

»Mein Vater versteht sich auf die Beurteilung von Menschen«, warf Fatima ein. »Sein Instinkt sagt ihm in Blitzesschnelle, ob einer Schach mit einer Extrafigur spielt. Sogar für mich ist es offensichtlich, daß du kein solcher Mann bist.«

»Sollte ich das?« fragte Suhayr wehmütig.

»Was gut ist für die Leber, ist oft schlecht für die Milz«, versetzte sie.

Ihr Bruder, der kaum älter als achtzehn Jahre sein konnte, empfand Fatimas Äußerungen als viel zu diplomatisch. »Mein Vater hat uns immer gelehrt, daß die Menschen wie Metall sind. Gold, Silber oder Kupfer.«

»Ja, das ist wahr«, rief Abu Seid mit dröhnender Stimme, »aber ein Ritter denkt wohl, und aus seiner Sicht gewiß zu Recht, er wäre das Gold, und ein Bandit das Kupfer. Da wir schon vom relativen Wert von Metallen sprechen, möchte ich mit unserem Gast aus al-Hudayl noch einen weiteren Punkt erörtern. Würde er uns beipflichten, daß nur Eisen Eisen schneidet?«

»Aber ja!« sagte Suhayr, froh, daß der Disput eine neue Wendung nahm. »Wie könnte es anders sein?«

»Wenn wir darin übereinstimmen, Suhayr al-Fahl, wie kannst du dich dann meinen Ansichten über den Kampf gegen die Besetzer von Gharnata verschließen? Unser Sultan war aus Stroh, Jimenez de Cisneros dagegen ist ein Mann aus Eisen! Die alte Form der Kriegsführung endete in jener Nacht, als die Christen al-Hama zerstörten. Wenn wir siegen wollen, müssen wir von ihnen lernen. Ich weiß, al-Sindiq denkt, es ist zu spät, aber er mag sich irren. Al-Andalus hätte schon längst gerettet werden können, hätten unsere erbärmlichen Herrscher nur die Lehren von Abu'l Ala al-Ma'ari begriffen. Das hätte ihnen Selbstsicherheit geben können, aber nein, sie zogen es vor, Boten zu den Nordafrikanern zu schicken und sie um Hilfe zu bitten.«

»Die Nordafrikaner haben uns mehr als einmal vor den Christen gerettet, nicht wahr?«

»Richtig. Doch nur, indem sie die Grundfesten dessen zerstörten, was wir erbaut hatten. Sie haben uns gerettet, wie der Löwe den Hirsch dem Tiger entreißt. Der Islam, von dem sie sprachen, war weder besser noch schlechter als das Christentum.

›Unsere Prediger straucheln, Christen gingen fehl,
Juden sind wirr, Magier sehen scheel.
Die Menschheit ward aus nur zwei Stämmen geboren,
Erleuchteten Rittern und frommen Toren.‹«

»Al-Ma'ari?« fragte Suhayr.

Alle nickten.

»Du hörst dich an wie al-Sindiq«, bemerkte Suhayr. »Du mußt mir meine Unwissenheit vergeben, aber ich habe seine Werke nicht gelesen.«

Abu Saids Entrüstung war echt. »Hat al-Sindiq dich nicht unterwiesen?«

»Das wohl, aber er hat mir nicht ein einziges Mal ein Buch von al-Ma'ari geliehen. Er hat lediglich seine Gedichte rezitiert, die sicher eine stärkere Anregung sind als dein Dattelwein! Bist du zufällig ein Abkömmling von ihm?«

»Bevor er starb«, erklärte Fatima, »hinterließ er die Anweisung, daß ein Vers auf sein Grab geschrieben werde:

Dies Unrecht hat mein Vater mir angetan
Doch tat ich es nie einem andern an.

Er war so unglücklich über den Zustand der Welt, daß er Fortpflanzung für unklug befand. Die Menschheit sei außerstande, sich selbst zu heilen. So beschlossen wir zu handeln, als seien wir seine Kinder, und allein nach seinen Lehren zu leben.«

Suhayr war verwirrt. Bis zu diesem Augenblick war er überzeugt gewesen, daß der von ihm eingeschlagene Weg der einzig ehrenwerte für einen muselmanischen Krieger sei, doch diesen seltsamen Banditen und dem Philosophen, der sie anführte, war es gelungen, ihm ein Saatkorn des Zweifels einzupflanzen. Er hörte Abu Said und seinen Gesellen nur halb zu, als sie von der Größe des freidenkerischen Poeten und Philosophen berichteten, den sie als ihrer aller Vater angenommen hatten.

Suhayr quälte sich, sein Verstand war in Aufruhr. Ihm war, als befinde er sich am Rande eines Abgrunds und sei in Gefahr, das Gleichgewicht zu verlieren. Er verspürte einen übermächtigen Drang, nach al-Hudayl zurückzukehren. Vielleicht war ihm der Dattelwein zu Kopf gestiegen. Vielleicht hätten ein paar Tassen Kaffee und danach ein paar Stunden im *hammam* in Gharnata alles wieder ins Lot gebracht. Wir werden es nie erfahren, denn in seiner geistigen

Verwirrung meinte Suhayr plötzlich zu hören, wie sie den al-koran verspotteten, und dies war etwas, das er niemals hinnehmen konnte. Das Blut stieg ihm in den Kopf Vielleicht hatte er die Worte mißverstanden. Er bat Abu Said zu wiederholen, was er gerade gesagt hatte.

»Frömmigkeit ist eine Maid, die vor Blicken streng verwahrt,
Der Preis ihrer Mitgift hat ihren Freier genarrt.
In allen guten Lehren, die ich von der Kanzel vernommen
Ist nicht ein einziges Wort, das mir ins Herz gekommen!«

»Nein! Nein!« rief Suhayr enttäuscht. »Nicht seine Gedichte. Dies habe ich doch schon gehört. Aber habt ihr nicht den al-koran erwähnt?«

Fatima sah ihm geradewegs in die Augen. »Ja«, erwiderte sie, »ich habe ihn erwähnt. Manchmal, aber nicht immer, überkam Abu'l ala al-Ma'ari doch ein Zweifel, ob der al-koran wirklich Gottes Wort sei. Aber er liebte den Stil, in dem er verfaßt war. Eines Tages setzte er sich nieder und schuf seine eigene Version, die er *al-Fusul wa-'l-Ghayat* nannte.«

»Gotteslästerung!« schrie Suhayr auf.

»Die *faqih* nannten es gewißlich Ketzerei«, erklärte Abu Seid ruhig und mit dem Anflug eines Lächelns, »und es war eine Parodie des heiligen Buches, doch selbst die Freunde unseres großen Lehrers befanden, daß es dem al-koran in jeder Weise unterlegen sei.«

Dieses Kleinod aus der Schatzkammer des Meisters wurde mit Beifall und Gelächter begrüßt. Beunruhigt durch Suhayrs finsteres Gesicht, beschloß Abu Said, die Wogen zu glätten. »Als er der Ketzerei bezichtigt wurde, sah er seinem Ankläger nur ins Auge und sagte:
›Ich erhebe meine Stimme, um unsinnige Lügen zu äußern, spreche ich aber die Wahrheit, sind meine leisen Töne kaum zu hören.‹«

»Sage mir, Abu Said«, bat Suhayr, »glaubst du eigentlich an unsere Religion?«

»Alle Religionen sind ein dunkles Labyrinth. Religiös sind die Menschen nur durch die Macht der Gewohnheit. Sie denken nie darüber nach, ob das, was sie glauben, wahr ist. Die göttliche Offenbarung ist tief in unserem Denken und Fühlen verwurzelt. Es waren schließlich die Altvorderen, die Fabeln ersannen und zur Religion erklärten. Musa, Isa und unser Prophet Mohammed waren in Zeiten der Not große Führer ihrer Völker. Das ist alles, was ich glaube.«

Jetzt wußte Suhayr, was er zu tun hatte. Diese Leute waren gottlose Schurken. Wie konnten sie hoffen, die Christen aus Gharnata zu vertreiben, wo sie doch selber Ungläubige waren? Wieder verwirrte ihn die Stimme Abu Saids, der offenkundig seine Gedanken gelesen hatte.

»Du fragst dich, wie Leute wie wir die Christen besiegen können, aber überleg doch einmal, wie es kam, daß die glühendsten Verteidiger des Glaubens hierin versagt haben.«

»Ich will nicht mehr disputieren«, erwiderte Suhayr. »Mein Entschluß steht fest. Ich werde mich nun verabschieden und zu meinen Freunden gehen, die mich in Gharnata erwarten.«

Er erhob sich und ergriff sein Schwert. Fatima und die anderen folgten ihm hinaus an die kalte Luft. Es war schon spät, und Suhayr war entschlossen, sein Ziel vor Sonnenuntergang zu erreichen.

»Friede sei mit dir, Suhayr bin Umar«, sagte Abu Seid und umarmte den jungen Mann zum Abschied. »Und denke daran, solltest du dich anders besinnen und dich uns anschließen wollen, reite in die al-Pujarras, bis du in ein Dörfchen namens al-Basit kommst. Nenne dem ersten Menschen, dem du begegnest, meinen Namen, und binnen eines Tages werde ich bei dir sein. Gott schütze dich!«

Suhayr stieg auf sein Pferd, hob die gewölbte Hand zum Gruß an die Stirn, und nach wenigen Minuten befand er sich auf der Straße nach Gharnata. Er war froh, wieder allein zu sein, fern der verbotenen Gesellschaft von Ketzern und Dieben. Es war eine interessante Erfahrung gewesen, doch er fühlte sich unrein. Es war das gleiche Gefühl, das er jedesmal hatte, wenn er mit Umaima zusammengewesen war. Er weitete seine Lungen und atmete die frische Bergluft ein, um sein Inneres zu reinigen.

Auf der Spitze eines Hügels angekommen, sah er die Stadt vor sich liegen. Wenn er in früheren Zeiten im Gefolge seines

Vaters an den Hof geritten war, hatten sie hier immer angehalten, um die Aussicht zu genießen. Sein Vater erzählte dann meist eine Geschichte aus den Tagen des alten Sultans Abul Hassan. Danach preschten sie in kindlichem Übermut den Hügel hinab. Sobald sie die Stadttore erreichten, nahmen sie wieder eine würdevolle Haltung ein. Einen Moment war Suhayr versucht, den Hang hinunterzustürmen, doch er besann sich eines besseren. An allen Eingängen zur Stadt waren christliche Soldaten postiert. Er mußte so ruhig auftreten, wie es seine Verfassung erlaubte. Als er das Stadttor erreichte, fragte er sich, was Ibn Daud wohl zu dieser merkwürdigen Begegnung mit den Banditen gesagt haben würde. Ibn Daud war ein solcher Alleswisser, aber hatte er je von al-Ma'ari gehört?

Die christlichen Wächter musterten den jungen Mann gründlich, der sich ihnen da näherte. An seinen Gewändern und dem Seidenturban, der sein Haupt zierte, erkannten sie, daß er ein Edelmann war, ein maurischer Ritter, der hier vermutlich eine Liebste besuchen wollte. Aus dem Umstand, daß er offen ein Schwert bei sich trug, folgerten sie, daß er kein Verbrecher mit Mordabsichten sein konnte. Suhayr sah, daß sie ihn prüfend musterten, und er verlangsamte sein Pferd noch, doch die Soldaten dachten gar nicht daran, ihn anzuhalten. Er grüßte sie mit einem leichten Ruck seines Kinns, eine Bewegung, die er unbewußt seinem Vater abgeschaut hatte. Die Soldaten lächelten und winkten ihn weiter.

Als er in die Stadt einritt, war Suhayr wieder heiter gestimmt. Die Verwirrung, welche die unvermutete Begegnung mit den Ketzern ausgelöst hatte, schien ihm bereits wie ein seltsamer Traum. In früheren Zeiten, ja noch vor einem Monat, hätte sich Suhayr geradewegs zum Hause seines Oheims Ibn Hischam begeben, aber heute konnte er dies nicht einmal in Erwägung ziehen. Nicht, weil aus Ibn Hischam Don Pedro al-Gharnata geworden war, ein Konvertit, sondern weil Suhayr seines Oheims Familie nicht gefährden wollte.

Seine Mitverschworenen, etwa zwölf an der Zahl, waren tags zuvor in Gharnata eingetroffen, und diejenigen, die keine Freunde oder Verwandten in der Stadt besaßen, hatten sich in der *funduq* einquartiert. In einer Stadt voller Freunde und Verwandter in einer Herberge abzusteigen, noch dazu in einer Stadt, die er so gut kannte, dünkte ihn unwirklich. Doch es lenkte seine Gedanken auf das, was er zu vollbringen hoffte. Ausnahmsweise wollte er sich bei diesem Besuch in Gharnata nicht zu Hause fühlen. Er wollte jede Minute des Tages und der Nacht an die Aufgaben denken, die vor ihm lagen. In seiner Phantasie sah Suhayr sich als zukünftigen Bannerträger eines Angriffs von Rechtgläubigen gegen den im Entstehen begriffenen neuen Staat. Gegen die Teufelin Isabella und den lüsternen Ferdinand. Gegen den bösartigen Jimenez. Gegen sie alle.

Am späteren Abend kamen Suhayrs Gefährten, um ihn in der Stadt willkommen zu heißen. Man hatte ihm eines der komfortableren Zimmer zugewiesen. An der Decke hing eine sechsarmige Messinglaterne mit außergewöhnlich reichhaltigen Verzierungen. Die Ölbrenner gaben ein sanftes Licht. In der Mitte des Raumes befand sich eine irdene Pfanne, angefüllt mit glühenden Kohlen. In einer Ecke stand ein stattliches Bett mit einer grün-violetten seidenen Steppdecke. Die acht jungen Männer saßen auf einem großen Gebetsteppich, der den Fußboden in der Ecke gegenüber dem Bett bedeckte.

Suhayr kannte sie gut. Sie waren zusammen aufgewachsen. Die zwei Brüder aus der Familie des Goldhändlers Ibn Mansur; der Sohn des Kräuterheilkundigen Mohammed bin Basit; Ibn Amin, der jüngste Sohn des jüdischen Leibarztes des Generalkapitäns, sowie drei der jungen Rauhbeine aus al-Hudayl, die tags zuvor in Gharnata eingetroffen waren. Die Reconquista selbst hatte an den Lebensgewohnheiten dieser jungen Männer nichts verändert. Bis zur Ankunft des Mannes mit der Bischofsmütze und dem schwarzen Herzen hatten sie ein sorgenfreies Dasein geführt wie eh und je. Erst Jimenez de Cisneros hatte sie gezwungen, zum erstenmal in ihrem Leben ernsthaft nachzudenken. Hierfür zumindest hätten sie ihm dankbar sein sollen. Doch der Prälat hatte ihre gesamte Lebensart bedroht. Dafür haßten sie ihn.

Diesen Männern war es nicht in die Wiege gelegt worden, daß sie einmal Verschwörer würden. Als sie in Suhayrs Zimmer traten, waren sie zunächst angespannt und gehemmt. Ihre Mienen waren bedrückt. Als Suhayr bemerkte, in welcher

Verfassung sie waren, begann er, Klatschgeschichten zu erzählen, um die Atmosphäre etwas zu lockern. Dies animierte sie, auch ihrerseits etwas zum besten zu geben, und nachdem sie so das Privatleben ihrer Zeitgenossen zerpflückt hatten, war nahezu alle Befangenheit von ihnen gewichen.

Ibn Amin war der einzige, der sich nicht an der lebhaften Unterhaltung seiner Geführten beteiligte. Er hörte nicht einmal zu. Er dachte nur an die bevorstehenden Schrecken, und Zorn lag in seiner Stimme, als er zu sprechen begann.

»Sie werden nicht eher von uns ablassen, als bis sie uns am Ende keine Augen zum Weinen gelassen haben werden und keine Zungen zum Schreien. Der Generalkapitän allein würde uns in Ruhe lassen. Das Problem ist der Priester.«

Dies löste einen Chor von Klagen aus. Inquisitoren aus Kaschtalla waren in der Stadt gesehen worden. Es hatte Befragungen gegeben, ob die Konversionen, welche vorgenommen wurden, tatsächlich echt waren oder nicht. Man hatte Spione vor den Häusern von Konvertiten postiert, um zu sehen, ob sie freitags zur Arbeit gingen, wie oft sie badeten, ob die neugeborenen Knaben beschnitten wurden und dergleichen. Mehrmals war es vorgekommen, daß Soldaten muselmanische Frauen beleidigt und gar belästigt hatten.

»Seit der verfluchte Priester unsere Stadt betrat«, sagte Ibn Basit, der Sohn des Kräuterheilkundigen, »lassen sie alles schätzen, was Mauren und Juden an Besitz und Geld haben. Es besteht kein Zweifel, daß sie uns alles nehmen werden, wenn wir nicht konvertieren.«

»Mein Vater sagt, selbst wenn wir konvertieren, werden sie Mittel und Wege finden, uns unser Eigentum zu stehlen.« Es war Salman bin Mohammed, der ältere der beiden Söhne des Goldhändlers, der so sprach. »Seht doch, was sie den Juden angetan haben.«

»Diese Blutsauger in Rom, die sich zu Päpsten ernennen, würden sogar die Jungfrau Maria verkaufen, um sich die Taschen zu füllen«, murmelte Ibn Amin. »Die spanische Kirche folgt nur dem Beispiel ihres Heiligen Vaters.«

»Aber auf unsere Kosten!« sagte Ibn Basit.

Seit dem Fall Gharnatas hatte Suhayr zahlreichen solcher Dispute in Gharnata und al-Hudayl als stummer Zeuge beigewohnt. Gewöhnlich leitete sein Vater oder sein Onkel oder einer der Dorfältesten die Diskussion, in die sie selbst nur hier und da einzugreifen pflegten. Suhayr war müde. Der Wind drang durch die Fensterläden, und die Kohlenpfanne würde bald leergebrannt sein. Die Dienstboten der *funduq* waren bereits zu Bett gegangen. Er wollte schlafen, doch er wußte, daß sich das Gespräch im flackernden Lampenlicht bis in die frühen Morgenstunden hinziehen könnte, wenn er die Angelegenheit nicht zu einem Abschluß brachte. Noch heute nacht mußten klare Entscheidungen gefällt werden.

»Seht, meine Freunde, im Grunde verfolgen wir doch alle dasselbe Ziel, wir sind kein schwer zu verstehendes Volk. Es ist wahr, daß diejenigen unter uns, die auf Landgütern leben, sich im Laufe der Jahrhunderte in eine Welt eingesponnen haben, welche sich sehr vom Leben in den Städten unterscheidet. Hier bei euch dreht sich das Leben um den Markt. Unsere Erinnerungen und Hoffnungen aber sind alle mit dem Land verbunden und mit denen, die es bestellen. Oft haben wir Landmenschen Freude an Dingen, an denen euch nichts liegt. Wir bebauen dieses Land seit Jahrhunderten. Wir haben die Nahrung hervorgebracht, die Qurtuba, Ischbiliya und Gharnata speiste. Das brachte die Städte zum Blühen. Es entstand eine Kultur, welche die Christen wohl zerstören können, der sie aber niemals gewachsen sein werden. Wir haben die Tore geöffnet, und das Licht unserer Städte erhellte den ganzen Kontinent. Jetzt wollen sie uns alles fortnehmen. Man gönnt uns nicht einmal mehr einige kleine Enklaven, wo wir in Frieden leben könnten. Und dieser Umstand hat uns zusammengeführt. Stadt und Land werden desselben Todes sterben. Eure Kaufleute und alle eure Stände, unsere Weber und Bauern – ihnen allen droht die Vernichtung.«

Die anderen blickten ihn erstaunt an. Sie erkannten al-Fahl kaum wieder, so sehr war er gereift. Er bemerkte die neugewonnene Achtung, die sich in ihren Augen widerspiegelte. Hätte er vor zwei Jahren so gesprochen, wäre einer von ihnen in schallendes Gelächter ausgebrochen und hätte ihm wahrscheinlich angeraten, er solle lieber ins Bordell gehen, anstatt seine überschüssigen Energien auf solche Phantastereien zu verschwenden. Nicht so heute. Sie merkten ganz genau, daß

Suhayr ihnen nichts vorgaukelte. Hatte die veränderte Lage sie nicht alle erwachsener gemacht? Was sie jedoch nicht ahnen konnten, war, daß es seine merkwürdige Begegnung mit der al-Ma'ari-Sippe war, mehr noch als die Tragödie von al-Andalus, welche seinen Verstand geschärft und seine Sinne aufgerüttelt hatte. Suhayr spürte, daß es an der Zeit war, seinen Plan darzulegen.

»Wir hatten viele Dispute in unserem Dorf. Es sind jetzt zwanzig Freiwillige aus al-Hudayl hier in der Stadt. Unsere Anzahl mag klein sein, doch wir sind alle mit Leib und Leben bei der Sache. Als erstes müssen wir eine Streitmacht von drei- bis vierhundert Rittern aufstellen, welche die Christen Tag für Tag am Bab al-Ramla zum bewaffneten Kampf herausfordern. Der Anblick dieses Kampfes wird die Bevölkerung entflammen, und wir werden einen Aufstand haben, ehe sie Verstärkung in die Stadt schicken können. Wir werden den Krieg führen, vor dem unser Sultan zurückschreckte.«

Ibn Basit lehnte den Plan schroff ab. »Suhayr bin Umar, du hast mich heute abend zweifach erstaunt. Erstens durch deine Klugheit und zweitens durch deine Dummheit. Ich stimme dir zu, daß die Christen uns vollständig vernichten wollen, aber du willst es ihnen leichter machen. Du möchtest, daß wir uns bewaffnen und es mit ihnen aufnehmen. Die Ritterlichkeit gehört der Vergangenheit an – sofern sie überhaupt jemals wirklich existierte und keine Erfindung eines Chronisten war. Selbst wenn wir sie schlagen würden – und ich bin keineswegs überzeugt, daß unser Eifer mit ihrer Geschicklichkeit im Blutvergießen mithalten kann –, es würde nichts helfen. Gar nichts. Unsere einzige Hoffnung ist, unsere Männer auszurüsten und aus der Stadt in die al-Pudjarras zu schicken. Von dort müssen wir Botschafter aussenden, um Verbindung mit den Gläubigen in Balansiya und anderen Städten aufzunehmen und einen Aufstand vorzubereiten, der gleichzeitig auf der ganzen Halbinsel ausbricht. Das ist das Signal, auf das der Sultan in Konstantinopel wartet. Unsere Brüder werden uns zu Hilfe kommen.«

Suhayr sah sich nach Unterstützung um, aber vergeblich. Dann ergriff Ibn Amin das Wort.

»Ibn Basit und mein alter Freund Suhayr leben beide in einer Traumwelt. Basits Vision ist vielleicht realistischer, dennoch ebensoweit von unserer Wirklichkeit entfernt. Ich habe einen ganz einfachen Vorschlag. Laßt uns der Schlange den Kopf abschlagen. An ihrer Stelle werden andere kommen, aber sie werden vorsichtiger sein. Was ich empfehle, ist nicht sehr kompliziert, sondern einfach zu bewerkstelligen. Ich schlage vor, daß wir Jimenez de Cisneros aus dem Hinterhalt überfallen, ihn töten und seinen Kopf auf der Stadtmauer zur Schau stellen. Ich weiß, daß er von Soldaten bewacht wird, aber ihrer sind nicht viele, und wir hätten den Vorteil der Überraschung.«

»Das ist ein unwürdiger Gedanke«, sagte Suhayr düster.

»Aber mir gefällt die Idee«, sagte Ibn Basit. »Sie hat einen großen Vorzug. Wir können die Tat selbst ausführen. Ich schlage vor, wir bereiten unseren Plan innerhalb der nächsten Tage sorgfältig vor und treffen uns dann wieder, um uns auf Zeitpunkt und Methode zu einigen.«

Ibn Amins Vorschlag hatte den Abend belebt. Alle Anwesenden sprachen in großer Erregung. Suhayr warnte vor einer Wiederholung des Geschehens von al-Hama im alten Viertel von Gharnata. Sie müßten auch an die Zukunft denken. Sie könnten jedem Gedanken an einen Sieg, jeder Vorstellung, bei den Dominikanern Unterstützung zu finden, Lebewohl sagen. Wenn Cisneros getötet würde, wäre er ein Märtyrer. Rom würde ihn seligsprechen. Isabella würde den Tod ihres Beichtvaters mit einer Blutorgie rächen, neben der al-Hama verblaßte. Trotz der Klugheit und der Kraft seiner Argumente stand Suhayr vollkommen allein. Selbst seine Anhänger aus al-Hudayl waren beeindruckt, wie simpel der Plan war, Cisneros zu ermorden. Angesichts ihrer Begeisterung gab Suhayr sich geschlagen. Er wollte nicht an einer Ermordung teilhaben, die gegen die Prinzipien der Ritterlichkeit verstieß, aber er würde sich ihren Plänen auch nicht in den Weg stellen.

»Du bist zu empfindlich und zu stolz«, sagte Ibn Basit zu ihm. »Die alten Zeiten kehren nie wieder. Du bist es gewöhnt, daß deine Hemden in Rosenwasser gewaschen und mit einer Prise Lavendel getrocknet werden. Ich sage dir, daß alles in Blut gewaschen wird, wenn wir diese Untiere nicht enthaupten, die Allah geschickt hat, um unseren Willen zu prüfen.«

Nachdem sie gegangen waren, wusch sich Suhayr und ging zu Bett, doch der Schlaf wollte sich nicht einstellen. Wieder wurde er von Zweifeln gequält. Vielleicht sollte er aus der Stadt reiten und sich den al-Ma'ari auf Gedeih und Verderb anschließen. Vielleicht sollte er einfach heimkehren und seinen Vater vor der Katastrophe warnen, die ihnen allen drohte. Oder sollte er, und dieser Gedanke erschütterte ihn sehr, nach Qurtuba fliehen und Großonkel Miguel bitten, ihn zu taufen?

10. KAPITEL

»Der einzig wahre Adel, den ich anerkennen kann, ist jener, der durch Begabung verliehen wird. Das Schlimmste auf der Welt ist Unwissenheit. Die Priester, die du offenbar so achtest, sagen, Unwissenheit ist für eine Frau der Passierschein zum Paradies. Lieber ließe ich mich vom Schöpfer in die Hölle verbannen.«

Hind befand sich mitten in einer hitzigen Auseinandersetzung mit ihrem Liebsten, dessen zärtlich neckender Ton sie plötzlich erzürnte. Ibn Daud machte sich ein besonderes Vergnügen daraus, sie zu provozieren. Er hatte den orthodoxen Scholaren der al-Aschar-Universität gemimt und die dort herrschende Theologie zu verteidigen begonnen, insbesondere die Erklärungen zu den Pflichten und Obliegenheiten der gläubigen Frauen.

Die leidenschaftliche Verwerfung des Paradieses, das war es, was er von Hind hatte hören wollen. Das Blut der aufbrausenden Hudayl-Sippe stieg ihr ins Gesicht, als sie ihn mit zornigen Augen anstarrte. Sie war herrlich anzusehen in ihrer Wut. Zum erstenmal spürte Ibn Daud ihre Kraft. Er ergriff ihre Hand und bedeckte sie mit Küssen. Diese spontane Gefühlsäußerung entzückte und erregte Hind, doch sie waren nicht allein auf der Lichtung des Granatapfelhains.

Ibn Dauds Kühnheit löste einen Hustenanfall bei den drei jungen Dienerinnen aus, die hinter dem nahen Gebüsch wachten. Hind kannte sie gut.

»Geht spazieren, alle miteinander. Denkt ihr, ich lasse mich durch diesen Unfug täuschen? Ich weiß sehr wohl, was geschieht, wenn ihr zum erstenmal die Palme seht, die euren Liebsten zwischen den Beinen wächst. Wie eine Schar gieriger Spechte werdet ihr über sie herfallen. Jetzt geht ein paar Minuten spazieren, und kehrt nicht eher zurück, als bis ihr mich rufen hört! Habt ihr mich verstanden?«

»Ja, Herrin Hind«, erwiderte Umaima, »aber die Herrin Subayda ...«

»Hast du der Herrin Subayda erzählt, daß mein Bruder dich besteigt wie ein Hund?«

Mit dieser schlagfertigen Replik war die Sache besiegelt. Gackerndes Gelächter von Umaimas Gefährtinnen war die einzige Antwort auf diese Frage. Aus Furcht vor weiteren Indiskretionen in Anwesenheit des Fremden entfernten sich die Dienerinnen. Bislang hatte es ihnen oblegen, über Hinds Keuschheit zu wachen und ihre Ehre zu beschützen. Nun schlüpften sie zurück in die Rolle, die ihrem Naturell eher entsprach, indem sie wieder zu Komplizinnen ihrer jungen Herrin wurden, die darauf achtgaben, daß das Paar nicht überrascht wurde.

Unbemerkt von ihnen hielt sich Yasid in ihrer Nähe auf. Schon bald nach Ibn Dauds Ankunft im Hause hatte er sich von seiner Schwester vernachlässigt gefühlt. Er ahnte auch, womit das zusammenhing, und infolgedessen brüskierte er den Neuankömmling mit einer Unbarmherzigkeit, wie sie nur einem Kind zu Gebote steht. Er hegte einen tiefen, übermächtigen Haß auf den Fremden aus al-Qahira.

Anfangs war Yasid von Ibn Dauds Geschichten aus der alten Welt begeistert gewesen. Er hatte mit Eifer gelernt, begierig, mehr über das Leben in al-Qahira und Dimaschk zu erfahren, gefesselt von dem Unterschied in Aussprache und Bedeutung gewisser arabischer Worte, wie sie in al-Andalus und im Geburtsland des Propheten gebräuchlich waren.

Der Wissensdurst des Knaben hatte wiederum Ibn Daud beflügelt. Er sah sich gezwungen, gründlich nachzudenken, um Dinge zu erklären, die ihm bis dahin selbstverständlich gewesen waren, Yasid jedoch bemerkte, daß Hind, wann immer Ibn Daud zugegen war, errötend die Augen abwandte und übertriebene Demut an den Tag legte. Als Yasid erkannte, daß dies auf den Qahirener zurückzuführen war, blieb er Ibn Dauds Unterrichtsstunden fern; war er aber zur Teilnahme gezwungen, machte er sich nicht die Mühe, sein Mißvergnügen zu verbergen, und gab sich unendlich gelangweilt.

Er ließ davon ab, Ibn Daud Fragen zu stellen. Wenn der Hauslehrer ihn etwas fragte, blieb Yasid stumm oder beschränkte sich auf einsilbige Antworten. Er ließ sogar davon ab, mit ihm Schach zu spielen. Das war ein ungeheueres Opfer, da das Spiel neu war für Ibn Daud und er seinen Schüler bis zu dem Zeitpunkt, als dieser jegliche persönliche Beziehung einseitig abbrach, nicht ein einziges Mal zu schlagen vermocht hatte.

Als Hind ihn bat, sein Benehmen zu erklären, seufzte Yasid unwillig und behauptete in dem kältesten Ton, der ihm zu Gebote stand, er wäre sich im Umgang mit dem Lehrer keiner Ungewöhnlichkeit bewußt. Dies erzürnte seine Schwester und erhöhte die Spannung, die zwischen ihnen entstanden war. Hind, gewöhnlich überempfindlich, was Yasid anging, war von ihrer Liebe zu Ibn Daud geblendet. Das bereitete ihrem Bruder große Qual. Subayda sah das unglückliche Gesicht ihres jüngsten Kindes, und sie kannte die Ursache nur zu gut. Sie nahm sich vor, Hinds Vermählung so bald als möglich in die Wege zu leiten, und beschloß, jegliche Diskussion mit Yasid über das Thema bis dahin aufzuschieben.

Ohne zu ahnen, daß sie beobachtet wurden, waren Hind und Ibn Daud nun an einen Punkt gelangt, wo gewisse grundlegende Entscheidungen getroffen werden mußten. Seine Hände waren unter ihre Tunika geglitten und befühlten ihre Brüste, zogen sich aber sogleich wieder zurück.

»Zwei volle Monde über einem schlanken Zweig«, murmelte er mit einer Stimme, aus der sie übergroße Leidenschaft herauszuhören meinte.

Hind wollte nicht zurückstehen. Ihre Hände fanden den Weg von seiner Leibesmitte zu den tiefer liegenden, unerforschten Regionen, welche von seidenen Pluderhosen bedeckt waren. Sie fühlte ihn unter der Seide. Sie streichelte seine Schenkel. »Weich wie Sanddünen, aber wo ist die Palme?« flüsterte sie, während sie mit den Fingern zärtlich die Datteln streifte und den Saft aufsteigen fühlte.

Wenn sie noch einen Schritt weitergingen, würden sie zweifellos das Ritual der ersten Nacht vorwegnehmen. Aber, dachte Hind, wenn wir jetzt einhalten, wird die Enttäuschung unerträglich sein, ganz zu schweigen von der langen Wartezeit, bis unsere Leidenschaft endlich Erfüllung findet. Hind wolte nicht einhalten. Sie hatte jegliches Gefühl für Schicklichkeit abgeworfen. Ihr ganzes Sein wollte sich mit diesem Manne in Liebe vereinen. Die endlosen Schilderungen von Dienerinnen und kichernden Cousinen in Gharnata und Ischbiliya hatten ihr einen vergnüglichen Ersatz beschert; jetzt aber wollte sie selber wissen, wie es wirklich war.

Ibn Daud, der dies erkannte, leitete hastig den Rückzug ein. Seine Hände ließen von ihrem Körper ab, und sacht entfernte er die ihren aus seinen Beinkleidern.

»Warum?« flüsterte sie mit heiserer Stimme.

»Ich bin deines Vaters Gast, Hind!« Seine Stimme klang resigniert und tonlos. »Morgen werde ich darum ersuchen, ihn allein zu sprechen, und ihn um Erlaubnis bitten, dich zu meinem Weibe zu nehmen. Jedes andere Verhalten wäre unehrenhaft.«

Hind fühlte, wie ihre Leidenschaft zu schwinden begann.

»Ich wähnte mich an einer Schwelle. An einer Schwelle zu etwas, das mehr ist als Wonne. Etwas unsäglich Reines. Jetzt wähne ich mich an der Schwelle der Verzweiflung. Ich glaube, ich habe mich in dir getäuscht.«

Es folgte eine Flut von neuerlichen Beteuerungen. Von wiederholten Erklärungen seiner unsterblichen Liebe. Wie hoch er ihre Klugheit achte. Daß er einer Frau wie ihr noch nie begegnet sei. Und während er sprach, küßte er zugleich jede einzelne Zehe ihrer Füße und benannte murmelnd eine jede mit einem anderen Kosewort.

Sie sprach nicht. Ihr Schweigen drückte mehr aus als alles, was sie hätte sagen können, denn die Wahrheit war, daß er sie, indem er sie vorübergehend verlor, zurückerobert hatte. Und doch war ihr instinktives Gefühl, sich in ihm getäuscht zu haben, der Wahrheit nicht gar so fern, wie seine Gesten vermuten ließen.

Ibn Daud war noch nie mit einer Frau beisammen gewesen. Seine Entscheidung, das Liebesspiel abzubrechen, war nur teilweise durch seinen Status im Hause zu erklären. Er war erstaunt, wie es Hind gelungen war, ihn zu entflammen, doch der eigentliche Grund seines Rückzuges war Furcht vor dem Unbekannten.

Bis jetzt hatte es in Ibn Dauds Leben nur eine große Leidenschaft gegeben, und die galt einem Studiengefährten in al-Qahira. Mansur war der Sohn einer Familie von wohlhabenden und alteingesessenen Goldschmieden in der Hafenstadt

Ischkanderiya. Er hatte so viele Reisen unternommen – unter anderem eine Schiffsreise nach Cochin in Südindien – und war in so vielen Städten gewesen, daß er Ibn Daud mit seinen Erzählungen in einen Zustand immerwährenden Entzückens versetzt hatte. Nimmt man ihrer beider Liebe zu guter Dichtung und zum Flötenspiel hinzu und bedenkt man, daß jeder von ihnen durch ein blendendes Aussehen bestach und einen regen Verstand besaß, so scheint die Freundschaft, die sich zwischen ihnen entwickelte, nur allzu begreiflich. Drei Jahre lebten die beiden Männer aufs engste zusammen. Sie teilten sich ein Zimmer in dem *riwaq,* das einen Blick auf die Moschee von al-Aschar bot.

Es wurde bald ein inniges Verhältnis, das gleichermaßen ihren Geist wie ihre religiösen Empfindungen nährte – sie waren Jünger desselben Sufi-Scheichs – und schließlich auch ihr sexuelles Verlangen. Sie schrieben sich gegenseitig Gedichte in Prosaversen. Diese waren in einer Sprache verfaßt, die keine Wonnen vor dem Blick des Lesers verschleierte. In den Sommermonaten, wenn sie infolge der Notwendigkeit, bei ihren Angehörigen zu verweilen, voneinander getrennt waren, führten sie beide Tagebuch und verzeichneten jede Einzelheit ihres täglichen Lebens und auch die Auswirkungen der sexuellen Enthaltsamkeit.

Mansur war bei einem Schiffbruch ums Leben gekommen, als er seinen Vater auf einer Handelsreise nach Konstantinopel begleitete. Für den untröstlichen Überlebenden war der Gedanke unerträglich, weiterhin in al-Qahira zu leben. Weit mehr als der Wunsch, die Werke Ibn Chalduns zu studieren, hatte ihn dieser Umstand nach Gharnata geführt. Er fühlte sich geistig zu al-Sindiq hingezogen, doch hatte er nach mehreren Gesprächen feststellen müssen, daß der alte Fuchs bei aller Begabung und Gelehrtheit doch keine Skrupel kannte, wenn er seine Listen anwendete, um einen Gegner hereinzulegen. Am Ende einer Diskussion über die Dichtung von Ibn Hasen hatte sich Ibn Daud auf ein ähnliches Gespräch mit Mansur besonnen. Die Erinnerung überwältigte ihn. In einer aufrichtigen Gefühlsaufwallung gab er sich preis. Natürlich erzählte er al-Sindiq nicht alles, aber der alte Mann war kein Dummkopf. Er hatte es erraten. Und dies bereitete Ibn Daud Sorgen. Al-Sindiq war ein Freund dieser Familie. Was, wenn er Hinds Eltern seinen Verdacht anvertraute?

Als hätte sie seine Gedanken gelesen, streichelte Hind seine Hand und fragte unschuldig: »Wie war der Name der Frau, die du in al-Qahira geliebt hast? Ich will alles über dich wissen.«

Ibn Daud erschrak. Ehe er antworten konnte, ertönten Schreie und schallendes Gelächter; es waren die Dienerinnen, welche über den unglücklichen Yasid herfielen und ihn auf die Lichtung zerrten.

»Seht, wen wir gefunden haben, Herrin Hind!« sagte Umaima mit schamlosem Grinsen.

»Laßt mich los!« schrie Yasid. Die Tränen liefen ihm übers Gesicht.

Hind konnte den Anblick ihres verstörten Bruders nicht ertragen. Sie lief zu Yasid und nahm ihn in die Arme, er aber preßte seine Hände fest an die Seite. Hind trocknete ihm mit den Fingern die Tränen und küßte seine Wangen.

»Warum hast du mir nachspioniert?«

Es verlangte Yasid, sie zu umarmen und zu küssen, ihr von seinen Ängsten und seinem Kummer zu erzählen. Er hatte gehört, wie Großtante Sahra fortgelaufen und nie wieder zurückgekommen war. Er wollte nicht, daß seine Hind es ebenso machte. Wären sie allein gewesen, hätte er all dies herausgesprudelt, doch Ibn Dauds Lächeln hemmte ihn. Er machte kehrt und rannte nach Hause, und seine Schwester blieb nachdenklich und bestürzt zurück.

Langsam dämmerte es Hind, daß Yasids seltsames Benehmen nur im Zusammenhang mit ihrem eigenen Zustand zu erklären war. Diese Augen, die grüner waren als das Meer, hatten sie so betört, daß alles andere nebensächlich wurde, selbst der Klang einer Laute. Ihre Gedankenlosigkeit war es, die ihrem Bruder die Fassung geraubt hatte. Sie bekam Gewissensbisse. Der Rausch des Liebesspiels war beinahe vergessen.

Der Anblick des verzweifelten Yasid brachte ihr ihren eigenen Grimm gegen Ibn Daud wieder zu Bewußtsein.

»In Wahrheit«, sagte sie sich, »ist sein ehrenhaftes Benehmen nichts weniger als die Weigerung, sich zur Schönheit unserer Leidenschaft zu bekennen.«

Dies erzürnte sie so sehr, daß sie, die ihn beinahe mit ihrem Feuer verbrannt hätte, nunmehr beschloß, Ibn Daud ein paar grundlegende Lektionen zu erteilen. Er sollte bald entdecken, daß sie kälter sein konnte als Eis. Ja, sie begehrte ihn noch, aber zu ihren Bedingungen. Im Augenblick war ihre Hauptsorge, den Bruch mit Yasid zu heilen.

Der Gegenstand von Hinds Gedanken barg den Kopf im Schoße seiner Mutter. Er hatte Subayda mit den Worten überfallen: »Der Mensch hat mit Hinds Brüsten gespielt. Ich habe sie gesehen.« Yasid hatte geglaubt, seine Mutter würde entsetzt sein. Sie würde zum Schauplatz des Verbrechens eilen und Ibn Daud von den Dienern des Hauses auf der Stelle auspeitschen lassen. Der Emporkömmling aus al-Qqhira würde in Schande fortgeschickt werden, und auf dem Weg durchs Dorf würden ihn vielleicht sogar wilde Hunde anfallen. Doch Subayda lächelte nur.

»Deine Schwester ist jetzt eine erwachsene Frau, Ibn Umar. Sie wird bald heiraten und Kinder haben, und du wirst ihr Onkel sein.«

»Heiraten? Den?« Yasid mochte es nicht glauben.

Subayda nickte und strich ihrem Sohn über das hellbraune Haar.

»Aber, aber, er besitzt nichts. Er ist ...«

»Ein belesener Mann, mein Yasid, und was er besitzt, hat er im Kopf. Mein Vater sagte immer, das Gewicht des Gehirns eines Mannes ist wichtiger als das Gewicht seines Beutels.«

»Mutter«, sagte Yasid und legte die Stirn in Falten. Seine Augen waren wie blanke Schwerter, und seine Stimme erinnerte sie so sehr an ihren Gemahl in seinen förmlichsten Momenten, daß sie kaum ernst bleiben konnte. »Hast du vergessen, daß wir von Feigenkakteen keine Trauben ernten können?«

»Das ist richtig, mein Bruder«, sagte Hind, die unbemerkt eingetreten war und Yasids letzte Bemerkung mit angehört hatte, »aber du weißt auch, daß eine Rose stets mit Dornen bewehrt ist.«

Yasid verbarg den Kopf hinter dem Rücken seiner Mutter,

Hind aber, nun fast wieder die alte, zog ihn lachend an sich und drückte ihm Dutzende von Küssen auf Kopf, Hals, Schultern und Wangen.

»Ich werde dich immer lieben, Yasid, mehr als den Mann, den ich heiraten werde, wer er auch sei. Mein zukünftiger Gemahl ist es, der besorgt sein sollte, nicht du.«

»Aber letzten Monat ...« hob Yasid an.

»Ich weiß, ich weiß, und ich bedaure es wirklich sehr. Ich habe nicht darauf geachtet, daß wir kaum noch beisammen waren, aber das ist vorbei. Wir wollen wieder Freunde sein.«

Yasid legte die Arme um ihren Hals, und sie hob ihn hoch. Seine Augen leuchteten, als sie ihn wieder absetzte.

»Geh, frag den Zwerg, was er uns heute zum Nachtmahl kocht. Ich muß allein mit unserer Mutter sprechen.«

Als Yasid zum Zimmer hinaushüpfte, lächelten Mutter und Tochter sich an.

»Wie ähnlich sie mir ist«, dachte Subayda. »Auch ich war unglücklich aus Liebe, bis ich die Erlaubnis erhielt, ihren Vater zu heiraten. In meinem Fall kam der Widerstand von Umars Mutter; sie war sich nicht sicher, ob ich auch das richtige Blut in den Adern habe. Hind darf nicht dasselbe durchmachen, nur weil der Jüngling ein Waisenknabe ist.«

Hind schien die Gedanken ihrer Mutter erahnt zu haben. »Ich könnte nicht so lange warten wie du, derweilen sie über die Unreinheiten in deinem Blut disputierten. Mich bekümmert etwas anderes. Sei aufrichtig: Welchen Eindruck hast du von ihm?«

»Er ist ein sehr stattlicher Jüngling mit Verstand. Er kann es durchaus mit dir aufnehmen. Was willst du mehr? Warum die Zweifel?«

Hind hatte stets ein ganz besonderes Verhältnis zu ihrer Mutter gehabt. Die Freundschaft, die sich zwischen ihnen entwickelte, war in nicht geringem Maße der gelösten Atmosphäre im Hause zuzuschreiben. Hind mußte sich nicht ausmalen, wie das Leben verlaufen wäre, hätte ihr Vater sich abermals vermählt oder sich hin und wieder eine Konkubine in einem seiner Häuser im Dorf gehalten. Sie hatte ihre Cousinen in Qurtuba und Ischbiliya oft genug besucht, um sich der erstickenden Atmosphäre in so manchem Hauswesen zu erinnern. Bei den Berichten ihrer Cousinen über wahllose Liebschaften mußte sie an Beschreibungen von Hurenhäusern denken; die Schilderungen von Streitigkeiten unter den Frauen ließen vor ihrem inneren Auge Bilder von einer Schlangengrube erstehen. Der Gegensatz zum Leben in al-Hudayl hätte nicht krasser sein können.

Je älter sie wurde, desto mehr fühlte Hind sich zu ihrer Mutter hingezogen. Für Subayda, die dank eines freidenkerischen Vaters unkonventionell erzogen worden war, stand fest, daß die jüngere ihrer beiden Töchter frei bleiben sollte von den Zwängen des Aberglaubens, daß sie nicht festgelegt werden durfte auf eine bestimmte, eng begrenzte Rolle innerhalb der Familie. Kulthum war von Kind an eine willige Gefangene der Tradition gewesen. Hind – und das hatte selbst ihr Vater erkannt, als sie erst zwei Jahre alt, war ein Querkopf. Trotz Amas zahlreicher Prophezeiungen und oftmals wiederholter Warnungen förderte Subayda diese Seite ihrer Tochter.

Und deswegen gab es für Hind keinen Zweifel, wie sie auf die Frage ihrer Mutter antworten sollte. Sie zögerte keineswegs, sondern schilderte alles, was sich des Nachmittags zugetragen hatte, ohne auch nur eine einzige Begebenheit auszulassen. Ihre Mutter, die sehr aufmerksam zuhörte, lachte nur, als Hind zu Ende war. Doch die Heiterkeit verdeckte eine echte Besorgnis. Wäre Umar zugegen gewesen, er hätte den nervösen Klang des Lachens sogleich wahrgenommen.

Subayda wollte ihre Tochter nicht ängstigen. Gegen besseres Wissen schlug sie beschwichtigende Töne an.

»Du bist bekümmert, weil er den Saft seiner Palme deinen Garten nicht wässern ließ. Habe ich recht?«

Hind nickte ernst.

»Törichtes Mädchen! Ibn Daud hat richtig gehandelt. Er ist unser Gast, und die Verführung einer Tochter des Hauses, während Mägde Wache halten, wäre keine würdige Art, die Güte und Gastfreundschaft deines Vaters zu erwidern.«

»Das weiß ich! Das weiß ich!« murmelte Hind. »Aber da war noch etwas, das ich dir nicht beschreiben kann. Als seine Hände mich liebkosten, spürte ich, daß keine Leidenschaft in ihnen war. Es war keine Erregung da, bis ich ihn berührte.

Und selbst dann überkam ihn Furcht. Nicht vor Vater, sondern vor mir. Er hat noch nie eine Frau gekannt. Soviel ist offenkundig. Ich verstehe nur nicht, warum. Ich meine, als du und Abu, als ihr seinen Eltern trotztet und fortgingt ...«

»Dein Vater war nicht Ibn Daud! Er war ein Ritter der Banu Hudayl. Und als wir nach Qurtuba gingen, waren wir bereits seit einigen Stunden vermählt. Geh, leg dich ins Bad; ich will derweil versuchen, dieses Rätsel zu lösen.«

Die Sonne sank, als Hind in den Innenhof hinausging. Sie blieb stehen, gebannt von den Farben ringsum. Die schneebedeckten Gipfel über al-Hudayl waren in helle purpurne und orangerote Töne getaucht; die kleinen Häuser des Dorfes sahen wie frisch getüncht aus. So sehr war Hind von all der Schönheit gefangen, daß ihre Sinne für nichts anderes empfänglich waren. Noch vor wenigen Augenblicken hatte sie Kälte und Melancholie gefühlt. Plötzlich war sie froh, allein zu sein.

»Gestern noch«, dachte sie, »wenn ich so im Sonnenuntergang gestanden hätte, ich hätte mich nach ihm verzehrt, mich danach gesehnt, ihn hier an meiner Seite zu haben, so daß wir uns gemeinsam an den Gaben der Natur erfreuen könnten. Heute aber macht es mich froh, allein zu sein.« So sehr war sie in ihre Gedanken vertieft, daß sie, als sie langsam zum *hammam* ging, die fröhlichen Laute nicht vernahm, die aus der Küche drangen.

Yasid saß auf einem niedrigen Schemel, indes der Zwerg das Tamburin schlug und ein *zajal* sang. Die Dienstboten hatten sich ein starkes Gebräu einverleibt, das sie aus den Resten in den Fässern nahe den Weinbergen von al-Hudayl destilliert hatten. Der Zwerg war leicht angetrunken. Seine drei Gehilfen und die zwei Männer, deren einzige Aufgabe darin bestand, die Speisen aus den Töpfen in die Schüsseln zu füllen und auf den Tisch zu bringen, hatten zuviel Teufelspisse zu sich genommen. Sie tanzten im Kreis, während der Zwerg in der Mitte auf einem Tisch stand und sein Lied sang. Ama saß mit mißbilligender Miene auf der Treppe vor der Küche. Sie hatte versucht, Yasid abzulenken und ins Haus zu bringen, er aber amüsierte sich ungemein und verweigerte ihr den Gehorsam.

Der Zwerg hörte auf zu spielen. Er war müde. Doch seine Bewunderer wünschten, daß die Vorstellung weiterging.

»Ein letztes noch«, riefen sie. »Das Lied von Ibn Qusman. Sing es für unseren jungen Herrn.«

»Ja bitte, Zwerg«, stimmte Yasid in die Rufe ein. »Nur ein Lied noch.«

Der Zwerg wurde sehr ernst. »Ich singe die Ballade, welche Ibn Qusman vor mehr als dreihundert Jahren komponiert hat, aber ich muß darauf bestehen, daß sie mit der Achtung angehört wird, die einem großen Meister gebührt. Einen Troubadour wie ihn wird es nie wieder geben. Bei der geringsten Unterbrechung schütte ich euch diesen Wein auf die Bärte und zünde sie an. Habt ihr mich verstanden, ihr prahlerischen Schwätzer?«

In der Küche, die noch vor wenigen Sekunden dem Schauplatz einer trunkenen Ausschweifung geglichen hatte, wurde es still. Nur das Blubbern in einem riesigen Tiegel war zu hören. Der Zwerg nickte seinem Gehilfen zu. Der zwölf Jahre alte Küchenjunge brachte eine Laute herbei und zupfte prüfend die Saiten. Dann nickte er seinem Meister zu, und der kleinwüchsige Küchenchef sang das *zajal* von Ibn Qusman mit betörend tiefer Stimme.

»Komm, fülle den Becher bis obenan
Mit goldenem Naß und reiche ihn dann,
Lasse ihn kreisen von Gast zu Gast,
Mit perlenden Blasen im schimmernden Glast.
Die Nacht ist wie ein heller Palast.
Wa Allah! Wie's in hundert Krügen gärt!
Dies ward uns vom Sternenzelt beschert.

Reicht ihn zu der Musik Kund'
Hier auf des Blumenteppichs Rund,
Wo milder Tau erfrischt den Grund
Und badet meine Glieder kühl
In seinem duftig linden Pfühl.

In Gartens Grün für mich allein
Singt ein lieblich Mägdelein.

Ihr Lächeln strahlt mit hellem Schein
Ich vergesse die Scham: Hier sieht keiner hinein.
›Wa Allah!‹ ruf ich, ›laßt uns lustig sein!‹«

Alles jubelte, Yasid am lautesten von allen. »Zwerg«, rief er aufgeregt, »du solltest die Küche sein lassen und Troubadour werden. Du hast eine so schöne Stimme.«

Der Zwerg umarmte den Knaben und küßte ihn auf den Kopf. »Es ist zu spät, Yasid bin Umar. Zu spät zum Singen. Zu spät für alles. Ich denke, du solltest jetzt zur Herrin Subayda gehen und ihr Bericht aus der Küche erstatten.«

Yasid hatte den Auftrag, den ihm seine Mutter und Hind erteilt hatten, ganz vergessen.

»Was war es, Zwerg?«

»Du hast die Ingredienzen meines Sonnenuntergangseintopfs schon vergessen?«

Yasid zog die Stirn kraus und kratzte sich am Kopf, aber er konnte sich auf keine einzige Zutat besinnen. Gebannt von dem Weinlied, war ihm der Grund seines Besuches in der Küche entfallen. Der Zwerg half seinem Gedächtnis nach, aber diesmal wollte er sichergehen, daß der Knabe sich auch alles merkte, und deshalb deklamierte er das Rezept in einem Rhythmus und Tonfall, die Yasid sehr geläufig waren. Mit seiner sonoren Stimme ahmte der Zwerg eine Rezitation aus dem al-koran nach.

»Höret, o Esser meiner Speisen. Heute bereite ich mein Lieblingsmahl, welches nur zu verzehren, nachdem die Sonne gesunken. Darinnen findet ihr: einen große Sellerie, zu Vierteln und Würfeln geteilt. Zwanzig weiße Rüben, geschabt und in Scheiben geschnitten. Zehn Taroknollen, gehäutet, bis sie glänzen. Zehn Lammbrüste, was den Genuß vermehrt, vier Hühnchen, von allem Blute entleert. Ein Topf mit Joghurt, Kräutern, Spezereien, dem Gericht die Farbe von Lehm zu verleihen. Ein Becher Melasse hinzugemacht, und wa Allah, es ist vollbracht. Aber, junger Herr Yasid, eines mußt du dir merken! Das Fleisch ist anzubraten, die Gemüse sind gesondert zu garen, dann kommt alles zusammen in einen Tiegel mit dem Wasser, worin das Gemüse gekocht ward. Alles muß langsam köcheln, dieweilen wir singen und lustig sind. Wenn unser Spaß ein Ende hat, wa Allah, macht der Eintopf satt. Der Reis ist fertig. Rettiche und Karotten, Pfefferschoten, Zwiebeln und Gurken sind gewaschen und warten ungeduldig, dem Gericht auf euren silbernen Tellern Gesellschaft zu leisten. Kannst du das alles behalten, Yasid bin Umar?«

»Ja!« rief Yasid, und schon lief er aus der Küche, verzweifelt bemüht, sich die Worte und ihren Klang einzuprägen.

Der Zwerg sah dem Knaben nach, der, gefolgt von Ama, durch den Garten zum Haus lief, ein trauriges Lächeln erschien auf seinem Gesicht. »Was wird die Zukunft dieses Enkels von Ibn Farid sein?« Die Frage verhallte ungehört.

Yasid lief geradewegs in das Zimmer seiner Mutter und wiederholte die Worte des Zwerges.

Sein Vater lächelte. »Wenn du nur den al-koran ebenso mühelos lernen könntest, mein Kind, würdest du unsere Dorfleute sehr glücklich machen. Geh, wasch dich, bevor wir diesen Sonnenuntergangseintopf essen.«

Als der Knabe hinaushüpfte, leuchteten Subaydas Augen auf. »Er ist wieder froh.«

Umar bin Abdallah und seine Gemahlin hatten über das Schicksal ihrer jüngeren Tochter disputiert. Subayda schilderte ihrem Gemahl die Vorgänge im Granatapfelhain in abgeschwächter Form. Um ihn nicht zu beunruhigen, verzichtete sie auf jeglichen Hinweis auf Palmen, Datteln und andere bezeichnende Früchte. Umar war von Ibn Dauds Umsicht und Ehrgefühl beeindruckt. Dies allein bewog ihn, dem jungen Mann die Erlaubnis zu erteilen, sich mit Hind zu vermählen. An dieser Stelle des Gesprächs hatte Subayda ihm ihre Befürchtungen anvertraut.

»Ist dir nicht in den Sinn gekommen, daß Ibn Daud sich vielleicht nur für Männer interessiert?«

»Warum? Nur weil er die freundliche Aufforderung unserer Tochter, sie ihrer Jungfräulichkeit zu berauben, zurückgewiesen hat?«

Um nicht zuviel preiszugeben, beschloß Subayda, es dabei bewenden zu lassen. »Nein«, sagte sie, »es war nur so ein Gefühl von mir. Vielleicht fragst du ihn, wenn du heute abend nach dem Mahl mit ihm sprichst; es würde mich beruhigen.«

»Was?« brauste Umar auf, »anstatt mit ihm über seine Gefühle für Hind zu sprechen, soll ich zum Inquisitor werden und ihn ausfragen, als wäre er ein schmutziger Mönch, der seine Stellung im Beichtstuhl mißbraucht hat? Soll ich ihn vielleicht auch foltern? Nein! Nein! Nein! Das ist deiner nicht würdig.«

»Umar«, versetzte Subayda, und ihre Augen blitzten vor Zorn, »ich werde nicht zulassen, daß meine Tochter sich mit einem Manne vermählt, der sie unglücklich macht.«

»Was, wenn dein Vater mir diese Frage gestellt hätte, bevor er unserer Vermählung zustimmte?«

»Aber dazu bestand kein Anlaß, nicht wahr, mein Gemahl? In dieser Hinsicht hatte ich bei dir jedenfalls keine Zweifel.« Subayda spielte die Kokette, was so wenig ihrer Art entsprach, daß er lachen mußte.

»Wenn du darauf bestehst, Weib, will ich versuchen, den jungen Mann auf eine Weise zu fragen, die ihn nicht kränkt.«

»Er hat keinen Grund, gekränkt zu sein. Worüber wir sprechen, ist nichts Ungewöhnliches.«

Der junge Mann, von dem die Rede war, befand sich in seinem Zimmer und kleidete sich zum Nachtmahl an. Ein seltsames Gefühl, das schwer in Worte zu fassen war, hatte sich seiner bemächtigt, und er war tiefbetrübt. Er wußte, daß er Hind enttäuscht hatte. Er rief sich die Ereignisse des Nachmittags zurück, und das ängstliche Gefühl wich einer Erregung, die ihm neu war.

»Kann denn gar nichts sie aus meinen Gedanken vertreiben?« fragte er sich, während er seine Tunika anlegte. »Ich will nicht an sie denken und kann doch an nichts anderes denken. Wie können sich diese Bilder von ihr gegen meinen Willen in meinen Kopf einschleichen? Ich bin ein Narr, ein elender Narr! Ich hätte ihr sagen sollen, daß der einzige Mensch, den ich geliebt habe, ein Mann war. Warum habe ich es nicht getan? Weil ich sie so sehr begehre. Ich möchte nicht, daß sie mich zurückweist. Ich will sie zu meinem Weibe. Sie ist der erste Mensch, den ich liebe, seit Mansur tot ist. Andere Männer haben sich mir genähert, aber ich habe sie abgewiesen. Hind hat meine Erregung wiedererweckt, Hind macht mich zittern, aber was hat sie in meinem Gesicht gelesen?«

Auf dem Weg zum Speiseraum wurde Ibn Daud von Yasid überrascht. »Friede sei mit dir, Ibn Daud.«

»Und mit dir, Yasid bin Umar.«

»Soll ich dir sagen, was der Zwerg uns gekocht hat?«

Als Ibn Daud nickte, zählte Yasid die Zutaten auf und ahmte dabei den Zwerg so vollendet nach, daß sein neuer Hauslehrer, der das Original nicht gehört hatte, aufrichtig beeindruckt war. Zusammen betraten sie den Speiseraum.

Ibn Daud war froh über die Erneuerung der Freundschaft mit seinem Schüler. Er empfand es als gutes Omen. Während der Mahlzeit waren alle besonders freundlich zu ihm. Der Sonnenuntergangseintopf des Zwerges war ein voller Erfolg, und Hind bestand darauf, ihm ein zweites Mal vorzulegen.

Miguel war nach Qurtuba zurückgekehrt. Sahra war tot. Suhayr war in Gharnata. Kulthum besuchte ihre Verwandten und zukünftigen Schwiegerleute in Ischbiliya. Die Anzahl der Familienmitglieder im Speisezimmer war ungewöhnlich geschmälert. Somit war der Kreis, zu dem Ibn Daud zählte, intimer als sonst. Subayda hatte beobachtet, wie er Hind lächelnd in die Augen sah, und das beruhigte sie. Vielleicht war es falscher Alarm gewesen. Vielleicht war Umars Empfinden der Wirklichkeit näher als das ihre. Sie bekam Gewissensbisse und wollte ihrem Gemahl sagen, er möge dem Jüngling keine peinlichen Fragen stellen, aber es war zu spät. Umar hatte schon zu sprechen begonnen.

»Ibn Daud«, sagte der Herr des Hauses, »möchtet Ihr wohl einen kurzen Spaziergang mit mir machen, wenn Ihr Euren Kaffee ausgetrunken habt?«

»Es wird mir eine Ehre sein, Herr.«

»Kann ich auch mitgehen?« fragte Yasid in beiläufigem Ton, bemüht, so erwachsen zu klingen, wie er nur irgend konnte. Da Suhayr fort war, meinte er, bei einem solchen Anlaß zugegen sein zu müssen.

»Nein«, versetzte Hind lächelnd. »Ich möchte eine Partie Schach spielen. Ich glaube, ich werde deinen König in weniger als zehn Zügen matt setzen.«

Yasid war hin und hergerissen, doch seine Schwester gewann die Oberhand.

»Wenn ich es recht bedenke«, sagte er zu seinem Vater,

»möchte ich doch lieber drinnen bleiben. Ich glaube, es wird kalt draußen.«

»Eine kluge Entscheidung«, sagte Umar, indes er sich vom Boden erhob und zu der Türe ging, welche auf die Terrasse führte.

Ibn Daud verneigte sich vor Subayda und sah Hind an, als wolle er sie anflehen, ihn nicht allzu streng zu richten. Er folgte Umar hinaus.

»Geh schon in mein Zimmer und stell die Schachfiguren auf das Tuch«, wies Hind ihren Bruder an. »Ich komme gleich nach.«

»Ich glaube, wir haben uns geirrt, was Ibn Daud anbelangt«, sagte Subayda, sobald ihr Sohn das Zimmer verlassen hatte. »Hast du ihn beobachtet, während wir aßen? Er hatte nur Augen für dich. Er mag verwirrt sein, aber er ist dir sehr zugetan.«

»Was du sagst, mag wahr sein, aber die zügellose Leidenschaft, die ich für ihn empfand, ist dahin. Ich habe ihn noch gern. Mit der Zeit mag ich ihn gar lieben, doch ohne die Heftigkeit, die ich zuvor verspürte. Der Nachmittag hat mir einen dumpfen Kopfschmerz hinterlassen.«

»Nicht einmal unsere größten Ärzte waren imstande, die Rätsel des Herzens zu lösen, Hind. Gib nicht so rasch auf. Du bist mir allzu ähnlich. Zu ungeduldig. Alles auf einmal. Mir erging es so mit deinem Vater, und seine Eltern hielten mein schlichtes Verlangen für zügellose Gier.«

»Mutter«, sagte Hind sehr leise, »wir wissen wahrlich nicht, wieviel Zeit uns noch bleibt. Als du jung warst, residierte der Sultan im al-Hamra-Palast, und die Welt schien sicher. Heute wird unser Leben von Ungewißheit beherrscht. Alle im Dorf fühlen sich unsicher. Nicht einmal der falsche Zauber der Träume kann mehr Trost spenden. Unsere Träume sind bitter geworden. Erinnerst du dich, wie Yasid sich weinend an Suhayr klammerte und ihn anflehte, nicht nach Gharnata zu gehen?«

»Wie könnte eine Mutter diese Szene je vergessen?«

»Yasid so verzweifelt zu sehen, machte mich zornig, und ich flüsterte Suhayr eine Grobheit ins Ohr. Eine Dummheit. Ich sagte ihm, er wäre von Geburt an selbstsüchtig gewesen.

Er erbleichte. Er ließ Yasid los und nahm mich beiseite. Dann flüsterte er mir grimmig ins Ohr: ›Mit der Verstrickung in das Leben mit seinem täglichen Einerlei ist nichts gewonnen. Die einzige Freiheit, die uns bleibt, ist die Wahl, wie wir sterben, und auch die willst du mir noch nehmen.‹«

Subayda umarmte Hind und drückte sie an sich. Sie sprachen nichts mehr. In der Stille konnten sie den Wind draußen hören. Ihre Körper übermittelten sich Signale.

»Hind! Hind!« Yasids Stimme holte sie zurück in die Welt, in der sie nach wie vor lebten. »Ich habe gewartet. Spute dich! Ich habe meine Züge geplant.«

Die beiden Frauen lächelten. Manche Dinge änderten sich nie.

Draußen in der tiefblauen Nacht schritten Umar und Ibn Daud um das Gemäuer des Hauses. Auch sie hatten den Zustand ihrer Welt besprochen, jedoch in philosophischeren Begriffen. Nun, da sie außer Hörweite der Nachtwächter waren, welche an der Umfriedung des Hauses patrouillierten, beschloß Umar, keine Zeit zu verschwenden.

»Ich habe gehört, daß Ihr heute nach dem Mittagsmahl mit Hind spazieren wart. Sie ist ein sehr kostbarer Schatz. Ihre Mutter und ich lieben sie sehr. Wir möchten sie nicht verletzt oder bekümmert sehen.«

»Ich war sehr froh, als Ihr mich zu einem Spaziergang mit Euch auffordertet. Ich liebe Hind. Ich möchte Euch um Eure Erlaubnis bitten, mich mit ihr zu vermählen.«

»Bedenkt eines, Ibn Daud«, sagte Umar so onkelhaft, wie er nur konnte. »Nur ein Blinder wagt es, aufs Dach zu scheißen und denkt, daß man ihn nicht sehen kann!«

Ibn Daud begann zu zittern. Er war sich nicht sicher, wieviel Umar wußte. Vielleicht hatte Yasid es seiner Mutter erzählt. Vielleicht hatten die Dienstmägde geredet. Vielleicht ...

»Was ich damit sagen will, mein lieber Freund, es gibt keine Entschuldigung für einen, der zweimal in dieselbe Grube fällt.«

Jetzt verstand er.

»Es gibt nichts, was ich vor Hind und Euch oder vor der Herrin Subayda geheimhalten möchte.« Ibn Daud sprach mit zitternder Stimme. »Vor einigen Jahren hat es einen Vorfall gegeben. Ein Studiengefährte. Wir liebten einander. Er ist vor über einem Jahr gestorben. Ich war mit keinem anderen Mann und keiner Frau zusammen. Meine Liebe zu Hind ist größer als jene zu meinem Freund. Eher würde ich sterben, als ihr ein Leid anzutun. Wenn Ihr und die Herrin Subayda in Eurer Weisheit und mit Eurer Erfahrung befindet, daß ich der Falsche für sie bin, bitte sagt es mir, und ich werde morgen meine Habe packen und Euer nobles Haus verlassen. Euer Urteil wird endgültig sein.«

Der Wind hatte sich gelegt, der Himmel war klar. Ibn Dauds Aufrichtigkeit hatte die Düsternis des Abends vertrieben, und Umar war nun leichter ums Herz. Subaydas Argwohn hatte ihn beunruhigt, auch wenn er es ihr nicht eingestehen wollte. Es gab zu viele Familiengeschichten von Frauen, welche unglücklich gemacht wurden von Männern, die nur für einander lebten, Frauen, die von verwelkten Träumen zehrten. Für ihre Ehemänner bestand ihr einziger Zweck in der Fortpflanzung. Umars eigener Großonkel, Ibn Farids jüngerer Bruder, war in diesem Hause mit seinem Geliebten einherstolziert, aber er hatte wenigstens nie geheiratet.

»Eure Aufrichtigkeit beeindruckt mich sehr. Was Ihr Eurer zukünftigen Gemahlin erzählt, geht nur euch beide etwas an.«

»Dann habe ich Eure Erlaubnis?« begann Ibn Daud, doch er wurde sogleich unterbrochen.

»Ihr habt mehr als meine Erlaubnis. Ihr habt meinen Segen. Hind wird eine ansehnliche Mitgift bekommen.«

»Ich versichere Euch, daß die Mitgift für mich nicht von Interesse ist.«

»Habt Ihr eigenes Vermögen?«

»Nicht das geringste. Ich habe mir nie viel aus Geld gemacht.«

Umar lächelte still in sich hinein, während sie zum Haus zurückgingen. Das einzige, was für Armut spricht, fand er, ist, daß sie manche Menschen mit einer Würde adelt, der die Reichen nichts entgegenzusetzen haben.

»Das spielt keine Rolle, Ibn Daud. Die Mitgift bekommt ihr dennoch. Meine Enkelkinder werden mir meine Voraussicht danken. Sagt mir, habt Ihr schon entschieden, wo ihr leben wollt? Werdet Ihr nach al-Qahira zurückkehren?«

»Nein. Das ist der einzige Ort, wo ich nicht leben möchte. Ich werde dies alles natürlich mit Hind erörtern, doch die maghrebinische Stadt, die mir am meisten zusagt, ist Fes. Es ist Gharnata nicht unähnlich, aber ohne einen Erzbischof Cisneros. Darüber hinaus wurde es, sofern meiner Großmutter zu glauben ist, von Ibn Chaldun sehr empfohlen, der es zu seinem ständigen Wohnsitz machen wollte.«

Noch vor wenigen Wochen wäre Umar darüber verärgert gewesen, daß Hind Ibn Daud schöne Augen machte, jetzt aber hegte er eine gewisse Bewunderung für den jungen Mann. Er fand ihn nicht mehr lästig und besserwisserisch, und er teilte seine Zuversicht, allein auf Grund seiner Klugheit überleben zu können. Als sie in den Innenhof gelangten, hatte Umar das Gefühl, Ibn Daud sei einer der wenigen Männer, mit denen Hind glücklich werden könnte. Er umarmte ihn.

»Friede sei mit Euch, und schlaft wohl.«

»Friede sei mit Euch«, erwiderte der Scholar aus al-Qahira. Seine Stimme erstickte von Gefühlsregungen, die er tapfer zu verbergen trachtete.

Als Umar in das Schlafgemach seiner Gemahlin trat, fand er Hind dort vor, die ihrer Mutter die Beine und Füße massierte. Subayda setzte sich sogleich auf, als ihr Gemahl hereinkam.

»Nun?«

»Wer hat das Schachspiel gewonnen, Hind?« war Umars einzige Entgegnung. Er hatte sie mit Bedacht gewählt, um seine Gemahlin zu provozieren.

»Umar! Was ist geschehen«, verlangte Subayda zu wissen.

Umar blickte so ergeben und ruhig drein, wie es ihm möglich war, und sah sie lächelnd an. »Es war so, wie ich dachte«, erwiderte er. »Der Jüngling liebt unsere Tochter aufrichtig. Daran hege ich nicht den leisesten Zweifel. Meine Einwilligung hat er. Nun liegt alles bei Hind.«

»Meine Befürchtungen?« drängte Subayda. »Waren sie gänzlich falsch?«

Umar zuckte die Achseln. »Sie waren unerheblich.«

Subayda lächelte zufrieden. »Es ist nun allein deine Entscheidung, meine Tochter. Wir sind glücklich.«

Hind war die Röte ins Gesicht gestiegen, während sie dieses Gespräch mit anhörte. Ihr Herz schlug schneller. »Ich will es heute abend sorgsam bedenken«, sagte sie in beiläufigem Ton, »und morgen sollt ihr meine Antwort haben.«

Dann küßte sie ihre Eltern, und indem sie ihre würdevollste Miene aufsetzte, schritt sie langsam aus dem Gemach.

Sobald sie allein in ihrer Kammer war, begann sie zu lachen, zuerst leise, dann laut. Das Lachen spiegelte ihren Triumph wieder, ihren Jubel, und es hatte auch etwas Hysterisches. »Ich wünschte, du wärest nicht tot, Großtante Sahra.« In einem Spiegel betrachtete Hind ihr Gesicht, dessen natürliche Zartheit durch das Licht der Lampe betont wurde. »Ich muß mit dir sprechen. Ich denke, ich werde ihn heiraten, aber zuerst muß ich mich vergewissern, daß seine Liebe echt ist, und es gibt nur eine Möglichkeit, es herauszufinden. Das hast du mir selbst gesagt.«

Nachdem sie sich so von der Rechtschaffenheit ihres Vorhabens überzeugt hatte, löschte sie die Lampe in ihrer Kammer und schlich auf Zehenspitzen in den Innenhof. Draußen war es pechfinster. Die Wolken waren wiedergekommen und verdeckten die Sterne. Sie wartete, bis ihre Augen sich an das Dunkel gewöhnt hatten, dann ging sie nervös zum Gästetrakt.

Vor Ibn Dauds Zimmer blieb sie stehen, bis ihr Zittern sich gelegt hatte. Sie blickte sich vorsichtig um. Alles war still. Sie klopfte leise an die Türe. Ibn Daud war verdutzt. Er wickelte sich ein Laken um die Hüften, stieg aus dem Bett und entriegelte die Türe.

»Hind!« Seine Überraschung war so groß, daß er seine eigene Stimme kaum hören konnte. »Bitte tritt ein.«

Hind schritt in das Zimmer, und sie hatte Mühe, nicht zu lachen über den Anblick dieses zimperlichen jungen Mannes, der versuchte, das Laken an Ort und Stelle zu halten.

»Mein Vater sagt, daß er dir die Erlaubnis gab, mich zu heiraten.«

»Nur wenn du einwilligst. Ist das alles, was dein Vater sagte?«

»Ja. Was hast du ihm noch erzählt?«

»Etwas, das ich dir vor vielen Tagen hätte sagen sollen. Ich war ein Dummkopf, Hind. Ich muß wohl gefürchtet haben, dich zu verlieren.«

»Wovon sprichst du?«

Ibn Daud erzählte die ganze Geschichte seiner Liebe zu Mansur, einschließlich der Einzelheiten, die ihr höchstwahrscheinlich Schmerz zufügten. Er schilderte, wie sie an der al-Aschar-Universität ein gemeinsames Zimmer bewohnten, wie sie die gegenseitige Gesellschaft höchst anregend fanden und ihre Geistesverwandtschaft sie eines Nachts körperlich zusammenführte. Er erzählte davon, wie sie einander entdeckten, und von Mansurs Tod.

»Du bist der Mensch, der mich wieder zum Leben erweckt hat.«

»Das macht mich froh. Du wirst gemerkt haben, daß ich zu jenen gehöre, denen ein von Pein durchbohrtes Herz lieber ist als ein beschauliches Glück, das gewöhnlich auf Selbsttäuschung oder Betrug beruht. Die meisten Ehen leben von einer kalten Leere. Fast alle meine Cousinen sind mit Rohlingen vermählt, die die Empfindsamkeit eines Holzklotzes haben. Heirat um ihrer selbst willen würde ich niemals gutheißen. Darf ich dich etwas fragen?«

»Was immer du willst.« Ibn Dauds Stimme klang beflissen und erleichtert.

»Wir können gute Freunde werden, zusammen Gedichte schreiben, gemeinsam auf die Jagd gehen, über Astronomie diskutieren, aber weißt du genau, daß es dich, wenn die Sonne sinkt, nach einem Frauenleib in deinen Armen verlangt?«

»Ich habe mich seit dem Nachmittag nach dir gesehnt. Ich war verwirrt und unsicher, aber wie deine Hände über meine Gliedmaßen geglitten sind, das war ein Erlebnis, das ich freudig wiederholen würde, wenn die Sonne aufgeht, und dem ich bei Nacht nie abgeneigt wäre.«

Er streichelte ihr Antlitz, und sie war gerührt und umarmte ihn. Sie spürte seinen nackten Leib unter dem Laken aus Baumwolle. Als sie fühlte, wie seine Palme sich zu regen begann, zog sie ihm das Laken fort und drückte ihn an sich. Dann trat sie einen Schritt zurück und warf ihr Gewand ab.

»Die lauten Schläge deines Herzens werden das ganze Haus aufwecken«, neckte sie ihn. Sie löschte die Lampe und fiel mit ihm auf die Bettstatt.

»Willst du es wirklich, Hind? Weißt du es genau?« fragte er, außerstande, noch länger an sich zu halten.

Sie nickte. Sacht pflanzte er seinen Baum in ihren Garten. Sie fühlte einen Schmerz, der sich binnen Sekunden in schmerzhafte Wonne verwandelte, dann entspannte sie sich und vereinte sich mit ihm, indes ihre Leiber sich im Einklang hoben und senkten, bis sie gemeinsam zum Höhepunkt gelangten. Alle ihre Cousinen und Dienerinnen hatten Hind erzählt, daß es beim ersten Mal am wenigsten angenehm wäre. Sie legte sich zurück und genoß das Nachgefühl.

»Jetzt weißt du es genau?« Er setzte sich auf und sah sie fragend an.

»Ja, mein Liebster. Jetzt weiß ich es genau. Und du?«

»Wie meinst du das, du Teufelin?«

»Ich meine, war es so schön wie mit Mansur?«

»Mit dir ist es ganz anders, meine Prinzessin, und so soll es bleiben. Ein Granatapfel kann ein ebensolcher Genuß sein wie eine Auster, obgleich sich beider Geschmack gänzlich unterscheidet. Sie vergleichen heißt beide verderben.«

»Ich warne dich, Ibn Daud. Noch bevor wir vermählt sind. Wenn du mich wegen eines hübschen jungen Feigenverkäufers verläßt, wird meine Rache öffentlich und grausam sein.«

»Was wirst du tun?«

Sie umklammerte seine Palme. »Ich werde diese Datteln abschneiden und sie einlegen lassen.«

Hierauf mußten sie beide lachen. Die Flamme stieg wieder empor. Sie liebten sich viele Male in dieser Nacht. Er schlief vor ihr ein. Lange Zeit betrachtete sie den Schlafenden und rief sich zurück, was sie soeben erlebt hatte. Sie strich ihm über das Haar, in der Hoffnung, ihn damit aufzuwecken, er aber rührte sich nicht. Ihr Gaumen wollte ihn abermals kosten, doch der Schlaf, der es müde war, noch länger zu warten, überwältigte ihr Verlangen.

Kurz vor Sonnenaufgang trat Subayda in das Zimmer. Sie wußte, was sie vorfinden würde. Sie legte ihrer Tochter die Hand auf den Mund, um Schreckensschreie zu verhindern, die ihren Liebsten verlegen machen könnten, dann rüttelte sie sie heftig, bis sie die Augen aufschlug. Als sie Subayda erblickte, setzte sie sich kerzengerade auf. Subayda gebot ihr durch Zeichen, still mit ihr das Zimmer zu verlassen.

»Ich liebe ihn. Ich will ihn heiraten«, flüsterte Hind schlaftrunken, während sie dem Innenhof zustrebten.

»Es freut mich aufrichtig, diese Nachricht zu vernehmen«, erwiderte ihre Mutter, »aber ich meine, mit dem Heiraten solltest du bis heute nachmittag warten!«

11. KAPITEL

Jimenez sitzt an seinem Schreibpult und denkt.

Meine Haut mag zu dunkel sein, meine Augen sind nicht blau, sondern dunkelbraun, meine Nase ist krumm und lang, und dennoch bin ich sicher, o ja, sicher, daß mein Blut unbefleckt ist. Meine Vorfahren waren hier, als die Römer kamen, und meine Familie ist viel älter als die westgotischen Altvorderen des edlen Marques, unseres wackeren Generalkapitäns. Warum wispern die Leute, ich hätte jüdisches Blut in mir? Ist das ein grausamer Scherz? Oder streuen einige mißgestimmte Dominikaner dieses Gift, um mich innerhalb der Kirche in Verruf zu bringen, auf daß sie abermals ins Reich der Täuschung streifen und die Unterscheidungen zwischen uns und den Anhängern Moses und denen des falschen Propheten Mohammed verwischen können? Was immer sie mutmaßen, es ist nicht wahr. Mein Blut ist rein! So rein, wie wir dieses Königreich eines Tages machen werden. Ich will weder weinen noch klagen über diese endlosen Kränkungen, sondern fortfahren mit Gottes Werk. Die Wölfe heißen mich eine Bestie, doch wagen sie es nicht, mich anzugreifen, denn sie kennen den Preis für mein Blut. Die Verehrung Mariens und der Schmerzen, die ER fühlte, der gekreuzigt ward, weckt mysteriöse Regungen in mir. In meinen Träumen sehe ich mich oft als Kreuzritter vor den Festen Jerusalems oder im Angesicht Konstantinopels. Meine Erinnerung wurzelt in den Zeitläufen des Christentums, aber warum bin ich immer allein, selbst in meinen Träumen? Ohne Familie. Ohne Freunde. Ohne Mitleid mit den minderen Rassen. Ich habe kein jüdisches Blut in mir. Nicht einen einzigen winzigen Tropfen. Nein. Daran hege ich keinen Zweifel.

Ein Spion hatte Jimenez vor wenigen Stunden berichtet, daß zum Abschluß eines Banketts am Vorabend, nachdem eine Menge Weines getrunken und die Tafelrunde, bestehend aus muselmanischen und christlichen Edelmännern sowie jüdischen Kaufleuten, von Tänzerinnen unterhalten worden war, ein Höfling bemerkt hätte, es sei sehr zu bedauern, daß der Erzbischof von Toledo nicht zugegen sein könne, um sich einer solch angenehmen Gesellschaft zu erfreuen, worauf man den Generalkapitän, Don Inigo, hätte erwidern hören, des Prälaten Abwesenheit möge sehr wohl darin begründet sein, daß man ihn bei Kerzenlicht unmöglich von einem Juden unterscheiden könne. Damit nicht genug, hätte er unter allgemeinem Gelächter lauthals behauptet, dies könne ein Grund sein, weshalb Seine Gnaden die Gesellschaft von Juden noch mehr scheue als die von Mauren. Denn während maurische Gesichtszüge von denen der Christen nicht zu unterscheiden wären, hätten die Juden ihre besonderen Merkmale mit viel größerer Sorgfalt bewahrt, wie eine gründliche Betrachtung von Jimenez deutlich offenbare.

An dieser Stelle hätte ein maurischer Edelmann, seinen üppigen roten Bart streichend, Don Inigo mit einem Zwinkern seiner glänzenden blauen Augen gefragt, ob es denn wahr sei, daß der Grund, weswegen der Erzbischof danach trachte, die Anhänger des einen Gottes zu vernichten, mehr mit dem Beweis seiner eigenen Rassenreinheit zu tun habe als mit der Verteidigung der Dreifaltigkeit. Don Inigo hätte mit gespielt ernster Miene ausgerufen, diese Annahme sei grotesk, und sodann seinen Gästen zugeblinzelt.

Jimenez entließ den Spion mit einer verächtlichen Handbewegung, welche besagen sollte, diese banalen, boshaften Klatschgeschichten interessierten ihn nicht. In Wahrheit kochte er vor Wut. Daß er von ränkevollen maurischen Zungen verflucht und geschmäht wurde, war ihm wohlbekannt. Kein einziger Tag verging ohne Berichte, wie, von wem und auf welchen Straßen der Stadt er verunglimpft wurde. Die Liste war lang, aber er wollte sich jeden einzelnen Missetäter vornehmen, wenn die Zeit reif wäre. Bei solchen Gedanken, die ihm durch den Kopf schwirrten und den Gallenfluß in seinem Organismus vermehrten, ist es kaum verwunderlich, daß der Erzbischof an diesem Morgen nicht in großmütiger Verfassung war.

Und just in diesem Augenblick klopfte es an der Türe. »Herein!« sagte er mit trügerisch sanfter Stimme.

Barrionuevo, ein königlicher Amtsdiener, trat ein und küßte den Ring. »Mit Verlaub, Euer Gnaden, die zwei Abtrünnigen sind in das alte Viertel geflohen und haben im Hause ihrer Mutter Zuflucht gesucht.«

»Mich dünkt, ich bin mit diesem Fall nicht vertraut. Kläre mich auf.«

Barrionuevo räusperte sich. Er war es nicht gewöhnt, etwas vorzutragen oder zu erklären. Er pflegte seine Befehle entgegenzunehmen und auszuführen. Er war um Worte verlegen. Er wußte nichts Näheres über die beiden Männer. »Ich kenne nur ihre Namen, Euer Gnaden. Abengarcia und Abenfernando. Wie man mir sagte, sind sie zu unserem Glauben übergetreten ...«

»Jetzt erinnere ich mich«, wurde ihm in eisigem Ton erwidert. »Sie gaben vor zu konvertieren, im Inneren aber sind sie Anhänger der Sekte Mohammeds geblieben. Sie wurden bei einer frevlerischen Tat in unserer Kirche beobachtet. Sie haben auf ein Kruzifix uriniert, Mann! Bringe sie zu mir. Ich wünsche, daß sie heute verhört werden. Du kannst gehen.«

»Soll ich eine Eskorte mitnehmen, Euer Gnaden? Ohne sie könnte es Widerstand geben.«

»Ja, aber sieh zu, daß du nicht mehr als sechs bewaffnete Männer bei dir hast. Andernfalls gibt es Ärger.«

Jimenez erhob sich von seinem Pult und trat an das Bogenfenster, von wo er die Straßen drunten überblicken konnte. Zum erstenmal an diesem Tage lächelte er, zuversichtlich in dem Wissen, daß einige hitzköpfige Mauren sich von dem Amtsdiener und den Soldaten dazu verleiten lassen würden, zu den Waffen zu greifen. Das würde ihr Ende sein. Statt wie gewöhnlich seinen Spaziergang anzutreten, um den Bau der neuen Kathedrale in Augenschein zu nehmen, beschloß er, in der al-Hamra zu bleiben und auf Barrionuevos Rückkehr zu warten. Die Mißstimmung, welche der Bericht über das Bankett am Vorabend erzeugt hatte, war verflogen. An ihrer Stelle fühlte er eine ungeheure Erregung. Jimenez fiel vor dem riesigen Kruzifix auf die Knie, welches die verschlungenen geometrischen Muster auf den dreifarbigen Wandkacheln störte.

»Heilige Maria, Mutter Gottes, ich bete, daß unsere Feinde mich heute nicht enttäuschen mögen.«

Als er sich erhob, gewahrte er, daß das Feuer, welches in

seinem Kopf brannte, sich bis kurz unterhalb seiner Leibesmitte ausgebreitet hatte. Dieser Teil seines Körpers, dessen Gebrauch allen, welche die Priesterweihe erhielten, untersagt war, befand sich im Zustand der Rebellion. Jimenez goß Wasser in einen Kelch und leerte ihn hastig in einem Zug. Sein Durst war gelöscht.

Vom Herzen der Altstadt schlenderten Suhayr und seine Gefährten mit übertriebener Lässigkeit zum Bauplatz der neuen Kathedrale. Sie gingen in Gruppen zu zweit, angespannt und nervös, vorgebend, sie hätten nichts miteinander zu schaffen, jedoch vereint in dem Glauben, daß sie sich einem zweifachen Triumph näherten. Der verhaßte Feind, der Folterer ihrer Glaubensbrüder, würde bald tot sein, und ihnen, seinen Mördern, würden Märtyrertum und der Eingang ins Paradies beschieden sein.

Sie hatten sich bei einem frühen Morgenmahl getroffen, um ihre Pläne zu vervollständigen. Die acht Männer hatten sich einer nach dem anderen feierlich erhoben, und ein jeder hatte den übrigen förmlich Lebewohl gesagt. »Bis wir uns im Himmel wiedersehen.«

Am frühen Morgen hatte Suhayr einen Brief an Umar geschrieben, worin er im einzelnen seine Abenteuer auf der Straße nach Gharnata und das quälende Dilemma schilderte, vor das er sich gestellt sah, sowie seinen endgültigen Entschluß erläuterte, an der Tat teilzunehmen, die von allen außer ihm selbst gebilligt wurde:

Wir werden Cisneros eine Falle stellen, aber selbst, wenn es uns gelingt, ihn zu beseitigen, weiß ich sehr wohl, daß uns alle, jeden einzelnen von uns, dasselbe Schicksal ereilen wird. Alles ist ganz anders, als ich es mir vorgestellt hatte. Die Lage der Gharnater ist seit unserem letzten Besuch viel schlimmer geworden. Es herrscht Empörung wie auch Demoralisierung. Sie sind entschlossen, uns zu bekehren, und Cisneros hat zur Unterstützung dieses Prozesses Folterungen angeordnet. Natürlich geben viele Menschen unter den Schmerzen nach, aber es treibt sie in den Wahnsinn. Nach der Konvertierung sind sie verzweifelt, sie gehen in die Kirchen und entleeren sich auf dem Altar, urinieren ins Weihwasser, beschmie-

ren die Kruzifixe mit unreinen Substanzen und hasten hinaus, lachend, wie nur Menschen lachen, die den Verstand verloren haben. Cisneros reagiert mit Wut, und der ganze Kreislauf wiederholt sich. Hier ist man der Ansicht, solange Cisneros lebt, wird sich nichts ändern, außer zum Schlechteren. Ich glaube nicht, daß sein Tod die Lage verbessern wird, aber er wird zweifellos die Seelenqualen lindern, unter denen so viele von uns leiden.

Ich werde diesen Tag vielleicht nicht überleben, und ich küsse Euch alle der Reihe nach, insbesondere Yasid, dem nie erlaubt werden darf, seines Bruders Fehler zu wiederholen …

Suhayr und Ibn Basit waren im Begriff, die Straße zu überqueren, als sie den Amtsdiener Barrionuevo mit sechs Soldaten auf sich zukommen sahen. Glücklicherweise geriet niemand in Panik, doch als Barrionuevo vor Suhayr stehenblieb, wichen die übrigen drei Gruppen von ihrem eingeschlagenen Weg ab, wandten sich nach links und verschwanden in einem Labyrinth von schmalen Seitengassen, wie sie es zuvor vereinbart hatten.

»Warum tragt Ihr ein Schwert?« fragte Barrionuevo.

»Vergebt mir, Herr«, entgegnete Suhayr. »Ich bin nicht aus Gharnata. Ich komme aus al-Hudayl und weile für ein paar Tage hier bei meinem Freund. Ist es neuerdings verboten, auf der Straße ein Schwert zu tragen?«

»Ja«, erwiderte der Amtsdiener. »Euer Freund hätte es wissen müssen. Setzt Euren Weg fort, doch kehrt zuvor in das Heim Eures Freundes zurück und legt das Schwert ab.«

Ibn Basit und Suhayr waren unendlich erleichtert. Es blieb ihnen nichts anderes übrig, als umzukehren und sich wieder in die *funduq* zu begeben. Die anderen warteten schon, und Freudenrufe ertönten, als Suhayr und Ibn Basit eintraten.

»Ich dachte, wir hätten euch für immer verloren«, sagte Ibn Amin, indes er beide umarmte.

Suhayr sah die Erleichterung in ihren Gesichtern und wußte sogleich, daß es nicht allein der Anblick Ibn Basits und seiner selbst war, welcher die Spannung gelöst hatte. Da war noch etwas. Soviel ließ sich an Ibn Amins zufriedener Miene ablesen. Suhayr sah seinen Freund an und hob erwartungsvoll die Augenbrauen. Ibn Amin sprach.

»Wir müssen unseren Plan fallenlassen. Ein Freund im Palast hat uns eine Botschaft geschickt. Jimenez hat seine Wachen verdreifacht und heute auf seinen Besuch in der Stadt verzichtet. Ich spürte, daß etwas Eigenartiges in der Luft lag. Ist dir aufgefallen, daß die Straßen nahezu menschenleer waren?«

Suhayr konnte seine Freude nicht verbergen. »Allah sei gepriesen!« jubelte er. »Das Schicksal hat eingegriffen, um unser Opfer zu verhindern. Aber du hast recht, Ibn Amin. Die Atmosphäre ist gespannt. Warum? Hat das etwas mit dem Auftrag des königlichen Amtsdieners zu tun?«

Während sie Mutmaßungen anstellten und sich berieten, ob sie sich wieder auf die Straße wagen und die Lage erkunden sollten, kam ein alter Diener der *funduq* in ihr Zimmer gerannt.

»Bitte, Ihr Herren, geht eilends zur Straße der Wasserträger. Ich soll Euch ausrichten, Ihr mögt Eure Waffen mitnehmen.«

Suhayr griff wieder nach seinem Schwert. Die anderen zogen ihre Dolche und verließen geschwind die *funduq* al-Yadida. Sie brauchten nicht lange nach der Stätte zu suchen. Was sich wie ein leises Summen anhörte, wurde lauter und lauter. Die ganze Bevölkerung des Viertels schien auf der Straße zu sein.

Aus den mit Fransen versehenenen, überwölbten Eingängen von Häusern und Werkstätten ergossen sich immer mehr Menschen auf die Straßen. Das Klappern von Kupferkesseln, das laute Wehklagen und ein Tamburinorchester hatten sie alle zusammengetrommelt. Wasserträger und Teppichhändler mischten sich unter Obstverkäufer und *faqih*. Es war eine buntgewürfelte Schar, und zornig war sie, soviel war den Verschwörern aus der *funduq* offensichtlich, aber warum? Was war geschehen, das eine Menschenmenge aufbrachte, die bis gestern unbewegt schien?

Ein flüchtiger Bekannter von Ibn Amin, Jude wie er, der vom Kampfschauplatz kam, berichtete ihnen aufgeregt alles, was geschehen war, bis zu dem Augenblick, als er fort mußte, um seinen kranken Vater zu pflegen.

»Der königliche Amtsdiener und seine Soldaten kamen zum Hause der Witwe in der Straße der Wasserträger. Ihre zwei Söhne hatten dort in der Nacht Zuflucht gesucht. Der Amtsdiener sagte, der Erzbischof wünsche sie heute zu sehen. Die Witwe, über die Ankunft der Soldaten erzürnt, wollte sie nicht ins Haus lassen. Als sie drohten, die Türe einzuschlagen, schüttete sie einen Tiegel kochenden Wassers vom Balkon.

Ein Soldat erlitt schlimme Verbrennungen. Seine Schreie waren fürchterlich.« Dem Erzähler versagte die Stimme, und er begann zu zittern.

»Beruhige dich, mein Freund«, sagte Suhayr und strich ihm über den Kopf. »Du brauchst keine Angst zu haben. Erzähle mir, was danach geschah.«

»Es kam noch viel, viel schlimmer«, fuhr Ibn Amins Freund fort. »Der Amtsdiener war über diesen Widerstand halb verängstigt, halb wütend. Er befahl seinen Männern, gewaltsam in das Haus einzudringen und die Söhne der Witwe festzunehmen. Der Tumult lockte die Leute an, und alsbald waren mehr als zweihundert junge Männer dort, die die Straße an beiden Enden verbarrikadierten. Langsam rückten sie auf den Amtsdiener und seine Leute zu. Ein Soldat bekam solche Angst, daß er um Gnade flehte. Sie ließen ihn laufen. Die anderen hoben ihre Schwerter, und das war fatal. Die Leute umzingelten sie so dicht, daß die Soldaten an die Mauer gedrückt wurden. Dann hob der Sohn al-Wahabs, des Ölhändlers, ein Schwert vom Boden auf. Ein Soldat hatte es fallen gelassen. Er ging geradewegs auf den Amtsdiener zu und zerrte ihn mitten auf die Straße. ›Mutter‹, rief er der Witwe zu, die vom Fenster aus alles beobachtete. ›Ja, mein Sohn‹, erwiderte sie mit vergnügter Miene. ›Sage mir‹, forderte Ibn Wahab sie auf, ›wie soll dieser Schurke bestraft werden?‹ Die alte Dame legte einen Finger an die Kehle. Die Menge verstummte. Der Amtsdiener, Barrionuevo mit Namen, sank auf die Erde und flehte um Gnade. Er war wie ein Tier, das in einer Falle gefangen war. Mit dem Kopf berührte er Ibn Wahabs Füße. In eben diesem Moment ging das erhobene Schwert nieder. Es bedurfte nur eines einzigen Hiebes. Barrionuevos abgetrennter Kopf fiel auf die Straße. Noch jetzt fließt ein Strom von Blut auf der Straße der Wasserträger.«

»Und die Soldaten?« fragte Suhayr. »Was haben sie mit den Soldaten gemacht?«

»Über ihr Schicksal wird noch auf dem Platz diskutiert. Die

Soldaten werden am Bab al-Ramla von Hunderten bewaffneter Männer bewacht.«

»Kommt«, sagte Suhayr ein wenig großspurig zu seinen Gefährten. »Wir müssen uns an dieser Debatte beteiligen. Das Leben aller Gläubigen in Gharnata kann von dem Ergebnis abhängen.«

Die Menschenmasse war so dicht, daß die Straßen in dem Labyrinth nahezu unpassierbar waren. Entweder man bewegte sich mit der Menge, oder man bewegte sich überhaupt nicht. Und immer noch kamen Leute hinzu. Hier waren die Färber aus der *rabbad al-Dabbagan*, die Beine noch bloß, die Haut noch mit Farben verschiedener Schattierungen bedeckt. Die Tamburinmacher hatten ihre Werkstätten in der *rabbad al-Difaf* verlassen und sich der Menge angeschlossen. Sie trugen zu dem Lärm bei, indem sie alles herausholten, was die Instrumente an Tönen hergaben. Die Töpfer aus der *rabbad al-Fajjarin* hatten sich mit Säcken voll schadhafter Töpfe bewehrt, und an ihrer Seite marschierten, ebenfalls schwer bewaffnet, die Ziegelbrenner aus der *rabbad al-Tawwabin.*

Plötzlich sah Suhayr etwas, das ihn rührte und erregte. Eine große Anzahl Frauen, junge und alte, verschleierte und unverschleierte, trugen hoch erhoben die seidenen grünsilbernen Fahnen der maurischen Ritter, welche sie und ihre Vorfahrinnen seit mehr als fünfhundert Jahren in der *rabbad al-Bunud* nähten und bestickten. Sie verteilten Hunderte von winzigen silbernen Halbmonden an die Kinder. Kleine Knaben und Mädchen wetteiferten miteinander, einen Halbmond zu erhaschen. Suhayr dachte an Yasid. Wie würde ihn das alles ergötzt haben, wie stolz hätte er seinen Halbmond getragen. Suhayr hatte gedacht, er würde Yasid nie wiedersehen, doch seit sein Vorhaben, christliche Ritter einzeln zum bewaffneten Kampf herauszufordern, gescheitert und die geplante Ermordung Cisneros' zwangsläufig verschoben worden war, dachte Suhayr wieder an die Zukunft, und das Bild seines kleinen Bruders, der alles mit seinen klugen Augen musterte, ließ ihn nicht mehr los.

Jede Straße, jede Gasse glich einem reißenden Strom, der zu einem wogenden Menschenmeer am al-Ramla-Tor floß. Gesang hob und senkte sich wie Wellen. Alles wartete auf den Sturm.

Suhayr war entschlossen, sich für die Schonung der Soldaten zu verwenden. Auf einmal merkte er, daß sie auf der *rabbad al-Kuhl* waren, der Straße, in der die Belladonna-Macher ihrem Gewerbe nachgingen. Hier wurden silberne Gefäße mit jener Flüssigkeit gefüllt, welche zahllose Frauenaugen verschönt hatte, seit die Stadt gegründet worden war. Somit befanden sie sich nicht weit von dem Palast seines Oheims Hischam. Und unter der großen Residenz führte ein Gang direkt zum Bab al-Ramla. Man hatte ihn angelegt, als das Haus errichtet worden war, um dem darin wohnenden Edelmann oder Kaufmann ein leichtes Entkommen zu ermöglichen, wenn er von siegreichen Rivalen belagert wurde, deren unaufhörliche Palastkämpfe einen dauerhaften Schatten auf die Stadt warfen.

Suhayr bedeutete seinen Freunden durch Zeichen, ihm schweigend zu folgen. Er klopfte an die trügerisch schlichte Pforte von Hischams Haus. Ein alter Gefolgsmann der Familie spähte durch ein vergittertes Fensterchen im ersten Stockwerk und erkannte Suhayr. Er eilte die Treppe hinab, öffnete die Türe und ließ alle ein, wobei er jedoch überaus erregt wirkte.

»Der Herr ließ mich schwören, daß ich heute keinen Menschen außer Angehörigen der Familie einlasse. Überall sind Spione. Ein furchtbares Verbrechen wurde begangen, und Satans Mönch wird blutige Rache fordern.«

»Alter Freund«, sagte Suhayr mit wohlwollendem Augenzwinkern. »Wir sind nicht hier, um zu bleiben, sondern um zu verschwinden. Du brauchst deinem Herrn nicht einmal zu melden, daß wir hier waren. Ich kenne den Weg zu dem unterirdischen Gang. Vertraue auf Allah.«

Der alte Mann verstand. Er führte sie zu einem verborgenen Eingang im Patio und hob eine Kachel an, unter der ein winziger Haken sichtbar wurde. Suhayr lächelte. Wie oft hatten er und Hischams Kinder das Haus nach Einbruch der Dunkelheit auf eben diesem Wege verlassen, um sich zu heimlichen Stelldicheins zu begeben. Er zog sacht an dem Haken und hob einen viereckigen Deckel, der geschickt als Gebinde von sechzehn Kacheln getarnt war. Er half seinen Freunden in die Öffnung hinunter und folgte ihnen, nicht ohne jedoch zuvor den Diener zu umarmen, der bei seinem Oheim gewesen war, seit Suhayr zurückdenken konnte.

»Möge Allah euch alle heute beschützen«, sagte der alte Mann. Dann legte er den Deckel wieder auf, und der Patio sah aus wie ehedem.

Nach wenigen Minuten waren sie auf dem alten Markt. Suhayr hatte gefürchtet, der Ausstieg aus dem Tunnel wäre wegen der Menschenmassen unmöglich zu bewerkstelligen, doch das Schicksal meinte es gut mit ihnen. Der Deckel ließ sich ungehindert anheben. Als sieben Männer aus dem Untergrund am überdachten Eingang des Marktes auftauchten, wurden sie von einer Gruppe verblüffter Bürger bestaunt. Den Männern folgte eine blanke Waffe: Suhayr hatte Ibn Basit, der ihm vorausgegangen war, sein Schwert durch die Öffnung gereicht. Jetzt hievte er sich selber hinauf und legte den Stein sogleich wieder an seinen Platz, so daß in dem allgemeinen Tumult die genaue Lage nicht mehr auszumachen war.

Es war eine Szene, die keiner von ihnen vergessen würde. Sie sahen die Rücken Zehntausender Männer, Frauen und Kinder, die sich, auf Rache bedacht, am Bab al-Ramla versammelt hatten. Hier hatten sie 1492 gestanden und fassungslos zugesehen, wie man den Halbmond von den Zinnen der al-Hamra schleuderte, begleitet von ohrenbetäubendem Glockenklang, der mit christlichen Hymnen durchsetzt war. Hier hatten sie letztes Jahr stumm gestanden, als Cisneros, der Mann, den sie den »Satanspriester« nannten, ihre Bücher verbrannte. Und auf diesem Platz hatten nur einen Monat später betrunkene christliche Soldaten zwei ehrwürdigen Imamen die Turbane von den Häuptern gerissen.

Die Mauren von Gharnata waren kein hartes oder stures Volk, aber sie waren den Christen ausgeliefert worden, ohne daß ihnen Widerstand gestattet wurde, und das hatte sie verbittert. Ihr seit mehr als acht Jahren unterdrückter Zorn machte sich nun Luft. Sie waren in der Stimmung, selbst die ausweglosesten Maßnahmen zu ergreifen. Sie hätten die al-Hamra gestürmt, Jimenez in Stücke gerissen, Kirchen niedergebrannt und jeden Mönch kastriert, dessen sie habhaft werden konnten. Das machte sie gefährlich. Nicht für den Feind, sondern für sich selbst. Durch ihren letzten Herrscher der

Möglichkeit beraubt, den christlichen Heeren Widerstand zu leisten, fanden sie es nun an der Zeit, sich selbst zu behaupten.

Zuweilen wird erklärt, vorwiegend von denen, welche die Masse fürchten, daß jede Versammlung von mehr als einem Dutzend Leuten zur willfährigen Beute jedes Demagogen werde, der imstande sei, ihre Leidenschaften zu schüren, und sie somit nur zu Unvernunft fähig seien. Eine derartige Ansicht übersieht zwangsläufig die Anlässe, die so viele Menschen mit so vielen unterschiedlichen Interessen zusammengeführt haben. Jegliche Rivalitäten politischer oder kaufmännischer Art wurden beiseite gelassen, alle Blutfehden aufgehoben; zwischen den streitenden theologischen Splittergruppen innerhalb des Hauses des al-andalusischen Islam wurde ein Waffenstillstand geschlossen; die Gemeinde war gegen die christlichen Besatzer vereint. Was als Geste der Solidarität mit dem Recht einer Witwe, ihre Kinder zu schützen, begann, hatte sich in einen Beinahe-Aufstand verwandelt.

Ibn Wahab, der stolze, unbesonnene Scharfrichter des königlichen Amtsdieners, stand gedankenverloren auf einer hastig errichteten hölzernen Plattform. Er träumte von der al-Hamra und davon, wie er sich in Positur setzen würde, wenn er Abgesandte von Isabella empfing, die um Frieden flehten. Unglücklicherweise war sein erster Versuch in der Kunst der Rede ein kläglicher Fehlschlag gewesen. Er war fortwährend unterbrochen worden.

»Was murmelst du da?«

»Was sagst du?«

»Sprich lauter!«

»Was glaubst du, mit wem du redest, du bartloses Kinn?«

Verärgert ob dieses Mangels an Respekt, hatte Ibn Wahab nach Art der Prediger die Stimme erhoben. Er sprach fast dreißig Minuten in einer dermaßen blumigen, überladenen Sprache, so voller Metaphern und Anspielungen auf berühmte Siege von Dimaschk bis hin zum Maghreb, daß selbst diejenigen unter den Zuhörern, die ihm am meisten gewogen waren, bemerkten, der Redner sei wie ein leeres Gefäß, tönend, doch ohne Inhalt.

Der einzige konkrete Vorschlag, den er gemacht hatte, war

die sofortige Exekution der Soldaten und die Zurschaustellung ihrer Köpfe auf Pfählen. Dies war stumm aufgenommen worden, was einen *qadi* veranlaßte, zu fragen, ob noch jemand reden wolle.

»Ja!« rief Suhayr. Er hob das Schwert über seinen Kopf, und mit aufrechten Schultern und erhobenem Antlitz schritt er zur Plattform. Seine Gefährten folgten ihm, und die Menge, teils amüsiert über die wunderliche Prozession, machte ihnen Platz. Viele erkannten in ihm den Sprößling der Banu Hudayl. Der *qadi* bat Ibn Wahab, abzutreten, und Suhayr wurde von zahlreichen hilfsbereiten Händen auf die Plattform gehoben. Er hatte noch nie auf einer öffentlichen Versammlung geredet, geschweige denn auf einer von diesem Ausmaß, und er zitterte wie ein Herbstblatt.

»Im Namen Allahs, des Wohltäters, des Barmherzigen«, begann Suhayr auf ganz und gar traditionelle Weise. Er verweilte nicht lange bei den Herrlichkeiten ihrer Religion, auch erwähnte er nicht die Vergangenheit. Er sprach nur von der Tragödie, die sie heimgesucht hatte, und der noch größeren Tragödie, die ihnen bevorstand. Er merkte, daß er Redewendungen benutzte, die ihn seltsam bekannt dünkten. Richtig, er hatte sie von al-Sindiq und Abu Said übernommen. Er schloß mit einer nüchternen Beschreibung der gegenwärtigen Lage.

»Während ich hier zu euch spreche, ist der Soldat, der Zeuge der Hinrichtung wurde, in der al-Hamra und schildert sie in allen Einzelheiten. Aber versetzt euch an seine Stelle. Er ist von Furcht gequält. Um sich als tapfer hinzustellen, übertreibt er. Bald wird der Generalkapitän mit seinen Soldaten den Hügel hinabkommen und die Freilassung der Männer verlangen, die wir zu unseren Gefangenen gemacht haben. Anders als mein Bruder Ibn Wahab meine ich nicht, daß wir sie töten sollen. Ich schlage vor, daß wir sie ziehen lassen. Tun wir das nicht, werden die Christen für jeden Soldaten zehn von uns töten. Ich frage euch: Lohnt ihr Tod die Vernichtung eines einzigen Gläubigen? Wenn wir sie jetzt freiließen, wäre dies ein Zeichen unserer Stärke, nicht unserer Schwäche. Sobald wir sie haben gehen lassen, sollten wir aus unserer Mitte eine Abordnung wählen, die in unserem Namen spricht. Ich habe noch vieles zu sagen, aber ich will den

Mund halten, bis ihr euer Urteil über das Schicksal dieser Soldaten gefällt habt. Ich möchte in ihrer Gegenwart kein weiteres Wort verlieren.«

Zu seiner Verwunderung wurden Suhayrs Worte mit Beifall und viel Kopfnicken begrüßt. Als der *qadi* die Versammelten fragte, ob die Soldaten freigelassen oder getötet werden sollten, sprachen sich die allermeisten für ihre Freilassung aus. Suhayr und seine Freunde warteten keine Anweisungen ab. Sie eilten an den Ort, wo die Männer gefangengehalten wurden. Suhayr zog sein Schwert und hieb das Seil durch, das sie fesselte. Dann führte er sie an den Rand der Menge, und indem er mit seinem Schwert in die Richtung der al-Hamra wies, schickte er sie ihres Weges. Die fassungslosen Soldaten bekundeten mit stummem Nicken ihre Dankbarkeit und rannten davon, so schnell ihre Füße sie trugen.

Im Palast geschah es genau, wie Suhayr vorausgesagt hatte: Der Soldat, den sie hatten ziehen lassen, schmückte in der Annahme, seine Kameraden seien unterdessen enthauptet worden, die Rolle aus, die er selbst bei dem Vorfall gespielt hatte. Der Erzbischof hörte jedes Wort schweigend an, dann erhob er sich wortlos, bedeutete dem Soldaten, ihm zu folgen, und begab sich in die Gemächer des Marques Tendilla. Er wurde unverzüglich empfangen, und der Soldat mußte seine Leidensgeschichte abermals erzählen.

»Euer Exzellenz werden mir ohne Zweifel beipflichten«, begann Jimenez, »daß alle von unserem König und unserer Königin errungenen Siege in Gefahr sind, wenn wir diesem Aufstand nicht mit aller Härte begegnen.«

»Mein lieber Erzbischof«, erwiderte der Marques in trügerisch freundlichem Ton, »ich wünschte, es gäbe mehr Männer wie Euch unter den Geweihten unserer Kirche, dem Throne so treu ergeben und so darauf bedacht, Besitz und somit Einfluß und Ansehen der Kirche zu mehren.

Dennoch wünsche ich etwas deutlich zu machen. Ich stimme nicht mit Eurer Einschätzung überein. Dieser erbärmliche Mensch lügt, um seinen Kniefall vor den Mördern Barrionuevos zu rechtfertigen. Ich sehe unsere militärische Stellung keineswegs von diesem Pöbel bedroht. Ich würde vielmehr annehmen, wenn überhaupt Gefahr besteht, dann für die Offensive Euer Gnaden im Namen des Heiligen Geistes.«

Jimenez war über die Bemerkung erbost, zumal sie in Gegenwart eines Soldaten geäußert wurde, der sie seinen Freunden wiederholen würde: Binnen Stunden hätte sich die Nachricht in der ganzen Stadt verbreitet. Er zügelte seine Wut, bis er den Soldaten mit einer gebieterischen Gebärde seiner rechten Hand entlassen hatte.

»Euer Exzellenz scheinen nicht zu begreifen, daß diese Leute, wenn man sie nicht gefügig macht und sie zwingt, die Kirche zu achten, sich niemals der Krone ergeben werden!«

»Obwohl ein ergebener Untertan der Königin, scheinen Euer Gnaden nicht mit den Vereinbarungen vertraut, welche wir mit dem Sultan anläßlich seiner Kapitulation trafen. Dies ist nicht das erste Mal, daß ich Euch an die formellen Zusagen erinnern muß, die den Mauren gegeben wurden. Sie erhielten das Recht, ungehindert zu ihrem Gott zu beten und an ihren Propheten zu glauben. Es wurde ihnen gestattet, ihre eigene Sprache zu sprechen, untereinander zu heiraten und ihre Toten zu bestatten, wie sie es seit Jahrhunderten tun. Ihr, mein lieber Erzbischof, seid es, der diesen Aufstand provoziert hat. Ihr habt sie elendiglich erniedrigt, und Ihr heuchelt nur Überraschung, wenn sie sich auflehnen. Es sind keine Tiere! Sie sind Fleisch von unserem Fleisch und Blut von unserem Blut.

Ich frage mich zuweilen, wie die eine Mutter Kirche zwei so verschiedene Kinder wie die Dominikaner und die Franziskaner hervorbringen konnte. Kain und Abel? Sagt mir eines, Bruder Cisneros. Als Ihr in jenem Kloster bei Toledo geschult wurdet, was hat man Euch da eingeflößt?«

Cisneros begriff. Was den Zorn des Generalkapitäns hervorgerufen hatte, war die Erkenntnis, daß sich die Ordnung nur mit Hilfe eines militärischen Eingreifens wiederherstellen ließ. Er hatte gesiegt. Er beschloß, auf den Marques einzugehen.

»Ich bin erstaunt, daß ein großer Heerführer wie Euer Exzellenz die Zeit findet, die verschiedenen frommen Orden zu studieren, welche aus dem Schoße unserer Mutter Kirche hervorgingen. Nicht Kain und Abel, Exzellenz. Niemals. Betrachtet sie, wenn es Euch beliebt, als die zwei liebenden Söhne einer verwitweten Mutter. Der erste Sohn ist zäh und diszipliniert, verteidigt seine Mutter gegen die unwillkommenen Aufmerksamkeiten aller unerwünschten Freier. Der andere, ebenso liebende Sohn ist jedoch nachlässig und unbeschwert; er läßt die Türe seines Hauses weit offen, und es kümmert ihn nicht, wer ein- und ausgeht. Die Mutter braucht sie beide und liebt sie gleichermaßen, aber fragt Euch eines, Exzellenz, wer beschützt sie am besten?«

Der falsch-freundliche, gönnerhafte Ton des Erzbischofs verdroß Don Inigo. Sein empfindsamer Stolz war beleidigt. Ein Emporkömmling, Angehöriger eines frommen Ordens, suchte sich mit einem Mendoza gemein zu machen? Wie konnte Cisneros es wagen, ein solches Benehmen an den Tag zu legen? Er bedachte den Prälaten mit einem verächtlichen Blick.

»Euer Gnaden haben freilich sehr viel Erfahrung mit verwitweten Müttern und ihren Kindern. Habt Ihr nicht in Verfolgung einer solchen Witwe und ihrer beiden unseligen Söhne erst heute den königlichen Amtsdiener in den Tod geschickt?«

Der Erzbischof erkannte, daß alles, was er heute sagte, nur auf schroffe Ablehnung stoßen würde; also stand er auf und empfahl sich. Der Marques löste die geballten Fäuste. Er klatschte laut in die Hände. Als zwei Bedienstete erschienen, stieß er barsch eine Reihe von Befehlen hervor.

»Macht meine Rüstung und mein Pferd bereit. Sagt Don Alonso, ich brauche dreihundert Soldaten, die mich zum Bibarrambla begleiten. Ich wünsche aufzubrechen, ehe die nächste Stunde schlägt.«

In der Stadt war die Stimmung umgeschlagen. Die Freilassung der Soldaten hatte den Menschen ungeheures Selbstvertrauen geschenkt. Sie fühlten sich ihren Feinden moralisch überlegen. Nichts schien ihnen mehr angst zu machen. Obst- und Getränkeverkäufer waren erschienen. Die Bäcker hatten ihre Läden geschlossen, und am Bab al-Ramla waren hastig Gebäckstände errichtet worden. Speisen und Naschwerk wurden kostenlos verteilt. Kinder improvisierten einfache Lieder und tanzten dazu. Die Spannung war verflogen. Suhayr wußte, es war nur ein vorläufiger Aufschub. Die Furcht hatte sich vorübergehend unter die Oberfläche zurückgezogen. Eine nahezu festliche Atmosphäre hatte sie abgelöst, dabei war erst eine Stunde vergangen, seit er das Klopfen der Herzen vernommen hatte.

Suhayr war der Held des Tages. Ältere Bürger ergötzten ihn mit Geschichten von den Ruhmestaten seines Urgroßvaters, von denen er die meisten schon kannte, während er von anderen wußte, daß sie unmöglich wahr sein konnten. Er nickte liebenswürdig lächelnd den Weißbärtigen zu, hörte jedoch nicht mehr hin. Seine Gedanken weilten in der al-Hamra, und dort wären sie geblieben, hätte ihn nicht eine bekannte Stimme aus seinem Tagtraum aufgestört.

»Du denkst, nicht wahr, daß uns hier großes Ungemach ereilen wird?«

»Al-Sindiq!« rief Suhayr, und er umarmte seinen alten Freund. »Du siehst so anders aus. Wie kannst du dich in zwei Wochen so verändert haben? Sahras Tod?«

»Die Zeit zehrt an einem alternden Mann, Suhayr al-Fahl. Wenn du eines Tages die Siebzig überschritten hast, wirst du es merken.«

»Falls ich so lange lebe«, murmelte Suhayr mehr zu sich selbst. Es freute ihn, al-Sindiq zu sehen, und nicht nur, weil er etliche neue Ideen von ihm übernehmen konnte. Er war froh, daß al-Sindiq ihn auf der Höhe seiner Fähigkeiten erlebt hatte, als ihm die Anerkennung der Gharnater zuteil wurde. Doch der alte Skeptiker war in seiner Sinnesart unverändert geblieben.

»Mein junger Freund«, sagte er in liebevollem Ton zu Suhayr, »wir leben unser Leben unter einem Bogen, der sich von unserer Geburt bis zum Grabe spannt. Erst Alter und Tod erklären den Zauber der Jugend. Und ihre Geringschätzung für die Zukunft.«

»Ja«, sagte Suhayr, als ihm aufging, wohin dies zielte, »aber die Kluft zwischen Alter und Jugend ist nicht so endgültig, wie du meinst.«

»Wie das?«

»Erinnere dich an den Mann, der soeben sein sechzigstes

Lebensjahr vollendete, ein wahrlich seltenes Ereignis auf unserer Halbinsel. Er ging am Rande von al-Hudayl spazieren und sah drei Knaben, allesamt fünfzig oder noch mehr Jahre jünger als er, die auf einem Ast nahe dem Wipfel eines Baumes hockten. Einer von ihnen rief ihm eine Kränkung zu, indem er sein geschorenes Haupt mit dem Hinterteil eines Tieres verglich. Der Erfahrung gemäß hätte der Alte die Bemerkung überhört und wäre weitergegangen, aber nein, zur großen Überraschung der Knaben kletterte er schnurstracks auf den Baum. Der Knabe, der ihn beleidigt hatte, wurde sein Freund fürs Leben.«

Al-Sindiq kicherte. »Eben deswegen bin ich auf den Baum geklettert: um euch zu lehren, daß man niemals etwas für selbstverständlich halten soll.«

»Ganz recht. Ich habe mir die Lektion wohl gemerkt.«

»Dann achte also darauf, mein Freund, daß du diese Menschen nicht in eine Falle führst. Das Mädchen, welches das Massaker in al-Hama überlebte, kann den Anblick von Regen noch immer nicht ertragen. Sie bildet sich ein, er wäre rot.«

»Suhayr bin Umar, Ibn Basit, Ibn Wahab! Auf dem Seidenmarkt findet jetzt eine Versammlung der Vierzig statt!«

Suhayr dankte al-Sindiq für seinen Rat, verabschiedete sich eilends und machte sich auf den Weg zu dem Kontor eines Seidenhändlers, das man ihnen zur Verfügung gestellt hatte. Dem Alten konnte der veränderte Gang seines jungen Freundes nicht entgehen. Seinem Wesen hätte es entsprochen, zum Treffpunkt zu rennen, er aber zog gemessenen Schrittes von dannen, indes seine Haltung einen hoheitsvollen Zug annahm. Al-Sindiq lächelte und schüttelte den Kopf. Ihm war, als hätte er Ibn Farids Geist erblickt.

Die Bürgerversammlung hatte eine Abordnung von vierzig Männern gewählt und ihnen Vollmacht erteilt, im Namen der ganzen Stadt zu verhandeln. Suhayr und seine sieben Freunde waren allesamt gewählt worden, aber ebenso Ibn Wahab. Die meisten übrigen Mitglieder der Vierzig waren außer Dienst gestellte maurische Ritter. Just als Suhayr zu der Versammlung trat, berichtete ein Küchenjunge aus der al-Hamra mit aufgeregter Stimme von den Vorbereitungen zu einem Gegenangriff, welche im Palast getroffen wurden.

»Die Rüstung des Generalkapitäns wird schon bereitgemacht. Er wird von einer Abteilung von dreihundert Soldaten begleitet. Ihre Schwerter wurden soeben geschärft, als ich wegging.«

»Wir sollten sie aus dem Hinterhalt überfallen«, schlug Ibn Wahab vor. »Sie mit Öl übergießen und anzünden.«

»Lieber ein vernünftiger Feind als ein unvernünftiger Freund«, murmelte der *qadi,* der den Vorschlag stirnrunzelnd verwarf.

»Laßt uns vorgehen wie geplant« sagte Suhayr, als die Versammlung zu Ende war und die Vierzig auf den Platz zurückkehrten.

Der *qadi* stieg auf die Plattform und verkündete, daß die Soldaten unterwegs seien. Das Lächeln schwand aus den Gesichtern. Die Verkäufer packten ihre Waren zusammen und machten sich zum Aufbruch bereit. Die Menge wurde ängstlich, und in allen Ecken sprach man nervös miteinander. Der *qadi* ermahnte die Leute, ruhig zu bleiben. Frauen, Kinder und ältere Männer wurden nach Hause geschickt.

Allen übrigen waren bestimmte Standorte zugewiesen worden für den Fall, daß das christliche Heer das Herz der Stadt zu erobern suchte. Die Männer begaben sich auf ihre zuvor vereinbarten Posten. Es waren bereits Vorsichtsmaßnahmen ergriffen worden, und der Verteidigungsplan kam jetzt zum Einsatz. Binnen dreißig Minuten stand eine stabile Barrikade. Die Ofensetzer, Steinmetze und Tischler hatten die Menge angespornt, und alle hatten eifrig mit angepackt. Die Barrikade war mit großem Geschick errichtet worden und versperrte alle Eingänge zum alten Viertel, das der *qadi* stets als »die Stadt der Gläubigen« bezeichnete.

Wie erstaunlich, dachte Suhayr, daß sie all dies von sich aus getan haben. Der *qadi* mußte nicht unsere Vergangenheit beschwören oder den Allmächtigen anrufen, um sie anzuspornen. Er sah sich suchend nach al-Sindiq um, doch der alte Mann war schon fort. Und wo, fragte sich Suhayr, ist Abu Said mit seiner verrückten Familie wiedergeborener al-Ma'ari? Warum sind sie nicht hier? Sie sollten die Kraft unseres Volkes sehen. Wenn ein neues Heer zur Verteidigung unserer Zivilisation aufgestellt werden muß, dann sind diese braven Leute seine Soldaten. Ohne sie werden wir scheitern.

»Die Soldaten!« rief jemand, und es wurde still am Bab al-Ramla. Das Trampeln von Soldatenfüßen auf den gepflasterten Straßen in der Ferne wurde immer lauter.

»Der Generalkapitän ist an ihrer Spitze, in vollem Staat!« rief ein anderer Wachtposten.

Suhayr gab ein Zeichen, welches von fünf an verschiedenen Stellen des Platzes postierten Freiwilligen wiederholt wurde. Dreihundert junge Männer, die Beutel mit Ziegelbrocken gefüllt, streckten sich und hoben die Arme zum Wurf. Die erste Reihe Steinewerfer stand bereit. Das Geräusch marschierender Füße war jetzt sehr laut.

Der Marques von Tendilla, Generalkapitän des Christenheeres in Gharnata, brachte sein Pferd zum Stehen, als er sich einem unüberwindlichen Hindernis gegenübersah. Mit aus den Angeln gehobenen Holztoren, Haufen aus halben Ziegelsteinen, Eisenstangen sowie Bruchsteinen aller Arten war eine Befestigung errichtet worden, wie der Marques im Laufe zahlreicher Schlachten noch keine gesehen hatte. Er wußte, er würde einige hundert Soldaten mehr benötigen, um die Barriere niederzureißen, und er wußte auch, daß die Mauren nicht müßig dastehen und zusehen würden, wie das Bauwerk einstürzte. Natürlich würde er am Ende siegen, hieran konnte es keinen Zweifel geben, aber es würde ein schmutziger und blutiger Sieg sein. Er hob die Stimme und rief über die Barrikade: »Im Namen unseres Königs und unserer Königin ersuche ich euch, dieses Hindernis zu beseitigen und meiner Eskorte zu gestatten, mich in die Stadt zu geleiten.«

Die Steinewerfer traten in Aktion. Eine unheimliche Musik setzte ein, als ein Hagel aus Ziegelbrocken auf die erhobenen Schilde der Soldaten niederging. Der Marques verstand die Botschaft. Die maurischen Ältesten hatten beschlossen, alle Beziehungen zum Palast abzubrechen.

»Ich nehme den Bruch zwischen uns nicht hin«, rief der Generalkapitän. »Ich kehre mit Verstärkung zurück, wenn ihr mich nicht binnen einer Stunde einlaßt.«

Er ritt wütend von dannen, ohne auf seine Männer zu warten. Der Anblick der hinter ihrem Anführer herlaufenden Soldaten rief in den Reihen der Gharnater große Heiterkeit hervor.

Die Vierzig waren weniger erheitert. Sie wußten, früher oder später würden sie mit Mendoza verhandeln müssen. Ibn Wahab wollte Kampf um jeden Preis, und er erhielt einige Unterstützung, die Mehrheit aber beschloß, einen Boten in die al-Hamra zu senden, um ihre Gesprächsbereitschaft kundzutun.

Es war dunkel, als der Marques zurückkehrte. Die Verteidiger hatten die Barrikade beseitigt. Männer mit Fackeln geleiteten den Generalkapitän zum Seidenmarkt. Er wurde von den Vierzig in dem Raum empfangen, wo sie ihre Versammlung abgehalten hatten. Eingehend musterte er ihre Gesichter, wobei er versuchte, sich ihre Züge einzuprägen. Während sie ihm der Reihe nach vorgestellt wurden, trug einer seiner Begleiter ihre Namen sorgsam in ein Register ein.

»Bist du der Sohn von Umar bin Abdallah?«

Suhayr nickte.

»Ich kenne deinen Vater gut. Weiß er, daß du hier bist?«

»Nein«, log Suhayr. Er wollte nicht, daß seiner Familie ein Leid geschähe.

Don Inigo schritt weiter, bis er Ibn Amin erblickte.

»Du?« Er hob die Stimme. »Ein Jude, der Sohn meines Leibarztes, beteiligst dich an diesem Unfug? Was hast du damit zu schaffen?«

»Ich lebe in dieser Stadt, Exzellenz. Der Erzbischof behandelt uns alle gleich. Juden, Muselmanen, christliche Ketzer. Er macht da keinen Unterschied.«

»Ich wußte nicht, daß es Ketzer in Gharnata gibt.«

»Es gab welche, doch sie haben sich davongemacht, als der Erzbischof kam. Seine Reputation war ihnen anscheinend bekannt.«

»Ich bin nicht etwa hier, um mit euch zu verhandeln«, begann der Generalkapitän, nachdem er sich vergewissert hatte, daß die Namen sämtlicher Mitglieder der Vierzig notiert waren. »Ihr alle wißt, daß es mir ein leichtes wäre, diese Stadt mit der Hand zu zermalmen. Ihr habt einen königlichen Amtsdiener getötet. Der Mann, der einen Diener des Königs hingerichtet hat, darf nicht ungestraft bleiben. Das ist keine unübliche Prozedur. Es ist Gesetz. Eure eigenen Sultane und Emire sprachen Recht, wie wir es jetzt tun. Ich wünsche, daß dieser Mann bis morgen früh meinen Soldaten übergeben wird. Fortan müßt ihr die Gesetze anerkennen, die unser König und unsere Königin erlassen haben. Alle Gesetze. Diejenigen von euch, die meinen Glauben annehmen, können ihre Häuser und Ländereien behalten, ihre Kleider tragen, ihre Sprache sprechen, aber wer sich weiterhin zur Sekte Mohammeds bekennt, wird bestraft.

Ich kann euch ferner versprechen, daß wir die Inquisition die nächsten fünf Jahre noch nicht in diese Stadt lassen werden, aber dafür werden eure Steuern an die Krone von morgen an verdoppelt. Außerdem müßt ihr für den Unterhalt meiner hier einquartierten Soldaten aufkommen. Und noch etwas. Ich habe eine Liste der zweihundert führenden Familien eurer Stadt aufgestellt. Jede von ihnen muß mir einen Sohn als Geisel geben. Ihr scheint entsetzt. Dies haben wir von den Gepflogenheiten eurer Herrscher gelernt. Ich erwarte euch alle morgen im Palast mit einer Antwort auf mein Angebot.«

Mit diesen Worten, die tödlicher waren als die Klinge eines Soldaten, verabschiedete sich Don Inigo, Marques von Tendilla, und zog von dannen. Minutenlang konnte niemand etwas sagen. Die verheißene Unterdrückung lastete bereits schwer auf allen Anwesenden.

»Vielleicht«, sagte Ibn Wahab, die Stimme matt von Selbstmitleid und Angst, »sollte ich mich ergeben. Dann wird unser Volk wieder Ruhe haben.«

»Was er gesagt hat, hätte nicht deutlicher sein können. Wenn wir unseren Glauben behalten, wird die einzige Ruhe, die sie uns gestatten, die Friedhofsruhe sein«, sagte Suhayr. »Für große Gesten und unnötige Opfer ist es jetzt zu spät.«

»Die Wahl, die man uns läßt, ist einfach«, ließ sich Ibn Basit vernehmen. »Konvertieren oder sterben.«

Dann ergriff der *qadi*, der von allen Anwesenden, mit Ausnahme Ibn Wahabs, den Schlag am tiefsten empfunden hatte, mit unbewegter Stimme das Wort.

»Zuerst vergewissern sie sich, daß sie fest im Sattel sitzen, und dann geben sie dem Pferd die Peitsche. Allah hat uns grausam bestraft. Er hat unsere Torheiten auf dieser Halbinsel lange Zeit beobachtet. Er weiß, was wir in seinem Namen getan haben. Wie Gläubige Gläubige töteten. Wie wir einer des anderen Reich zerstörten. Wie unsere Herrscher ein Leben führten, das so ferne von denen war, über die sie herrschten, daß ihr eigenes Volk sich nicht bewegen ließ, sie zu verteidigen. Sie mußten auf Soldaten aus *Afriqija* zurückgreifen, mit verhängnisvollen Folgen. Ihr habt gesehen, wie die Leute hier auf unseren Hilferuf herbeieilten. Wart ihr nicht stolz auf ihre Disziplin und Ergebenheit? Es hätte ebenso in Qurtuba und Ischbiliya, in al-Mariya und Balansiya, in Sarakusta und im al-Gharb geschehen können, aber es sollte nicht sein. Ihr seid allesamt junge Männer. Ihr habt das Leben noch vor euch. Ihr müßt tun, was ihr für nötig erachtet. Was mich angeht, ich spüre es in den Knochen, daß mein Dahinscheiden nicht mehr fern ist. Es wird mich von dieser Welt befreien. Ich werde sterben, wie ich geboren wurde. Als Gläubiger. Morgen früh gehe ich zu Mendoza und teile ihm meinen Entschluß mit. Ich werde ihm auch sagen, daß ich nicht mehr als Mittler zwischen unserem Volk und der al-Hamra dienen will. Sie müssen ihr schmutziges Werk allein verrichten. Ihr müßt für euch selbst entscheiden. Ich werde euch jetzt verlassen. Was das Ohr nicht hört, kann die Zunge nicht wiederholen. Friede sei mit euch, meine Söhne.«

Suhayr hielt gequält den Kopf gesenkt. Warum wollte sich die Erde nicht auftun und ihn verschlingen, ohne daß er einen Schmerz spürte? Besser noch, er könnte auf sein Pferd steigen und nach al-Hudayl zurückreiten. Doch als er die verzagten Gesichter der Menschen ringsum sah, da wußte er, daß seine Zukunft von nun an mit der ihren verknüpft war, ob es ihm behagte oder nicht. Sie alle waren Opfer eines gemeinsamen Schicksals. Er konnte sie jetzt nicht allein lassen. Ihre Herzen waren aneinandergekettet. Sie durften keine Zeit mehr verlieren.

Ibn Basit dachte ebenso, und er ergriff nun das Wort, um die Versammlung zum Abschluß zu bringen. »Meine Freunde, es ist an der Zeit, daß ihr Abschied nehmt. Wer von euch unseren führenden Familien nahesteht, gehe hin und warne sie, daß der Generalkapitän Geiseln verlangt. Wenn ihre älteren Söhne mit uns gehen wollen, werden wir sie beschützen, so gut wir es vermögen. Um welche Zeit sollen wir aufbrechen?«

»Morgen bei Tagesanbruch.« Suhayr sprach mit gebieterischer Stimme. »Wir werden von hier fortreiten und uns unseren Freunden in den al-Pudjarras anschließen. Sie stellen bereits ein Heer auf, um am Kampf gegen die Christen teilzunehmen. Wir treffen uns im Patio der *funduq* beim ersten Ruf zum Gebet. Friede sei mit euch.«

Suhayr ging zuversichtlichen Schritts von dannen, aber nie in seinem ganzen Leben hatte er sich so allein gefühlt. »Welch trauriges, düsteres Schicksal habe ich mir bestimmt«, murmelte er, während er sich dem Eingang zur *funduq* näherte. Er hätte alles darum gegeben, al-Sindiq zu finden, eine Flasche Wein mit ihm zu leeren und ihm seine Ängste und Zweifel hinsichtlich der Zukunft anzuvertrauen, doch der alte Mann hatte die Stadt schon verlassen. Al-Sindiq war auf dem Weg nach al-Hudayl, wo er Suhayrs besorgter Familie am nächsten Morgen in allen Einzelheiten berichten wollte, was sich in Gharnata zugetragen hatte.

»Suhayr bin Umar, Friede sei mit Euch.«

Suhayr erschrak. Er konnte niemanden sehen. Dann löste sich eine Gestalt aus dem Dunkel und trat vor ihn hin. Es war der alte Diener aus dem Hause seines Oheims.

»Friede sei mit dir, alter Freund. Was führt dich hierher?«

»Der Herr wünscht, daß Ihr heute abend das Mahl mit ihm teilt. Mir ward aufgetragen, mit Euch zurückzukehren.«

»Ich komme gerne mit dir«, erwiderte Suhayr. »Es wird mir eine Freude sein, meinen Oheim wiederzusehen.«

Ibn Hischam schritt im äußeren Hof auf und ab, während er ungeduldig auf die Ankunft seines Neffen wartete. Die Ereignisse des Tages hatten ihn traurig und besorgt gemacht, doch im Innersten war er stolz auf die Rolle, die Umars Sohn dabei gespielt hatte. Als Suhayr eintrat, drückte sein Oheim ihn an sich und küßte ihn auf beide Wangen.

»Ich bin böse mit dir, Suhayr. Du bist auf dem Wege zu einem anderen Ziel durch dieses Haus gekommen. Seit wann steigt meines Bruders Sohn in einer Herberge in der Stadt ab? Dies ist dein Heim! Antworte, Knabe, bevor ich dich auspeitschen lasse!«

Suhayr war unwillkürlich gerührt. Er lächelte. Es war ein eigenartiges Gefühl: Ihn plagte das Gewissen wie einst als Zehnjähriger, wenn er von einem Erwachsenen bei einem Streich ertappt worden war. So zumindest kam er sich vor.

»Ich wollte dich nicht in Verlegenheit bringen, Onkel. Warum solltest du für meine Taten büßen? Es war besser, in der *funduq* abzusteigen.«

»Du redest Unsinn. Bedeutet meine Konvertierung, daß ich keine Blutsverwandten mehr habe? Du hast ein Bad nötig. Ich werde dir frische Kleider bringen lassen.«

»Und wie ist das Befinden meiner Tante? Meiner Cousinen?« erkundigte sich Suhayr, als sie zum *hammam* gingen.

»Sie sind in Ischbiliya, im selben Hause wie Kulthum. Sie werden in wenigen Wochen zurückkehren. Deine Tante wird alt, und vom Bergwind bekommt sie Rheumatismus. In Ischbiliya ist es viel wärmer.«

Nachdem er von zwei jungen Dienern mit Seife geschrubbt und gewaschen worden war, entspannte sich Suhayr im warmen Bad. Es war fast, als wäre er zu Hause. Ungeachtet dessen, was Hischam gesagt hatte, bestand kein Zweifel daran, daß er die Zukunft seines Oheims gefährdete. Gewiß, sie waren beim Betreten des Hauses nicht gesehen worden, aber die Bediensteten würden reden. Sie würden vor ihren Freunden prahlen, daß Suhayr mit seinem konvertierten Oheim gespeist hätte. Bis morgen hätte es in Gestalt reichlich ausgeschmückten Klatsches den Marktplatz erreicht. Und ein Spion des Erzbischofs mußte es zwangsläufig aufschnappen.

Nach dem Mahl, das entsprechend den Gepflogenheiten des Hauses schlicht und karg war, wandte sich das Gespräch unvermeidlich der mißlichen Lage zu, in welcher ihr Glaube sich befand.

»Unsere eigene Schuld, mein Sohn. Unsere eigene Schuld«, erklärte Ibn Hischam, ohne den geringsten Zweifel an seinen Worten aufkommen zu lassen. »Wir suchen die Antworten immer in den Taten unserer Feinde, doch die Schuld liegt bei uns selbst. Der Erfolg kam zu früh. Unser Prophet starb zu früh, um die neue Ordnung festigen zu können. Seine Nachfolger töteten einander, kriegerische Stammesleute, die sie waren. Anstatt uns die Beständigkeit der von uns eroberten Zivilisationen zu eigen zu machen, bestanden wir darauf, ihnen unsere Sprunghaftigkeit aufzuzwingen. So ist es in al-Andalus gewesen. Schöne, aber gedankenlose Gesten, unnütze Opferung muselmanischen Lebens, eitle Ritterlichkeit ...«

»Verzeih, daß ich unterbreche, Onkel, jedes Wort, das du gesprochen hast, ließe sich ebenso auf die Christen anwenden. Deine Erklärung ist unzulänglich.«

Und so ging das Gespräch weiter an diesem Abend. Hischam konnte seinen Neffen nicht zufriedenstellen, und Suhayr vermochte seinen Oheim nicht zu überzeugen, daß es an der Zeit sei, wieder zu den Waffen zu greifen. Für Suhayr war es offensichtlich, daß seines Oheims Konvertierung nur oberflächlicher Schein war. Er sprach und benahm sich wie ein muselmanischer Edelmann. Kein Schweinefleisch besudelte seine Tafel. Die Bediensteten in Küche und Haus waren Gläubige, und wenn der alte Diener die Wahrheit sprach, so wandte sich Hischam selbst jeden Tag ostwärts zum heimlichen Gebet.

»Vergeude deine Jugend nicht für sinnloses Trachten, Suhayr. Die Geschichte hat uns überholt. Warum kannst du das nicht einsehen?«

»Ich will mich nicht zurücklehnen und die Freveltaten tatenlos hinnehmen, die sie an uns begehen wollen. Sie sind Barbaren, und Barbaren muß man Widerstand leisten. Lieber sterben, als Sklaven ihrer Kirche werden.«

»Ich habe in den letzten Monaten etwas hinzugelernt«, bekannte Ibn Hischam. »In dieser neuen Welt, die wir bewohnen, gibt es auch eine neue Art zu sterben. In den alten Zeiten töteten wir einander. Der Feind tötete uns, und es war vorbei. Aber ich habe gelernt, daß vollkommene Gleichgültigkeit ein ebenso grausamer Tod sein kann, wie von einem gewappneten Ritter erschlagen zu werden.«

»Aber du, der du immer so viele Freunde hattest ...«

»Sie sind alle getrennte Wege gegangen. Urteilten wir allein nach dem äußeren Schein, könnte man meinen, daß der Mensch Umwälzungen, wie wir sie erfahren, mühelos zu überleben vermag, doch das Dasein ist stets vielschichtiger. Alles verändert sich in uns selbst. Ich bin aus selbstsüchtigen Gründen konvertiert, aber das hat mich ihnen nur um so mehr entfremdet. Ich arbeite mit ihnen, doch es wird mir nie gelingen, einer der ihren zu sein.«

»Und ich dachte, in unserer gesamten Familie wäre ich der einzige, der wüßte, was Einsamkeit wirklich bedeutet.«

»Man darf nicht klagen. Ich habe die geduldigsten Freunde auf der Welt. Ich spreche in diesen Tagen sehr oft mit ihnen. Die Steine im Patio.«

Die beiden Männer erhoben sich, und Suhayr umarmte seinen Oheim zum Abschied.

»Ich bin froh, daß ich dich besucht habe, Onkel. Ich werde diese Begegnung nie vergessen.«

»Ich fürchte, es könnte unser letztes Abendmahl gewesen sein.«

Suhayr lag im Bett und ließ die Ereignisse des Tages an sich vorüberziehen. Wie grausam hatte der Marques ihre Hoffnungen zunichte gemacht. Der Erzbischof hatte gesiegt. Der listige, hartnäckige Cisneros. Die Stadt gehörte jetzt ihm, und er würde sie von innen heraus zerstören. Den Geist der Gharnater töten. Ihnen das Gefühl geben, häßlich und minderwertig zu sein. Das wäre das Ende von Gharnata. Viel besser wäre es, die Stadt dem Erdboden gleichzumachen, nur übrigzulassen, was von Anbeginn da war: eine liebliche Ebene, von Strömen durchfurcht und mit Bäumen bedeckt. Die Schönheit hatte seine Vorfahren angelockt. Und hier hatten sie diese Stadt errichtet.

Seine Gedanken schweiften zu dem Abend, den er mit seinem Oheim verbracht hatte. Suhayr war erstaunt über Hischams Verbitterung und Verzagtheit, doch andererseits hatte ihn dies auch ungemein getröstet. Wenn sein Onkel Hischam, ein sehr wohlhabender und kluger Mann, keine Befriedigung darin finden konnte, Christ zu werden, dann war die Wahl seines, Suhayrs, Weges gerechtfertigt. Was nützten Reichtum und Glanz, wenn man in seinem Innern fortwährend arm und elend war?

In dieser Nacht wurde Suhayr von einem Traum aufgeschreckt. Er erwachte zitternd und in Schweiß gebadet. Er hatte das Haus in al-Hudayl von einem Zelt aus weißem Musselin umhüllt gesehen. Yasid, der einzige, den er erkennen konnte, lachte, aber nicht so, wie es Suhayr in Erinnerung hatte. Es war das Lachen eines alten Mannes. Er war von riesengroßen Schachfiguren umgeben, die lebendig geworden waren und mit fremder Zunge sprachen. Langsam rückten sie auf Yasid zu und begannen ihn zu ersticken. Das unheimliche Gelächter verwandelte sich in ein Rasseln.

Suhayr lag zitternd da. Der Schlaf wollte nicht wiederkehren. Er blieb im Bett, hellwach, in seine Steppdecke gekuschelt, und wartete verzweifelt auf die ersten Geräusche, die sich mit dem Morgengrauen einstellen.

»Es gibt keinen Gott außer Allah, und Mohammed ist sein Prophet!«

Dieselben Worte. Derselbe Rhythmus. Acht verschiedene Stimmen. Acht Echos im Wettstreit. Acht Moscheen für die Gläubigen heute. Und morgen? Suhayr war schon angekleidet. Im großen Patio unten hörte er das Klappern von Hufen. Sein Streitroß war gesattelt, und ein Stalljunge, nicht viel älter als Yasid, fütterte es mit einem Klumpen braunem Zukker. Weitere Hufschläge ertönten im Hof. Er vernahm die Stimmen von Ibn Basit und Ibn Amin.

Sie ritten aus der *funduq* durch die schmalen Straßen, im bleiernen Licht der Dämmerung, als Gharnata gerade zum Leben erwachte. Türen gingen auf, und Männer eilten in Gruppen zu ihren Moscheen. Sie kamen an offenen Türen vorbei, und Suhayr konnte die Leute bei ihren Waschungen sehen, mit denen sie die Schlafgerüche fortspülten.

Die Stadt war nicht mehr verlassen wie am späten Abend, als Suhayr von der Residenz seines Oheims zur *funduq* gegangen war, aber sie war in Verzweiflung versunken. Ibn Basit konnte sich nicht erinnern, wann je so viele Leute zum Morgengebet geeilt wären.

Vor der Reconquista hatten die Freitagsnachmittagsgebete die größte Menschenmenge angelockt – es war ebenso ein gesellschaftliches und politisches wie religiöses Ereignis. Zumeist sprach der Imam über politische und militärische Belange; die Religion sparte er für jene Wochen auf, wenn sonst nichts geschah. Die Stimmung war gewöhnlich gelöst, in krassem Gegensatz zu dem bedrückten Schweigen heute.

»Suhayr al-Fahl«, sagte Ibn Amin aufgeregt. »Ibn Basit und ich müssen zwei Geschenke in der al-Hamra abliefern. Würdest du wohl mit uns hinreiten? Die anderen warten vor der Stadt. Aus den Vierzig sind ›Die Dreihundert‹ geworden!«

»Was für Geschenke?« fragte Suhayr. Er hatte die erlesenen, mit Seidenbändern verschlossenen Holzkistchen bemerkt. »Der Parfümgestank ist überwältigend.«

»Eine Kiste ist für Jimenez«, erwiderte Ibn Basit, der große Mühe hatte, ernst zu bleiben, »und die andere für den Marques. Es ist ein Abschiedsgeschenk, das diese Granden nie vergessen werden.«

Suhayr fand die Geste überflüssig. Die Ritterlichkeit wurde damit auf die Spitze getrieben; dennoch erklärte er sich bereit mitzukommen. Nach wenigen Minuten waren sie am Tor des Palastes.

»Stehenbleiben!« Zwei junge Soldaten zückten ihre Schwerter und eilten auf sie zu. »Was ist euer Begehr?«

»Mein Name ist Ibn Amin. Gestern besuchte der Generalkapitän uns in der Stadt und lud uns ein, heute das Morgenmahl mit ihm einzunehmen. Er stellte etliche Fragen und wünschte bis heute morgen unsere Antwort. Wir haben für ihn und Seine Gnaden, den Erzbischof von Toledo, ein Geschenk mitgebracht. Leider können wir nicht bleiben. Wollt ihr bitte unsere Entschuldigung überbringen und Sorge tragen, daß diese Gaben, ein kleines Unterpfand unserer Wertschätzung, den beiden Herren überbracht werden, sobald sie sich erhoben haben.«

Die Anspannung der Soldaten löste sich, und gutgelaunt nahmen sie die Gaben entgegen. Die jungen Männer wendeten ihre Pferde und galoppierten von dannen, um sich ihren Mitstreitern zuzugesellen, die sich vor der Stadt versammelt hatten. Die Soldaten am Stadttor sahen mit grimmigen Gesichtern zu, als sie passierten.

Von dreihundert bewaffneten Männern zu Pferde, die meisten noch keine zwanzig Jahre alt, kann man nicht erwarten, daß sie sich an der Schwelle zu einer Wende still verhalten. Geschrei, Flüstern und aufgeregtes Lachen waren zu hören.

Die Bergluft war noch kühl, und Dunst umhüllte Männer wie Rösser. Besorgte Mütter in Umschlagtüchern sagten unter den Mauern Lebewohl. Suhayr runzelte die Stirn ob des Getöses, doch seine Stimmung wechselte, als er sich seinen Truppen näherte. Sie waren ein erhabener Anblick, ein Zeichen, daß die Mauren von Gharnata die Hoffnung nicht aufgegeben hatten, Als die drei Freunde zu den Versammelten ritten, wurden sie mit aufgeregten Rufen freudig begrüßt. Alle waren sich der Gefahren bewußt, die ihnen bevorstanden, dennoch waren sie guter Dinge.

»Habt ihr die Geschenke abgeliefert?« fragte Ibn Wahab, als sie die Stadt hinter sich ließen.

Ibn Amin nickte und lachte.

»Im Namen Allahs«, fragte Suhayr, »was ist daran so spaßig?«

Der Sohn des Leibarztes von Mendoza mußte über diese Frage so sehr lachen, daß Suhayr dachte, er würde ersticken.

»Der Parfümgestank! Deine Nase hat unser Vergehen erspürt«, begann Ibn Amin, nachdem er sich beruhigt hatte. »In den zwei Kisten befindet sich, von Rosenöl verhüllt, eine seltene Köstlichkeit, an der sich der Erzbischof und der Marques laben mögen. Obenauf ist eßbares Silberpapier gelegt. Was wir ihnen überbracht haben, Suhayr al-Fahl, sind unsere Exkremente. Das eine heute morgen frisch geliefert aus den Gedärmen des Juden, den du hier vor dir siehst, und die andere, etwas abgestandenere Gabe entstammt den Innereien eines ergebenen Mauren, der dir als Ibn Basit bekannt ist. Dieser Umstand wird ihnen, ohne daß unsere Namen genannt werden, natürlich in einem an beide gerichteten Briefe dargelegt, worin wir auch die Hoffnung ausdrücken, daß sie ihr Morgenmahl genießen werden.«

Es war zu kindisch, um Worte dafür zu finden. Suhayr gab sich alle Mühe, nicht zu lachen, doch es fiel ihm immer schwerer, sich zu beherrschen. Er brach in ein unbändiges, schallendes Gelächter aus. Es dauerte nicht lange, bis die Kunde von dem Streich sich in der ganzen Gruppe verbreitet hatte. Wenige Minuten später war der Trupp der heldenhaften Dreihundert in eine Woge des Gelächters getaucht.

»Und dabei dachte ich«, sagte Suhayr, während er sich

wieder zu fassen suchte, »ihr wäret viel zu empfindsam und ritterlich.« Das brachte seine Freunde abermals zum Lachen.

Sie ritten stetig voran. Die Sonne war aufgegangen. Es ging kein Wind. Umhänge und Decken wurden abgelegt und den etwa hundert Dienern übergeben, die ihre Herren begleiteten. Als sie schon über zwei Stunden geritten waren, bemerkten sie eine Gruppe Reiter, die ihnen entgegenkamen.

»Allahu Akbar! Gott ist groß!« rief Suhayr, und die jungen Männer aus Gharnata wiederholten den Sprechgesang im Chor.

Von den Reitern kam keine Antwort. Suhayr befahl seinem Trupp stehenzubleiben, da er einen Überfall befürchtete. Als die Reiter näherkamen, erkannte Suhayr sie. Seine Stimmung stieg beträchtlich.

»Abu Said al-Ma'ari!« rief er erfreut. »Friede sei mit dir! Du siehst, ich habe deinen Rat am Ende doch befolgt und ein paar Freunde mitgebracht.«

»Es freut mich, dich zu sehen, Suhayr bin Umar. Ich wußte, daß du dieses Weges kommen würdest. Am besten, ihr folgt uns und verlaßt diesen Pfad. Er ist zu bekannt, und unterdessen werden euch bereits Soldaten auf der Spur sein und auszumachen versuchen, wo ihr über Nacht lagern werdet.«

Suhayr berichtete ihm von den Gaben, die sie dem Marques und dem Erzbischof hinterlassen hatten. Zu seiner Verwunderung lachte Abu Said nicht.

»Ihr habt eine große Dummheit begangen, meine Freunde. In der Küche der al-Hamra mögen sie sich über euren Scherz freuen, aber das sind die machtlosesten Leute im Palast. Ihr habt den Marques und den Beichtvater geeint. Ein Geschenk für den Priester hätte genügt. Es würde vielleicht sogar den Marques amüsiert und die Offensive verzögert haben. Habt ihr wirklich geglaubt, ihr wart die ersten, denen solch eine Kränkung eingefallen ist? Andere wie ihr haben in ganz al-Andalus ähnliche Torheiten begangen. Doch jetzt wird es höchste Zeit. Laßt uns so schnell wie möglich aus dieser Gegend verschwindeen.«

Suhayr lächelte in sich hinein. Er war ein beherzter junger Mann, aber doch nicht völlig verblendet. Er wußte, daß seine Fähigkeiten nicht ausreichten, eine irreguläre Gebirgsarmee zu führen. Abu Saids Erscheinen hatte ihm seine Bürde beträchtlich erleichtert.

Als sie weiterritten, stand die Sonne bereits hoch am wolkenlosen Himmel und erwärmte die Erde, deren duftenden Staub sie einatmeten. Sie hatten das Gebirge erreicht. Vor ihnen lag eine Landschaft, die ein für allemal verloren war.

Am Nachmittag desselben Tages übergab al-Sindiq Umar den Brief seines Erstgeborenen und schilderte die Ereignisse der letzten zwei Tage. Man hörte ihn schweigend an. Nicht einmal Yasid stellte Fragen. Als der alte Mann fertig war, weinte Ama laut.

»Das ist das Ende«, jammerte sie. »Es ist alles aus.«

»Aber Ama«, versetzte Yasid, »Suhayr ist am Leben und wohlauf. Sie haben einen *djihad* begonnen. Das sollte dich glücklich machen, nicht traurig. Warum weinst du so?«

»Bitte frag mich nicht, Ibn Umar. Du sollst eine alte Frau nicht quälen.«

Subayda gab Yasid ein Zeichen, er möge ihr und Umar nach draußen folgen. Als Ama mit al-Sindiq allein war, wischte sie die Tränen fort und erkundigte sich in allen Einzelheiten danach, wie Suhayr an diesem Morgen ausgesehen hätte.

»Hatte er einen prächtigen blauen Turban auf, mit einem Halbmond aus Gold?«

Al-Sindiq nickte.

»So sah ich ihn diese Nacht im Traum.«

Al-Sindiq sprach sehr sanft. »Träume sagen uns mehr über uns selbst, Amira.«

»Du verstehst mich nicht, alter Dummkopf«, gab Ama zornig zurück. »In meinem Traum hatte Suhayrs Kopf diesen Turban auf, aber der Kopf lag mit Blut bedeckt auf der Erde. Ein Leib war nicht da.«

Al-Sindiq dachte, sie würde wieder weinen, aber statt dessen wurde ihr Gesicht grau, und ihr Atem ging laut und ungleichmäßig. Er gab ihr etwas Wasser und half ihr in ihre winzige Kammer, in welcher sie seit mehr als einem halben Jahrhundert die meisten Nächte verbracht hatte. Sie legte sich nieder, und al-Sindiq breitete eine Decke über sie. Er dachte an ihrer beider Vergangenheit, an halb ausgesprochene Worte, an Selbsttäuschungen, an den Schmerz, den er ihr zugefügt hatte, indem er sich in Sahra verliebte. Er fühlte, daß er Amas Leben zugrunde gerichtet hatte.

Instinktiv las die alte Frau seine Gedanken. »Ich bereue keinen einzigen Augenblick des Lebens, das ich hier verbracht habe.«

Er lächelte traurig. »Anderswo hättest du deine eigene Herrin sein können. Niemandem verpflichtet als dir selbst.«

Sie sah bittend zu ihm auf.

»Ich habe mein Leben verschwendet, Amira«, sagte er. »Dieses Haus hat mich auf immer verflucht. Ich wünschte, ich hätte nie einen Fuß in diesen Innenhof gesetzt. Das ist die Wahrheit.«

Plötzlich sah sie ihn als jungen Mann vor sich, mit dichten schwarzen Haaren und lachenden Augen. Die Erinnerung genügte.

»Geh jetzt«, sagte sie, »und laß mich in Frieden sterben.«

Für al-Sindiq war der bloße Gedanke, ruhig zu sterben, ohne einen letzten empörten Aufschrei zu scheiden, unvorstellbar, und er sagte es ihr.

»Ich weiß es nicht anders«, erwiderte sie, indes sie ihre Perlen umklammerte. »Vertraue auf Allah.«

Ama starb nicht an diesem Tag und auch nicht am folgenden. Sie verweilte eine Woche und nahm nach ihrem Zeitmaß Abschied. Sie küßte Umar die Hand und trocknete Yasid die Tränen, erzählte Subayda von ihren Befürchtungen für die Familie und beschwor sie, die Kinder fortzubringen. Sie blieb ruhig, außer als sie Umar bat, Suhayr von ihr zu grüßen. »Wer macht ihm sein himmlisches Allerlei, wenn ich nicht mehr bin?« weinte sie.

Ama starb im Schlaf, drei Tage nach Suhayrs Flucht aus Gharnata. Sie wurde neben Sahra auf dem Familienfriedhof beigesetzt. Yasid trauerte insgeheim um sie. Da er nun langsam ein Mann wurde, fand er, müsse er tapfer sein und dürfe seine Gefühle nicht offen zeigen.

12. KAPITEL

An jedem Tag nach dem Morgenmahl zog Yasid sich mit seinen Büchern in den Turm zurück.

»Bleib hier und lies bei mir«, bat Subayda wohl, doch er pflegte sie nur traurig anzulächeln.

»Ich möchte lieber alleine lesen. Es ist so friedlich im Turm.«

Sie bedrängte ihn nicht, und was dem allmählich zum Manne reifenden Yasid anfangs dazu gedient hatte, seine Selbständigkeit zu behaupten, war ihm nun zur alltäglichen Gewohnheit geworden. Angefangen hatte es vor zwei Monaten, als sie die Kunde von den Ereignissen in Gharnata und der Flucht von dreihundert jungen Männern mit Suhayr an der Spitze vernommen hatten.

Yasid war so stolz auf seinen Bruder gewesen. Seine Freunde im Dorf waren von Neid erfüllt, und er konnte die Traurigkeit nicht recht verstehen, die sich über das Haus gesenkt hatte. Sogar Ama, die so friedlich im Schlaf gestorben war, hatte ihren bösen Ahnungen Ausdruck verliehen.

»Dieses Abenteuer wird nicht gut enden, Ibn Umar«, hatte sie zu Yasid gesagt, der damals nicht wissen konnte, daß dies tatsächlich die letzten Worte der alten Frau sein sollten.

Ihre Warnung hatte Yasid dazu gebracht, sich die ganze Angelegenheit noch einmal durch den Kopf gehen zu lassen. Einst hatte Ama jede noch so tollkühne Heldentat, die von irgendeinem männlichen Mitglied der Familie begangen wurde, entschieden verteidigt. Sie hatte ihn mit endlosen Geschichten von Ritterlichkeit und Mut gefüttert, bei denen sein Urgroßvater Ibn Farid selbstverständlich stets eine überragende Rolle zu spielen pflegte. Wenn Ama Angst um Suhayr hatte, dann mußten die Aussichten wirklich schlimm sein.

Von seinem Turm aus erspähte Yasid einen Reiter, der sich dem Haus näherte. Jeden Tag, wenn er dort hinaufstieg, hoffte und betete er, daß ihm ein solcher Anblick beschieden werde und daß es sein Bruder sein möge. Der Reiter war nun am

Tor. Yasid sank der Mut. Es war nicht Suhayr. Es war nie Suhayr.

Nie hatte Yasid das Haus so leer erlebt. Es war nicht nur Suhayrs Abwesenheit oder Amas Tod. Beides waren schwere Verluste, doch Suhayr würde eines Tages zurückkehren, und Ama würde er im Paradies wiedersehen, wie sie ihm so oft verheißen hatte. Sie würden sich im siebenten Himmel begegnen, am Gestade eines Stromes, der von der allerwohlschmeckendsten Milch überfloß. Er vermißte Ama mehr, als er zugeben mochte, aber wenigstens war al-Sindiq an ihre Stelle getreten, der viel mehr über die Bewegungen der Sterne und des Mondes wußte. Als er al-Sindiq einmal von seiner bevorstehenden Wiedervereinigung mit Ama erzählte, hatte der alte Mann gekichert und etwas überaus Seltsames geäußert.

»Soso, Amira dachte, sie geht ohne weiteres in den siebenten Himmel ein, wie? Da bin ich nicht so sicher, Yasid bin Umar. Weißt du, sie war nicht ohne Sünde. Ich glaube, sie dürfte Schwierigkeiten haben, den ersten Himmel zu passieren, und wer weiß, womöglich beschließen sie gar, sie in die andere Richtung zu schicken.«

Nein, was ihn so tief getroffen hatte, das war Hinds – wenn auch nicht überraschende – Vermählung und Abreise gewesen. Er hatte Hind nähergestanden als irgend jemandem sonst in seiner ganzen Familie. Und nun war sie fort. Gewiß, sie hatte ihre Eltern gebeten, Yasid für kurze Zeit mit ihr übers Wasser ziehen zu lassen, und geschworen, ihn nach ein paar Monaten persönlich zurückzubringen, doch Subayda hatte sich nicht von ihrem Sohn trennen wollen.

»Er ist alles, was uns in diesem Hause noch geblieben ist. Ich lasse mir mein kostbares Juwel nicht rauben. Nicht einmal von dir, Hind!«

Und so war Hind ohne ihren Bruder fortgezogen. Dies, weit mehr noch als der Weggang aus der Heimat ihrer Vorfahren, war der Grund gewesen, warum sie am Tage ihres Aufbruchs wie ein Kind geweint hatte, und noch einmal tags darauf, als sie zusammen mit Ibn Daud in Malaka an Bord des Schiffes gegangen war, das sie nach Tanja bringen sollte.

Jemand rannte die Stufen zum Turm hinauf. Yasid ließ von

seinen Gedanken ab und stieg hinunter. Auf halbem Wege kam ihm die Leibdienerin seiner Mutter, Umaima, entgegen. Sie war hochrot vor Aufregung.

»Yasid bin Umar! Ein Bote von deinem Bruder ist hier! Er ist bei der Herrin Subayda und deinem Vater, aber er will nicht sprechen, ehe du nicht zugegen bist.«

Yasid flitzte an ihr vorbei und sauste die Treppe hinunter. Unten angekommen, fegte er wie ein Wirbelwind durch den Außenhof Umaima schimpfte vor sich hin, da sie nicht mit ihm Schritt zu halten vermochte. Sie war nicht mehr die schlanke Gazelle, die selbst al-Fahl einholen konnte. Ihr Leib hatte sich in den letzten Monaten gerundet.

Yasid erschien atemlos im Empfangszimmer.

»Das ist Yasid«, sagte Umar, und ein Lächeln lag auf seinem Gesicht.

»Dein Bruder schickt dir Hunderte von Küssen«, sagte Ibn Basit.

»Wo ist er? Ist er wohlauf? Wann werde ich ihn sehen?«

»Du wirst ihn in Bälde sehen. Er wird eines Abends kommen, wenn es schon dunkel ist, und am nächsten Morgen verschwinden, bevor es dämmert. Auf seinen Kopf ist eine Belohnung ausgesetzt.«

Umar setzte eine zornige Miene auf »Was? Warum?«

»Habt Ihr es nicht gehört?«

»Was gehört, Mann?«

»Was letzte Woche geschah. Das habt Ihr doch gewiß vernommen? Ganz Gharnata spricht davon. Suhayr dachte, sein Oheim Hischam hätte einen Boten geschickt.«

Umar wurde immer ungeduldiger. Er zwirbelte seine Bartspitze, und Subayda, die wußte, daß ein Ausbruch bevorstand, suchte seiner Wut zuvorzukommen.

»Wir wissen nichts darüber, Ibn Basit. Bitte klärt uns rasch au£ Wie Ihr seht, lechzen wir nach Nachrichten von Suhayr.«

»Es geschah vor neun Tagen. Abu Seid al-Ma'ari führte uns zu einem Versteck in den Bergen, als wir die Christen erspähten. Auch sie hatten uns gesehen, ein Zusammenstoß war unvermeidlich. Wir waren kaum über dreihundert Mann, doch an dem Staub, den ihre Pferde aufwirbelten, erkannten wir, daß sie doppelt so viele waren wie wir, wenn nicht noch mehr.

Ein unbewaffneter Bote von ihnen kam zu uns geritten. ›Unser Anführer‹, hob er an, ›der edle Don Alonso de Aguilar, entbietet euch seinen Gruß. Wenn ihr euch ergebt, werdet ihr gut behandelt, wenn ihr aber Widerstand leistet, so werden wir nur mit euren Pferden nach Gharnata zurückkehren.‹ Wir saßen in der Falle. Ausnahmsweise hatte nicht einmal Abu Said einen schlauen Plan, uns herauszuhelfen. Da ritt Suhayr Ibn Umar nach vorne. Er sprach mit einer Stimme, die meilenweit zu vernehmen war. ›Bestelle deinem Herrn, wir sind kein Volk ohne Geschichte‹, brüllte er. ›Wir sind maurische Ritter, die verteidigen, was uns einst gehörte. Bestelle ihm, daß ich, Suhayr ibn Umar, Urenkel des Ritters Ibn Farid, mit Don Alonso einen Zweikampf auf Leben und Tod ausfechten werde. Wer immer heute siegt, der soll über das Schicksal der anderen bestimmen.‹«

»Wer ist Don Alonso?« unterbrach Yasid mit angstverzerrtem Gesicht.

»Der erfahrenste und tüchtigste Ritter im Dienste Don Inigos«, erwiderte Ibn Basit. »Von seinen Feinden und Freunden gefürchtet. Ein Mann von schrecklicher Wesensart und mit einer Narbe auf der Stirn, welche ihm von einem maurischen Verteidiger in al-Hama beigebracht wurde. Man sagt, in jener Unglücksstadt habe er allein hundert Mann getötet. Möge Allah ihn verfluchen!«

»Bitte fahrt fort«, bat Subayda mit zitternder Stimme.

»Zu unserer großen Überraschung nahm Don Alonso die Herausforderung an. Die christlichen Soldaten versammelten sich auf der einen Seite der Wiese. Zweihundert von uns besetzten die andere Seite.«

»Wo waren die übrigen?« fragte Yasid, außerstande, seine Erregung zu unterdrücken.

»Nun, Abu Said meinte, ob wir gewinnen oder verlieren, wir brauchten in jedem Fall ein Überraschungsmoment. Er postierte hundert Mann an verschiedenen Stellen des Berges, von wo aus die Wiese zu überblicken war. Sein Plan war, daß wir unmittelbar nach dem Ende des Zweikampfes auf die Christen losstürmen sollten, noch ehe sie Zeit hätten, sich auf eine Schlacht vorzubereiten.«

»Aber das ist gegen die Regeln«, wandte Umar ein.

»Das wohl, aber wir spielten keine Schachpartie. Wenn ich nun fortfahren darf: Suhayr trug ein altes, schön besticktes Banner, das ihm eine alte Dame in Gharnata geschenkt hatte. Sie schwor, Ibn Farid habe es in vielen Schlachten getragen. An Suhayrs grünem Turban glänzte ein silberner Halbmond. Er pflanzte das Banner vor seinen Leuten auf. In der Ferne sahen wir, wie Don Alonso ein goldenes Kreuz in die Erde steckte. Auf das verabredete Signal stürmte Don Alonso los; seine Lanze, die in der Sonne glänzte, war direkt auf Suhayrs Herz gerichtet. Beide Männer hatten es verschmäht, Schilde zu benutzen.

Suhayr zog sein Schwert aus der Scheide und ritt wie ein Wahnsinniger. Sein Antlitz war verzerrt von einer Wut, wie ich noch keine gesehen hatte. Als er sich Don Alonso näherte, vernahm die ganze Kompanie seine Stimme. ›Es gibt keinen Gott außer Allah, und Mohammed ist sein Prophet.‹ Sie waren jetzt nahe beieinander. Suhayr wich der Lanze aus, indem er sich beinahe von seinem Roß gleiten ließ. Welch große Reitkunst hat er da bewiesen! Dann sahen wir Ibn Farids Schwert aufblitzen. Einen Moment schien es, als ob beide überlebt hätten. Erst als Don Alonsos Pferd näher kam, sahen wir, daß sein Reiter den Kopf verloren hatte. Solche Schwerter werden in Tulaitula nicht mehr hergestellt!

Ein mächtiges Bravogeschrei erhob sich auf unserer Seite. Die Christen waren entmutigt und bereiteten den Rückzug vor, als Abu Said zu ihnen hinabstürmte. Sie erlitten schwere Verluste, ehe ihnen die Flucht gelang. Wir nahmen fünfzig Mann gefangen, doch auf Suhayrs Drängen wurden ihnen Don Alonsos Leichnam und Haupt übergeben, um sie mit nach Gharnata zu nehmen. ›Bestellt dem Marques‹, sagte Suhayr zu ihnen, ›daß wir diesen Krieg nicht gewollt haben. Er hat einen tapferen Ritter verloren, weil der Generalkapitän nichts weiter ist als ein Söldner im Dienste eines grausamen und feigen Priesters!‹«

Der Bericht hatte Yasid überwältigt. Er war so von Stolz auf seinen Bruder erfüllt, daß er die Besorgnis in den Gesichtern seiner Eltern nicht wahrnahm. Al-Sindiq, den die Konsequenzen dieses Sieges ebenso beunruhigten, stellte Ibn Basit noch weitere Fragen.

»Hat Abu Said etwas von der Reaktion in der al-Hamra gesagt?«

»Aber ja«, erwiderte Ibn Basit und sah den alten Mann erstaunt an. »Zwei Tage später hat er eine ganze Menge gesagt.«

»Und was?« fragte Subayda.

»Der Marques war so wütend, daß er tausend Goldstücke auf Suhayr bin Umars Kopf ausgesetzt hat. Er ist nun dabei, eine Streitmacht aufzustellen, um uns für immer zu vernichten, aber Abu Said ist unbesorgt. Er hat einen Plan. Er sagt, dort, wohin er uns bringt, kann nicht einmal der Allmächtige Suhayr finden.«

»Da spricht die Stimme Satans«, sagte Umar.

»Geht und nehmt ein Bad«, sagte Subayda zu Ibn Basit, der da staubbedeckt und mit zerrissenen Kleidern vor ihr stand. »Ich denke, Suhayrs Gewänder werden Euch passen. Dann leistet uns beim Mittagsmahl Gesellschaft. Euer Zimmer ist schon bereit, und Ihr könnt bleiben, solange Ihr wünscht.«

»Dank Euch, gute Dame, ich werde gerne baden und an Eurer Tafel speisen. Leider kann ich mir den Luxus einer Rast nicht gönnen. Ich habe Botschaften nach Guejar zu überbringen, und bis Sonnenuntergang muß ich in Lanjaron sein, wo mein Vater mich erwartet. Warum schaut Ihr alle so beklommen drein? Ich persönlich bin überzeugt, daß wir Gharnata binnen sechs Monaten zurückerobern können.«

»Was?« rief Umar.

Al-Sindiq ließ eine Fortsetzung der Diskussion nicht zu. »Der Weise, mein lieber Ibn Basit«, murmelte er, »trägt seine Zunge im Herzen. Der Narr trägt sein Herz auf der Zunge. Die Diener warten im *hammam*, Euch gefällig zu sein, junger Mann.«

Yasid geleitete den Gast zum *hammam*. »Genießt Euer Bad, Ibn Basit«, sagte er, als er Suhayrs Freund die Badestube zeigte. Dann eilte er in die Küche, wo der Zwerg, Umaima und alle anderen Hausbediensteten versammelt waren. Ihnen zuliebe wiederholte er Wort für Wort der Geschichte von Suhayrs Zweikampf und Don Alonsos Enthauptung.

»Allah sei Dank«, sagte Umaima. »Unser junger Herr lebt.«

Blicke wurden gewechselt, doch kein Wort fiel in Yasids

Gegenwart. Die Aufregung im Antlitz des Erzählers hatte selbst die zynischsten unter den Küchenbediensteten gebannt. Einzig der Zwerg schien unbewegt. Erst nachdem Yasid hinausgegangen war, gab der Koch seinen Gefühlen Ausdruck.

»Die Banu Hudayl fordert den Tod heraus, und das Ende ist nicht mehr fern. Jimenez wird sie nicht in Frieden leben lassen.«

»Aber unser Dorf ist gewiß nicht in Gefahr?« rief Umaima dazwischen. »Wir haben hier niemandem etwas zuleide getan.«

Der Zwerg zuckte die Achseln. »Das weiß ich nicht«, sagte er, »aber wenn ich du wäre, Umaima, dann würde ich nach Ischbiliya gehen und der Herrin Kulthum dienen. Es ist besser, wenn dein Kind nicht in al-Hudayl geboren wird.«

Das Gesicht der jungen Frau wechselte die Farbe.

»Das ganze Dorf weiß, daß du Suhayrs Fohlen trägst.«

Rauhes, schrilles Gelächter begrüßte diese Bemerkung. Das war zuviel für Umaima. Sie lief weinend aus der Küche. Dennoch konnte sie nicht umhin zu denken, daß der Zwerg womöglich recht hatte. Sie wollte die Herrin Subayda heute abend um Erlaubnis bitten, Kulthum in Ischbiliya zu dienen.

Yasid war in seine eigene Welt versunken. Er war auf der Lichtung des Granatapfelhains und tat, als wäre er ein maurischer Ritter. Sein Schwert war ein Stock, dessen Ende er mit seinem Messer angespitzt hatte – mit demselben Messer, das Suhayr ihm zu seinem zehnten Geburtstag geschenkt hatte und das er immer, wenn jemand bei ihnen zu Gast war, stolz im Gürtel trug. Er galoppierte wie wild hin und her, schwenkte sein Phantasieschwert und köpfte jeden erreichbaren Granatapfel. Bald war er seiner Scheingefechte überdrüssig. Er setzte sich ins Gras, schlitzte eine der eroberten Früchte auf und trank den Saft, nach jedem Mundvoll die zerkauten Kerne ausspuckend.

»Weißt du was, Hind? Ich glaube, Suhayr wird sterben. Abu und Ummi glauben es auch. Ich habe es an ihren Blicken gesehen, als Ibn Basit ihnen von dem Zweikampf erzählte. Ich wünschte, Ummi hätte mich mit dir gehen lassen. Ich war noch nie auf einem Schiff. Nie bin ich übers Meer gefahren.

Nie habe ich Fes gesehen. Die Leute sagen, es ist dort genau wie in Gharnata.«

Yasid hielt plötzlich inne. Er glaubte Schritte und das Rascheln des Stechginsters gehört zu haben, der die Lichtung umstand. Seit ihn an jenem Tag Umaima und die anderen Dienerinnen überrascht hatten, war er viel wachsamer geworden und hielt stets nach Eindringlingen Ausschau. Er wünschte, er hätte nie gesehen, wie Hind und Ibn Daud sich küßten. Hätte er es nicht seiner Mutter erzählt, dann hätte sie nicht mit Hind gesprochen und, wer weiß, die Vermählung wäre vielleicht aufgeschoben worden. Hind könnte womöglich noch hier sein. Eine seltsame Hochzeit war das gewesen. Kein großes Fest. Keine feierliche Zeremonie. Kein Feuerwerk. Nur der *qadi* aus dem Dorf und die Familie. Er kicherte bei der Erinnerung, wie er beinahe den al-koran auf Ibn Dauds Haupt hätte fallen lassen, was sogar dem *qadi* ein Lächeln entlockte. Der Zwerg hatte sich an jenem Tag selbst übertroffen. Insbesondere das Naschwerk hatte gemundet wie im Paradies bereitet.

Drei Tage später war Hind abgereist. Es war eine Zeit der Traurigkeit gewesen, aber Hind hatte ihrem Bruder mehr Zeit gewidmet als Ibn Daud. Sie unternahmen lange Spaziergänge. Hind zeigte ihm ihre Lieblingsplätze in den Bergen und am Fluß, und sie sprach wie immer ernst zu ihm.

»Ich wünschte, du könntest für eine Weile mit mir kommen. Ich wünsche es aufrichtig«, hatte sie am Tag vor der Abreise zu ihm gesagt. »Ich verlasse nicht dich, nur dieses Haus. Ich könnte den Gedanken nicht ertragen, hier mit Ibn Daud zu leben. Wir müssen dort leben, wo er sich wohl fühlt und mit seiner Umgebung im Einklang ist. Dies ist Abus Haus, und nach ihm wird es Suhayr und dir und euren Kindern gehören. Du verstehst mich, nicht wahr, Yasid? Ich liebe dich mehr denn je und werde immer an dich denken. Wenn wir nächstes Jahr zu Besuch kommen, können wir dich vielleicht für ein, zwei Monate mitnehmen.«

Yasid war nicht imstande gewesen, viel zu erwidern. Er hatte nur ihre Hand fest umklammert, als sie nach Hause zurückgingen. Yasid wollte nicht mehr daran denken und war sehr froh über die Unterbrechung.

»Ah, der junge Herr persönlich. Und darf ich fragen, was du hier machst, so ganz alleine?«

Die bekannte, verhaßte Stimme gehörte seines Vaters Oberaufseher Ubaidallah, der, wie zuvor schon sein Vater, über jedes einzelne auf dem Gut getätigte Geschäft Buch führte. Er wußte am besten Bescheid, wieviel Land Umar genau besaß oder wieviel Mietzins in jedem Dorf angefallen war oder wie hoch sich die Summe Geldes aus dem letztjährigen Verkauf von getrockneten Früchten genau belief oder wieviel Weizen und Reis in den unterirdischen Kornkammern und an bestimmten Orten gelagert waren.

Yasid konnte Ubaidallah nicht leiden. Die offenkundige Unaufrichtigkeit des Mannes und seine übertriebene Demonstration einer nicht vorhandenen Zuneigung hatten den Knaben nie zu täuschen vermocht.

»Ich habe einen Spaziergang gemacht«, erwiderte Yasid in kaltem Ton, indes er aufstand und sich so erwachsen gab, wie er nur konnte. »Und jetzt gehe ich zum Mittagsmahl nach Hause. Und Ihr, Ubaidallah? Was führt Euch um diese Zeit in unser Haus?«

»Ich denke, die Antwort auf diese Frage sollte am besten dem Herrn selbst gegeben werden. Darf ich mit dir zurückgehen?«

»Ihr dürft«, erwiderte Yasid, indem er die Hände hinter dem Rücken faltete und nach Hause schritt. Er hatte Ama hunderttausendmal sagen hören, daß Ubaidallah ein Schurke und ein Dieb sei, daß er dem Gut über Jahrzehnte Land, Nahrungsmittel und Geld gestohlen und daß sein Sohn von den Erträgen drei Geschäfte eröffnet habe – zwei in Qurtuba und eines in Gharnata. Er hatte sich vorgenommen, auf dem Rest des Weges nicht mit dem Mann zu sprechen, doch dann besann er sich anders.

»Sagt mir, Ubaidallah«, sprach Yasid indem unverkennbaren, unendlich überlegenen Ton eines Landbesitzers, »wie gehen die Geschäfte Eures Sohnes? Wie ich höre, kann man dort jeden erdenklichen Luxus kaufen.«

Die Frage überraschte den alten Aufseher. Dieser unverschämte kleine Hund, dachte er im stillen. Er muß etwas von den Unmengen Küchenklatsch aufgeschnappt haben. Umar bin Abdallah würde sich nie herablassen, solche Angelegenheiten an seinem Tische zu erörtern. Natürlich durfte er sich nichts anmerken lassen.

»Wie freundlich von dir«, begann er in einem einschmeichelnden Tone, der ans Lächerliche grenzte, »an meinen Sohn zu denken, junger Herr. Es geht ihm gut, Allah sei Dank, und natürlich dank deiner Familie. Dein Vater hat seine Ausbildung bezahlt und darauf bestanden, daß er sich in der Stadt Arbeit sucht. Das ist eine Schuld, die nie zurückgezahlt werden kann. Wie ich höre, bist du ein eifriger Leser von Büchern, junger Herr. Das ganze Dorf spricht darüber. Ich habe den Leuten gesagt: ›Wartet nur ab. Yasid bin Umar wird bald anfangen, Lehrbücher zu schreiben.‹«

Ohne den Mann anzusehen, quittierte Yasid die Bemerkung mit einem Nicken. Die Schmeichelei machte keinen Eindruck auf ihn. Und das nicht nur, weil Yasid Ubaidallah nicht traute. In dieser Hinsicht war Yasid seinem Vater und seiner Mutter sehr ähnlich. Lobesworte perlten an ihm ab wie Wasser von Blättern im Brunnen. Es war ererbter Stolz. Das Gefühl, die Banu Hudayl sei von der Natur so bevorzugt, daß sie keines anderen Gunst bedurfte. Wie seinem Vater und Großvater so bedeuteten auch Yasid die mit Dattelsirup gesüßten Weizenküchlein, die er von einem armen Bauern geschenkt bekommen mochte, viel mehr als die Seidenschals, mit denen Ubaidallah und sein Sohn die Damen des Hauses überhäuften. Was das Geschenk dem Schenkenden bedeutete, darauf kam es an.

Ubaidallah schwätzte weiter, doch der Knabe hörte nicht mehr hin. Er glaubte nichts von diesem Unsinn, doch daß er Ubaidallah gezwungen hatte, mit ihm so zu sprechen, wie er mit Suhayr geredet haben würde, dies allein schon bescherte ihm ein Triumphgefühl. Als sie durch das Haupttor schritten, welches im Dorf nach seinem Erbauer als Bab al-Farid bekannt war, deutete Ubaidallah mit einem halben Neigen des Kopfes eine Verbeugung an. Yasid erwiderte die Geste mit einem kaum wahrnehmbaren Kopfnicken, dann gingen sie getrennt ihrer Wege. Der ältere Mann hastete in die Küche. Der Knabe behielt seine Haltung bei und entspannte sich erst, als er ins Haus eintrat.

»Wo bist du gewesen?« flüsterte Umaima vor dem Speiseraum. »Die anderen sind schon alle fertig.«

Yasid beachtete sie nicht und eilte hinein. Als erstes fiel ihm Ibn Basits Fehlen auf. Das bedrückte ihn. Er machte ein langes Gesicht. Mit abwesender Miene befühlte er das Medaillon, das Hind ihm als Unterpfand ihrer Liebe geschenkt hatte. Darinnen war, schwarz wie die Nacht, eine Haarlocke von ihr.

»Ist er fort, Abu?«

Sein Vater nickte und nahm sich eine dunkelrote Weintraube von dem mit Früchten beladenen silbernen Tablett. Subayda stellte Gurken vor Yasid hin, die im eigenen Saft mit ein wenig geklärter Butter, schwarzem Pfeffer und braunen Pimentkörnern gegart waren. Er aß rasch, danach verzehrte er einen Salat aus Rettichen, Zwiebeln und weißen Bohnen, durchtränkt mit Joghurt und dem Saft frischer Limonen.

»Hat Ibn Basit noch etwas gesagt? Hat er euch einen Hinweis gegeben, wann Suhayr uns besucht?«

Subayda schüttelte den Kopf.

»Er wußte den genauen Tag nicht, aber er meinte, es werde bald sein. Nun nimm bitte etwas Obst, Yasid. Das bringt wieder Farbe in deine Wangen.«

Als vier Bedienstete eintraten, um den Tisch abzuräumen, kniete sich der älteste von ihnen auf die Erde und murmelte seinem Herrn ein paar Worte ins Ohr. Umars Gesicht nahm einen geringschätzigen Ausdruck an. »Was will er diesmal? Führe ihn in mein Arbeitszimmer und bleibe dort bei ihm, bis ich komme.«

»Ubaidallah?« fragte Subayda.

Umar nickte, und seine Miene wurde finster. Yasid grinste und schilderte seine Begegnung mit dem Aufseher.

»Ist es wahr, Abu, daß er jetzt fast soviel Land besitzt wie wir?«

Die Frage brachte Umar zum Lachen.

»Das glaube ich nicht, aber du hast den Falschen gefragt. Ich gehe besser nachsehen, was der Schurke will. Es ist nicht seine Art, mich zu stören, gerade wenn wir uns zur Ruhe begeben wollen.«

Als Umar fort war, gingen Subayda und Yasid Hand in

Hand im Innenhof auf und ab und erfreuten sich der Frühlingssonne. Sie sah Yasids Blick, als sie an dem Granatapfelbaum vorüberkamen, unter dem Ama so manchen Wintertag verbracht hatte.

»Fehlt sie dir sehr, mein Kind?«

Statt einer Antwort faßte er ihre Hand noch fester. Sie beugte sich nieder und küßte seine Wangen, dann seine Augen.

»Jeder Mensch muß eines Tages sterben, Yasid. Eines Tages wirst du sie wiedersehen.«

»Bitte, Ummi. Bitte nicht. Hind hat all das Zeug vom Leben im Himmel nie geglaubt. Al-Sindiq glaubt nicht daran und ich auch nicht.«

Subayda unterdrückte ein Lächeln. Sie glaubte es auch nicht, aber Umar hatte ihr untersagt, ihre gotteslästerlichen Gedanken an ihre Kinder weiterzugeben. Nun gut, dachte sie, Umar hat Suhayr und Kulthum, die seinen Glauben teilen, und ich habe Hind und meinen Yasid.

»Ummi«, bettelte er, »warum ziehen wir nicht alle nach Fes? Ich meine nicht, daß wir in demselben Haus wohnen sollen wie Hind und Ibn Daud, sondern in unserem eigenen Haus.«

»Ich würde dieses Haus hier, die Ströme und Flüsse, die unser Land bewässern, das Dorf und alle, die darin leben, gegen keine Stadt der Welt eintauschen. Nicht Qurtuba, nicht Gharnata und nicht einmal Fes, obgleich Hind mir so sehr fehlt wie dir. Sie war auch meine Freundin, Yasid. Aber nein. Für nichts würde ich dies alles aufgeben ... Friede sei mit Euch, al-Sindiq.«

»Und mit Euch, Herrin. Und mit dir, Yasid bin Umar.« Yasid begann sich zu entfernen.

»Wohin gehst du?« wollte Subayda wissen.

»In den Turm, mich ausruhen und meine Bücher lesen.« Al-Sindiq blickte dem entschwindenden Knaben liebevoll nach. »Die Verständigkeit dieses Kindes stellt manche Alten in den Schatten, aber etwas hat sich verändert, Herrin, nicht wahr? Was ist es? Yasid bin Umar macht ein Gesicht, als wäre er in ständiger Trauer. Ist es Amira?«

Subayda pflichtete ihm bei. »Ich habe das Gefühl, das Kind

weiß alles. Wie Ihr so richtig sagtet, er weiß mehr als manche, die älter und weiser sind. Was sein Leid angeht, ich glaube, ich kenne die Ursache. Nein, es ist nicht der Tod seiner Ama, obgleich ihn der mehr aufgewühlt hat, als er sich anmerken ließ. Es ist Hind. Seit sie fort ist, ist der Glanz aus seinen Augen verschwunden. Mein Herz weint, wenn ich sie so traurig und trübe sehe.«

»Kinder sind viel robuster als wir, Herrin.«

»Dieses nicht«, versetzte Subayda. »Es fällt ihm sehr schwer, seinen Schmerz zu bewältigen. Er findet es unmännlich, Gefühle zu zeigen. Hind war seine einzige Vertraute. Ängste, Freuden, Geheimnisse, er hat ihr alles erzählt.«

Umars Rückkehr brachte sie um den Rat des alten Mannes.

»Friede sei mit Euch, al-Sindiq.« Der alte Mann lächelte. Umar wandte sich in beiläufigem Ton an seine Gemahlin. »Du wirst nie erraten, weswegen Ubaidallah mich aufsuchte.«

»Es war nicht wegen Geld?«

»Habe ich recht mit der Vermutung«, ließ sich al-Sindiq vernehmen, »daß unseren ehrwürdigen Oberaufseher in geistigen Angelegenheiten das Gewissen plagt?«

»Wohl gesprochen, Alter. Wohl gesprochen. Ja, genau dies ist sein Problem. Er hat beschlossen zu konvertieren und erbat meine Einwilligung und meinen Segen. ›Ubaidallah‹, habe ich ihn gewarnt. ›Ist dir bewußt, daß du einem Mönch deine sämtlichen Missetaten beichten mußt, ehe sie dich in ihre Kirche aufnehmen? Allesamt, Ubaidallah! Und wenn sie entdecken, daß du gelogen hast, werden sie dich auf dem Scheiterhaufen verbrennen, weil du ein falscher Christ warst.‹ Ich sah ihm an, daß ihn das beunruhigte. Er rechnete sich geschwind im stillen aus, wie viele seiner kleinlichen Vergehen die Kirche aufdecken könnte, und er befand, er sei nicht in Gefahr. Nächste Woche begibt er sich nach Gharnata, und dann unterziehen er und sein einfältiger Sohn sich dem heidnischen Ritual und werden Christen. Blut von ihrem Blut. Fleisch von ihrem Fleisch. Suchen Erlösung, indem sie das Bildnis eines blutenden Mannes auf zwei Holzstücken anbeten. Sagt mir, al-Sindiq, warum ist ihr Glaube so stark von Menschenopfern geprägt?«

Dies war das Signal für eine ausführliche Diskussion über die Philosophie der christlichen Religion – doch ehe der alte Mann antworten konnte, zerriß ein Schrei die Luft. Yasid kam außer Atem und mit hochrotem Kopf in den Innenhof gerannt.

»Soldaten! Hunderte. Wie ein Ring um das Dorf und unser Haus. Kommt und seht.«

Umar und Subayda folgten dem Knaben zum Turm. Al-Sindiq, viel zu alt, um die Stufen noch zu erklimmen, setzte sich seufzend auf die Bank unter dem Granatapfelbaum.

»Unsere Zukunft war unsere Vergangenheit«, murmelte er in seinen Bart.

Yasid hatte sich nicht getäuscht. Sie waren umzingelt. In der Falle wie gejagtes Wild. Wenn Umar seine Augen anstrengte, konnte er die christlichen Banner ausmachen und auch die Soldaten, die sie trugen. Ein Mann zu Pferde ritt aufgeregt von einer Gruppe Soldaten zur anderen; offensichtlich erteilte er Befehle. Er schien sehr jung, aber er mußte der Hauptmann sein.

»Ich muß augenblicklich ins Dorf«, sagte Umar. »Wir wollen diesen Männern entgegenreiten und sie fragen, was sie von uns wollen.«

»Ich komme mit«, sagte Yasid.

»Du mußt zu Hause bleiben, mein Sohn. Es ist sonst niemand da, deine Mutter zu beschützen.«

Als Umar vom Turm herunterkam, fand er alle männlichen Bediensteten des Hauses mit Schwertern und Lanzen bewaffnet im Außenhof versammelt. Sie waren nur sechzig Mann und unterschiedlichen Alters, von fünfzehn bis fünfundsechzig, aber wie sie dort standen und auf ihn warteten, wurde er von einer Gefühlsaufwallung durchströmt. Sie waren seine Diener, und er war ihr Herr, doch in Krisenzeiten überwand ihre Treue zu ihm alles andere.

Man hatte sein Pferd gesattelt, und vier von den jüngeren Männern ritten mit ihm zum Dorf. Als sie das Haupttor passierten, flog ein Adler auf der Suche nach Beute über das Haus. Die Diener wechselten Blicke. Es war ein schlimmes Omen.

In der Ferne hörten sie vielfältiges Hundegebell. Auch die

Tiere schienen zu spüren, daß etwas nicht war, wie es sein sollte. Als erstes fiel auf, daß niemand bei der Arbeit war. Die Männer und Frauen, die sich täglich vom Morgengrauen bis Sonnenuntergang auf den Feldern plackten, waren beim Anblick der Soldaten davongelaufen. In den Gassen des Dorfes wimmelte es von Menschen, aber die Läden waren geschlossen. Eine solche Szene hatte Umar zuletzt gesehen, als sein Vater nach dem Sturz von einem Pferd gestorben war. Auch an jenem Tag hatten sie jegliche Tätigkeit eingestellt. Sie waren dem Leichnam stumm gefolgt, als er nach Hause getragen wurde.

Grüße wurden gewechselt, die Gesichter aber waren verzerrt und angespannt. Es war die Angst, die aus Ungewißheit geboren wird. Juan der Tischler kam zu ihnen gerannt.

»Dies ist ein verfluchter Tag, Herr«, sagte er mit wuterstickter Stimme. »Ein verfluchter Tag. Der Fürst der Finsternis hat seine Teufel gesandt, uns zu martern und zu vernichten.«

Umar sprang vom Pferd und umarmte Juan. »Warum sprichst du so, mein Freund?«

»Ich kam soeben von ihrem Lager. Sie wußten, daß ich Christ bin, und haben nach mir geschickt. Sie stellten mir allerlei Fragen. Ob ich Suhayr al-Fahl kenne? Ob ich wisse, wie viele Männer aus dem Dorf in den al-Pudjarras an seiner Seite kämpfen? Ob ich wisse, daß sie den edlen Don Alonso getötet hatten, als er ihnen den Rücken zukehrte? Auf die letzte Frage erwiderte ich, daß die Version, die ich gehört hätte, anders lautete. Woraufhin ihr junger Hauptmann, dessen Augen mit böser Flamme brennen, mir ins Gesicht schlug. ›Bist du ein Christ? Ich erwiderte, daß meine Familie nie konvertiert ist und daß wir in al-Hudayl lebten von dem Tage an, da es errichtet wurde, daß uns aber nie jemand nahegelegt hätte, den Glauben des Propheten Mohammed anzunehmen. Daß wir in Frieden gelebt haben. Dann sagte er zu mir: Möchtest du lieber bei ihnen bleiben oder mit uns kommen und bei uns leben? Wir haben sogar eine Kapelle in einem Zelt errichtet, und dort ist ein Priester, der nur darauf wartet, dir die Beichte abzunehmen.‹ Ich sagte, ich würde dem Mönch gerne beichten, aber ich wolle in dem Hause bleiben, wo ich geboren wurde, wie schon mein Vater und mein Großvater. Darauf lachte er. Es war ein seltsames Lachen, welches sogleich von den zwei jungen Männern an seiner Seite nachgeahmt wurde. ›Gib dir keine Mühe mit deiner Beichte. Geh zurück zu deinen Ungläubigen.‹«

»Wenn sie jemanden über Suhayr befragen wollen, dann müssen sie schon mit mir sprechen«, sagte Umar. »Ich werde zu ihnen gehen.«

»Nein!« stieß eine Stimme barsch hervor. »Das darfst du unter keinen Umständen tun. Ich war auf dem Wege zu dir, um mit dir zu reden.«

Es war Ibn Hasd, der Schuster, Miguels leiblicher Bruder und somit Umars Oheim, aber dies war das erste Mal, daß er in seiner Eigenschaft als Mitglied der Familie sprach. Umar hob die Augenbrauen, als forsche er nach dem Grund für eine solch entschiedene Anweisung.

»Friede sei mit dir, Umar bin Abdallah. Ibn Haritha, der Hufschmied, ist soeben zurückgekehrt. Sie haben ihn heute morgen fortgeschleppt, auf daß er sich der Hufeisen annehme, die der Ausbesserung bedurften. Er hat nichts Bestimmtes gehört, aber die Augen des jungen Hauptmanns machten ihm angst. Er sagt, selbst die christlichen Soldaten fürchten ihn, als sei er Satan persönlich.«

»Und«, fuhr Juan fort, »Ubaidallah, der Schuft, ist mit fünfzehn Dorfleuten zu ihnen ins Lager gegangen. Man kann sich die Geschichte vorstellen, die er erzählt, um seinen Hals zu retten. Ihr müßt nach Hause zurückkehren, Herr, und das Tor verschließen, bis alles vorüber ist.«

»Ich bleibe im Dorf«, erwiderte Umar in einem Ton, der keinen Widerspruch duldete. »Wir werden warten, bis Ubaidallah zurück ist und uns sagt, was sie verlangen. Dann werde ich, wenn nötig, selbst mit diesem Hauptmann reden.«

13. KAPITEL

Der rothaarige, bartlose Hauptmann war nicht abgesessen. Warum ist er noch auf seinem Pferd? Diese Frage quälte Ubaidallah. Durch seine Arbeit in den letzten fünfzig Jahren als Aufseher über Landgüter und Menschen hatte er eine unschätzbare Erfahrung und Kenntnisse erworben, welche Bücher allein niemals vermitteln können. Er war ein scharfer Beobachter der Psyche der Menschen geworden. Er hatte erkannt, daß der Hauptmann von seinem Schöpfer gestraft war. Seine Größe, kein unbedeutender Faktor für einen Soldaten, stand keineswegs im Einklang mit seinem grimmigen Auftreten. Er war stämmig und klein. Er konnte nicht mehr als sechzehn Jahre zählen. Diese Umstände, davon war Ubaidallah überzeugt, ließen sich auch nicht durch das soldatische Können des Hauptmanns wettmachen.

Nachdem er solche Mutmaßungen angestellt hatte, fiel Ubaidallah vor dem Befehlshaber der Christen auf die Knie. Dieser Akt der Selbsterniedrigung erzeugte bei den Dorfleuten, die ihn begleitet hatten, Übelkeit. »Schlappschwanz«, murmelte einer vor sich hin. Ubaidallah focht ihre Reaktion nicht an. Er hatte dem Hauptmann das Gefühl vermittelt, größer zu sein, als er tatsächlich war. Nichts anderes zählte an diesem Tag. Jahre im Dienste der Herren der Banu Hudayl hatten den Aufseher gut auf die Aufgabe vorbereitet, die er nun zu erfüllen suchte.

»Was wollt ihr?« fragte ihn der Hauptmann mit näselnder Stimme.

»Mein Herr, wir sind gekommen, Euch mitzuteilen, daß das ganze Dorf bereit ist, am heutigen Nachmittag zu konvertieren. Dazu bedarf es lediglich, daß Euer Exzellenz uns einen Priester schickt und das Dorf mit Eurer Anwesenheit beehrt.«

Das Begehren wurde zunächst mit Schweigen beantwortet. Der Hauptmann gab kein Lebenszeichen. Aus schwerlidrigen, dunkelblauen Augen blickte er auf die vor ihm kniende Kreatur hinab. Der Hauptmann war gerade sechzehn geworden, aber er hatte sich bereits in der Reconquista bewährt. Er war für seinen Mut in drei Schlachten in den al-Pudjarras ausgezeichnet worden. Durch seine furchtlose Wildheit war er seinen Vorgesetzten aufgefallen.

»Warum?« fuhr er Ubaidallah an.

»Ich verstehe nicht, Exzellenz.«

»Warum habt ihr beschlossen, der heiligen römischen Kirche beizutreten?«

»Es ist der einzig wahre Weg zur Erlösung«, erwiderte Ubaidallah, der sich nicht eben dadurch auszeichnete, daß er zwischen Wahrheit und Falschheit unterschied.

»Du meinst, es ist der einzige Weg, eure Haut zu retten.«

»Nein, nein, Exzellenz«, winselte der alte Aufseher. »Wir Andalusier brauchen viel Zeit, um etwas zu beschließen. Das ist die Folge davon, daß wir Jahrhunderte von Herrschern regiert wurden, die alles bestimmten. Bei allem, worauf es ankam, haben sie für uns die Beschlüsse gefaßt. Jetzt fangen wir langsam an, selbst zu entscheiden, aber es ist nicht leicht, von einer alten Gewohnheit zu lassen. Wir entscheiden allein, doch wir nehmen uns Zeit und überlegen sehr genau ...«

»Wie viele seid ihr im Dorf?«

»Bei der letzten Zählung waren wir knapp über zweitausend.«

»Sehr gut. Ich werde mir die angemessenste Antwort auf euer Ansinnen überlegen. Ihr könnt in euer Dorf zurückkehren und unsere Entscheidung abwarten.«

Just als Ubaidallah sich erheben wollte, stieß der Hauptmann noch eine Frage hervor, und der Aufseher sank wieder auf die Knie.

»Ist es wahr, daß in Abenfarids Palast noch ein altes Banner hängt, auf welchem ein blauer Schlüssel auf silbernem Grund über irgendwelchem Unfug in eurer Sprache abgebildet ist?«

»Ja, Exzellenz. Es war ein Geschenk des Königs von Ischbiliya an einen Vorfahren von Ibn Farid. Die arabische Inschrift lautet: ›Es gibt keinen anderen Eroberer als Gott.‹«

»Der Schlüssel symbolisierte die Erschließung des Westens, nicht wahr?«

»Das weiß ich nicht genau, Exzellenz.«

»Nein? Aber ich«, sagte der Hauptmann in seinem reserviertesten, überheblichsten Ton, womit er zu verstehen gab, daß er dieses Gespräch nicht fortzuführen wünschte. »Der Erzbischof möchte es höchstpersönlich in Augenschein nehmen. Du kannst der Familie von Abenfarid bestellen, daß ich sie aufsuchen werde, um das Banner abzuholen. Du kannst jetzt gehen.«

Als Ubaidallah und die anderen fort waren, ritt der Hauptmann, der die ganze Zeit über auf seinem Pferd saß, zu den zwei Adjutanten, die von ferne zugehört hatten, und wies sie an, alle ihre Soldaten zusammenzuholen. Er wolle ihnen eine Ansprache halten, bevor sie sich ins Dorf begaben. Als die Männer versammelt waren, richtete der Hauptmann das Wort an sie. Sein Tonfall war freundlich, aber gebieterisch.

»Unser Ziel ist einfach. Ihr werdet dieses Dorf und alles, was darin ist, vernichten. Das ist mein Befehl. Es sind nicht mehr als sechs-, vielleicht siebenhundert kräftige Männer im Dorf. Es ist nicht anzunehmen, daß sie auch nur einen Anschein von Widerstand leisten. Es ist kein erquickliches Unterfangen, aber Soldaten werden nicht ausgebildet, gütig und sanft zu sein. Die Anordnungen Seiner Gnaden waren sehr deutlich. Morgen früh wünscht er, die Kartographen anzuweisen, al-Hudayl von den neuen Landkarten zu tilgen, an denen wir arbeiten. Ist das klar?«

»Nein!« rief eine Stimme inmitten der Menge.

»Tritt vor, Mann!«

Ein großer, graubärtiger Soldat in den Fünfzigern, dessen Vater unter dem Banner von Ibn Farid gekämpft hatte, schritt nach vorne und stellte sich vor den Hauptmann.

»Was willst du?«

»Ich bin der Enkelsohn eines Mönches und der Sohn eines Soldaten. Seit wann ist es hierzulande christlicher Brauch, Kinder und ihre Mütter zu töten? Ich sage Euch hier und jetzt, dieser Arm und dieses Schwert werden kein Kind und keine Frau töten. Verfahrt mit mir, wie Ihr wollt!«

»Offensichtlich, Soldat, bist du nicht mit uns in den al-Pudjarras gewesen.«

»Ich war in Alhama, Hauptmann, und ich habe zuviel gesehen. Ich will das nicht noch einmal erleben.«

»Dort hättest du gesehen, wie ihre Weiber Kessel mit siedendem Öl über unseren Männern ausschütteten. Du wirst unsere Befehle ausführen oder die Folgen tragen.«

Der Soldat wurde aufsässig. »Ihr habt selbst gesagt, Hauptmann, daß Ihr nicht mit Widerstand rechnet. Warum verlangt Ihr von uns, unschuldige Menschen zu töten? Warum?«

»Alter Narr!« entgegnete der Hauptmann, und seine Augen blitzten vor Zorn. »Du wirst nicht lange auf dieser Welt weilen. Warum leichtfertig mit unserem Leben umgehen«

»Ich verstehe Euch nicht, Hauptmann.«

»Wenn du ihre Männer tötest, werden die Frauen und Kinder von einem blinden Haß auf alles Christliche erfüllt sein. Um ihr Leben zu retten, werden sie konvertieren, doch es wird Gift sein. Verstehst du mich? Ein Gift, das sich auf immer in unsere Haut frißt. Ein Gift, das zunehmend schwerer zu tilgen sein wird. Verstehst du jetzt?«

Der alte Soldat schüttelte ungläubig den Kopf, aber es war offenkundig, daß er nicht gehorchen würde. Der Hauptmann hielt sein jähzorniges Naturell im Zaum. Er wollte seine Soldaten nicht entmutigen, kurz bevor sie in den Kampf zogen. Er beschloß, den Meuterer nicht zu bestrafen.

»Du bist deiner Pflichten enthoben. Du wirst nach Gharnata zurückkehren und auf uns warten.«

Der alte Soldat konnte sein Glück nicht fassen. Er ging zu der Stelle, wo die Pferde grasten, und band sein Tier los.

»Ich kehre zurück«, sagte er bei sich, als er von dem Lager fortritt, »aber nicht nach Gharnata. Ich werde dorthin gehen, wo weder Ihr noch Eure verfluchten Mönche mich finden können.«

Das Tor in der Mauer, die das Haus umgab, war der einzige Einlaß zum Heim der Vorfahren der Banu Hudayl. Jetzt war es fest verschlossen. Aus solidem Holz gefertigt, vier Zoll dick und mit Eisenbändern verstärkt, hatte es hauptsächlich zeremoniellen Zwecken gedient. Es war nicht gebaut, um einer Belagerung standzuhalten. Es war noch nie geschlossen gewesen, da weder Dorf noch Herrenhaus für militärisch wichtig erachtet wurden. Ibn Farid und seine Vorfahren hatten unter ihrem Kommando Ritter und Soldaten von hier und aus umliegenden Dörfern versammelt. Sie hatten sich vor dem Tor eingefunden und waren zu Kriegen in anderen Teilen des Königreiches marschiert.

Als Ubaidallah die Botschaft des jungen Hauptmanns überbrachte, hatte Umar grimmig gelächelt und verstanden. Jetzt war nicht die Zeit für jene pompösen Gesten, welche den Tod so vieler Mitglieder seiner eigenen Familie verursacht hatten. Er hatte befohlen, das Banner mit dem silbernen Schlüssel auf meerblauem Grund von der Wand in der Waffenkammer zu entfernen und über das Tor zu hängen.

»Wenn das alles ist, was sie verlangen«, sagte er zu seinem Aufseher, »wollen wir es ihnen leicht machen.«

Mehrere hundert Dorfleute hatten hinter den Mauern des Herrenhauses Zuflucht gesucht. Sie wurden im Garten gespeist, während der Außenhof voll spielender Kinder war, die in ihrer Unschuld nichts ahnten von dem Unheil, das sie erwartete. Yasid hatte das Haus noch nie so voll und so laut erlebt. Er war zunächst versucht gewesen, sich an dem lebhaften Treiben zu beteiligen, hatte dann aber beschlossen, sich lieber auf den Turm zurückzuziehen.

Wie allen anderen war auch Ubaidallah Zuflucht im Hause angeboten worden, er aber hatte es vorgezogen, ins Dorf zurückzukehren. Etwas in seinem Innersten sagte ihm, daß er in seinem eigenen Heim sicherer wäre, fern von der Familie, der er so lange gedient hatte. Dies war ein tragischer Irrtum. Noch während er zum Dorf zurückging, zog ein Reiter, angestachelt von seinen Kameraden, seine Waffe und stürmte mit erhobenem rechten Arm auf den ahnungslosen Ubaidallah los. Der Aufseher hatte keine Zeit zu reagieren. Sekunden später rollte sein Kopf säuberlich vom Leib getrennt im Staub.

Yasid zupfte seinen Vater am Gewand. Umar hatte soeben Befehl gegeben, die Waffenkammer aufzuschließen und allen kräftigen Männern und Frauen Waffen auszuhändigen. Subayda hatte darauf gedrängt, daß sie kämpfen. Erinnerungen an al-Hama waren in ihrem Bewußtsein eingebrannt.

»Warum sollen wir wehrlos warten, daß sie uns zuerst Gewalt antun und uns dann ihre Schwerter ins Herz stoßen?«

»Abu! Abu!« Yasids Stimme klang dringlich.

Umar hob ihn hoch und küßte ihn. Dieser spontane Liebesbeweis freute den Knaben und ärgerte ihn zugleich, bemühte er sich doch so sehr, ein Mann zu sein.

»Was gibt es, mein Kind?«

»Komm auf den Turm. Jetzt gleich!«

Subayda spürte die Tragödie. Sie weigerte sich, Yasid mit seinem Vater auf den Turm zurückkehren zu lassen.

»Ich brauche deine Hilfe, Yasid. Wie muß ich dieses Schwert handhaben?«

Die Ablenkung gelang. Umar erklomm die Treppe allein. Je höher er stieg, desto stiller wurde es. Und dann sah er das Blutbad. Man hatte die Häuser in Brand gesteckt. Unweit der brennenden Moschee lagen zahlreiche Leichen herum. Die Soldaten hatten ihre Aufgabe noch nicht vollendet. Sie ritten die umliegenden Hügel hinauf, diejenigen verfolgend, die zu fliehen suchten. Bei genauem Hinhören glaubte Umar das Wehgeschrei von Frauen zu vernehmen, durchsetzt mit dem Geheul von Hunden, doch bald darauf herrschte vollkommene Stille. Die Feuer loderten. Der Tod war überall. Durch ein Vergrößerungsglas betrachtete er eine Karte des Dorfes auf dem Tisch. Es war zuviel, mehr als er ertragen konnte. Er ließ das Glas auf die Erde fallen, und es zersprang. Jetzt trocknete Umar bin Abdallah seine Tränen.

»Zerbrochenes Glas läßt sich nicht retten«, sagte er zu den zwei Dienern, die Wache hielten. Sie standen still wie Statuen und wurden Zeugen des Grams, der ihren Herrn überwältigt hatte. Auf ihren Zungen waren Worte des Trostes, die nie gesprochen wurden.

Langsam stieg Umar die Treppe hinab. Vom Turm aus hatte er alles überblickt. Für Zweifel war kein Platz mehr. Er verfluchte sich, weil er Yasid nicht mit seiner Schwester hatte ziehen lassen. Als er in den großen Vorhof kam, empfing ihn eine unheimliche Ruhe. Die Kinder spielten nicht mehr. Es wurde nicht mehr gegessen. Alles war still, abgesehen von gelegentlichen Lauten, wenn der Schmied Schwerter schärfte. Alle hatten das brennende Dorf gesehen, und nun saßen sie auf der Erde und schauten zu, wie die Flammen mit der sinkenden Sonne am Horizont verschmolzen. Ihre Häuser, ihre Vergangenheit, ihre Freunde, ihre Zukunft, alles war vernichtet. Die stille Wacht wurde von einem Entsetzensschrei auf dem Turm unterbrochen.

»Die Christen sind am Tor!«

Alles geriet mit einem Schlage in Bewegung. Die älteren

Frauen und die Kinder wurden in die Nebengebäude geschickt. Umar nahm den Zwerg beiseite.

»Ich möchte, daß du dich mit Yasid in der Kornkammer versteckst. Was auch geschieht, lasse ihn nicht heraus, solange du dir nicht sicher bist, daß sie fort sind. Möge Allah euch beschützen.«

Yasid wollte sich nicht von seinen Eltern trennen lassen. Er suchte seinen Vater zu überreden. Er flehte seine Mutter an.

»Seht«, sagte er und schwenkte eine Klinge, die der Schmied ihm zugerichtet hatte, »mit diesem Schwert kann ich so gut umgehen wie ihr.«

Subaydas inständiges Bitten bewog ihn schließlich, den Zwerg zu begleiten. Er bestand darauf, seine Schachfiguren mitzunehmen. Als diese herbeigeholt waren, nahm der Koch ihn bei der Hand und führte ihn durch den symmetrisch angelegten Garten. Dahinter, unmittelbar unterhalb der Mauer, waren eine Baumgruppe und Pflanzen aller Art. Gleich daneben stand eine von Jasminsträuchern sorgsam getarnte kleine Holzbank. Als der Zwerg sie anhob, ging der Stein, auf dem sie stand, mit in die Höhe.

»Hinunter mit dir, junger Herr.«

Yasid zögerte eine Sekunde und blickte auf das Haus zurück, der Zwerg aber stupste ihn, und er kletterte die schmale Stiege hinab. Der Koch folgte und schob den Deckel von unten her sorgfältig wieder zu. In diesen dunklen Gewölben gab es genug Weizen und Reis, um das ganze Dorf ein Jahr lang zu ernähren. Dies waren die Notvorräte von al-Hudayl, für den Fall von Mißernten oder unvorhergesehenen Katastrophen. Der Zwerg zündete eine Kerze an. Tränen liefen Yasid übers Gesicht.

Oberirdisch war unterdessen alles bereit, die christlichen Soldaten zu empfangen, die jetzt Rammbalken zu Hilfe nahmen, um das Tor aufzubrechen. Als die Torflügel endlich nachgaben, ritten die ersten Soldaten in den Vorhof. Es war indes nur eine Vorhut, und der Hauptmann war nicht an ihrer Spitze. Die schnelle Zerstörung des Dorfes, die zahllosen Leichname, über welche ihre Pferde hinweggetrampelt waren, um zum Herrenhaus zu gelangen, hatten in ihnen ein trügerisches Gefühl der Sicherheit erzeugt.

Auf einmal gewahrten sie maurische Ritter, auch sie zu Pferde, angriffsbereit an ihrer rechten wie an ihrer linken Flanke. Die Eindringlinge suchten durch den Vorhof in den Außenhof zu preschen, aber sie waren nicht flink genug. Umar und seine provisorische Reiterei stürzten sich mit grauenhaftem Geschrei auf sie. Die Christen, auf Widerstand nicht gefaßt, reagierten nur langsam. Sie wurden allesamt aus dem Sattel geworfen und getötet. Lauter Jubel und Rufe – »Allah ist groß« – begrüßten diesen unerwarteten Triumph.

Die Leichen der Soldaten wurden auf ihre Pferde geladen und die Tiere mit Peitschenhieben aus dem Vorhof getrieben. Eine lange Wartezeit verging bis zum nächsten Zusammenstoß, und der Grund wurde bald offensichtlich. Das Heer aus Gharnata verbreiterte das Loch in der Mauer, damit drei Mann nebeneinander durch das Tor stürmen konnten.

Umar wußte, daß es beim nächstenmal nicht so leicht sein würde. »Es ist unser Untergang«, sagte er bei sich. »Ich sehe nurmehr den Tod.«

Kaum war ihm dieser Gedanke durch den Kopf gegangen, da vernahm er den Klang einer noch fast jugendlichen Stimme: »Keine Gnade für die Ungläubigen.« Es war der Hauptmann selbst, der an der Spitze seiner Soldaten ritt. Diesmal warteten sie den maurischen Angriff nicht ab, sondern stürmten sogleich auf die Verteidiger los. Es kam zu erbitterten Kämpfen Mann gegen Mann; der Hof hallte wider von klirrendem Metall und dumpfen Hieben, vermischt mit Schreien und abwechselnden Rufen »Allah ist groß« und »Für die Heilige Jungfrau!« Die auf dem Dach postierten maurischen Bogenschützen konnten ihre Armbrüste nicht einsetzen, weil sie fürchteten, die eigenen Leute zu treffen. Die Mauren waren an Zahl unterlegen, und ihr Widerstand ward alsbald in Blut ertränkt.

Umars Pferd wurde lahm geschossen, und der Sturz machte ihn wehrlos. Die Soldaten schleppten ihn vor den Hauptmann. Die zwei Männer sahen sich an, und die Augen des Hauptmanns funkelten haßerfüllt. Umar musterte gelassen seinen jungen Besieger.

»Vor dir siehst du den Zorn unseres Herrn«, sagte der Hauptmann.

»Ja«, erwiderte Umar. »Unser Dorf, seiner Menschen beraubt. Frauen und Kinder hingemetzelt. Unsere Moscheen in Flammen aufgegangen und unsere Felder verwüstet. Männer wie ihr erinnern mich an die Fische im Meer, die sich gegenseitig verschlingen. Dieses Land wird nie wieder gedeihen. Das Blut, das ich in euren Augen sehe, wird eines Tages euch selbst vernichten. Es gibt keinen Gott außer Allah, und Mohammed ist sein Prophet.«

Der Hauptmann erwiderte nichts. Er warf den Soldaten, die seinen Gefangenen flankierten, einen Blick zu und nickte. Einer weiteren Aufforderung bedurfte es nicht. Umar bin Abdallah wurde in die Knie gezwungen. In diesem Augenblick griffen die Bogenschützen an. Zwei Pfeile trafen ihre Ziele, und die Männer, die Umar hatten hinrichten wollen, fielen tot zu Boden. Der Hauptmann schrie: »Brennt diese Stätte nieder.« Dann befahl er zwei andere Soldaten nach vorne, doch Umar hatte unterdessen das Schwert eines der Gefallenen ergriffen und kämpfte aufs neue.

Sechs Mann waren vonnöten, um das Oberhaupt der Banu Hudayl abermals zu ergreifen. Diesmal wurde er auf der Stelle enthauptet und sein Kopf auf einer Speerspitze aufgespießt. Nachdem er im Vorhof herumgetragen worden war, brachte man ihn in den Außenhof. Schreien und Wehklagen stiegen empor, gefolgt von Wutgeheul und Klingengeklirr.

Ein Bogenschütze, der Umars Tod mit angesehen hatte, rannte vom Schauplatz und verständigte Subayda. Tränen liefen ihr über das Gesicht. Sie ergriff ein Schwert und gesellte sich zu den Verteidigern draußen auf dem Hof.

»Herbei«, rief sie den anderen Frauen zu, »sie dürfen uns nicht lebend bekommen!«

Zum großen Erstaunen der Christen bewiesen die Frauen maßlosen Mut. Dies waren nicht die schwachen, verhätschelten Haremsgeschöpfe, von denen sie so viele phantastische Geschichten gehört hatten. Wieder einmal kam das Überraschungsmoment den Frauen von al-Hudayl zu Hilfe. Sie verminderten das Heer des Hauptmanns um wenigstens hundert Mann. Am Ende unterlagen sie, doch mit Schwertern und Dolchen in Händen.

Nach zwei Stunden erbitterten Kampfes war das Morden

vollbracht. Alle Verteidiger lagen tot darnieder. Weber und Schönredner, wahre Gläubige und falsche Propheten, Männer und Frauen, sie hatten gemeinsam gekämpft und einander sterben sehen. Juan der Tischler, Ibn Hasd und der alte Skeptiker al-Sindiq hatten Umars Angebot, sich in der Kornkammer zu verstecken, zurückgewiesen. Auch sie hatten, zum erstenmal in ihrem Leben, Schwerter geschwungen, und sie waren in dem Massaker umgekommen.

Der Hauptmann war wütend, weil er so viele Leute verloren hatte. Er gab Befehl, das Haus zu plündern und anzuzünden. Eine Stunde lang feierten die Männer, trunken von Blut, ihren Sieg. Das gesamte Anwesen fiel ihrer Plünderungswut zum Opfer. Die Kinder, die in den Bädern versteckt waren, wurden geköpft oder ertränkt, je nach Laune der beteiligten Soldaten. Dann steckten sie das Haus in Brand und kehrten in ihr Lager zurück.

Der Hauptmann, der mit seinen beiden Adjutanten zurückgeblieben war, stieg nun vom Pferd, setzte sich in den Garten und sah zu, wie das Haus niederbrannte. Er zog seine Stiefel aus und ließ seine Füße in dem Bach baumeln, der den Garten teilte.

»Wie sie das Wasser liebten!«

Yasid wollte nicht mehr unter der Erde warten. Es war sehr lange Zeit still gewesen. Der Zwerg beharrte darauf, daß der Knabe blieb, der aber war unerbittlich.

»Du bleibst hier, Zwerg«, flüsterte er dem alten Mann zu. »Ich gehe nachsehen, was geschehen ist, dann kehre ich zurück. Bitte komme nicht mit mir. Nur einer von uns sollte gehen. Ich schreie, wenn du mir nicht gehorchst.«

Noch wollte der Zwerg nicht nachgeben, und Yasid, Erschöpfung vorschützend, tat, als füge er sich. Als der Griff an seinem Arm sich nur ein klein wenig lockerte, riß er sich los. Ehe der Zwerg ihn zurückhalten konnte, war er die Stiege emporgeklettert und stemmte den Deckel genügend weit hoch, um sich hindurchzuzwängen. Als er sich aufrichtete, sah er überall Leichen herumliegen und sein Haus in Flammen. Der Anblick machte ihn wahnsinnig. Er vergaß jegliche Furcht und rannte, die Namen seiner Eltern rufend, zum Hof.

Das Geräusch schreckte den Hauptmann auf. Als der Knabe durch den Garten lief, ergriffen ihn die zwei Adjutanten. Yasid trat um sich und fuchtelte mit den Armen.

»Laßt mich los! Ich muß zu meinem Vater und meiner Mutter.«

»Geht mit ihm«, sagte der Hauptmann zu seinen Leuten. »Er soll die Macht unserer Kirche selbst sehen.«

Als er seines Vaters Haupt auf einer Speerspitze aufgespießt erblickte, sank der Knabe auf die Knie und weinte. Sie konnten nicht weitergehen, weil die Flammen übermächtig waren, desgleichen der Gestank brennender Leichen. Hätten sie ihn nicht zurückgehalten, Yasid wäre durch die Flammen gehastet, seine Mutter zu suchen, und im Feuer umgekommen. So schleppten sie ihn zum Hauptmann zurück, der sich gerade anschickte, sein Pferd wieder zu besteigen.

»Nun, Kleiner?« fragte er aufgeräumt. »Siehst du nun, was wir mit den Ungläubigen machen?«

Yasid starrte ihn an, gelähmt von unsäglichem Leid. »Hast du die Sprache verloren, Kleiner?«

»Ich wünschte, ich hätte einen Dolch«, sagte Yasid mit seltsam abwesender Stimme. »Denn ich würde Euch das Herz durchbohren. Ich wünschte jetzt, wir hätten euch vor vielen Jahrhunderten behandelt, wie ihr uns behandelt habt.«

Der Hauptmann war überrascht und beeindruckt. Er lächelte Yasid zu und sah seine Kameraden nachdenklich an. Seine Reaktion erleichterte sie. Sie hatten nicht das Herz, den Knaben zu töten.

»Seht ihr?« sagte er zu ihnen. »Habe ich nicht erst heute gesagt, der Haß der Überlebenden ist das Gift, das uns vernichten könnte?«

Yasid hörte nicht hin. Das Haupt seines Vaters sprach zu ihm.

»Denke daran, mein Sohn, daß wir immer stolz darauf waren, wie wir die Besiegten behandelt haben. Dein Urgroßvater pflegte Ritter, die er besiegt hatte, in unser Haus einzuladen, auf daß sie den Festschmaus mit ihm teilten. Vergiß nicht, wenn wir je werden wie sie, kann nichts uns retten.«

»Ich werde es nicht vergessen, Abu«, sagte Yasid.

»Was hast du gesagt, Kleiner?« fragte der Hauptmann.

»Möchtet Ihr zu uns ins Haus kommen und heute abend mein Gast sein?«

Der Hauptmann gab seinen Adjutanten das Zeichen, das sie nur zu gut kannten. Gewöhnlich führten sie seine Befehle unverzüglich aus, doch der Knabe hatte offensichtlich den Verstand verloren. Es kam kaltblütigem Mord gleich. Sie zögerten. Der Hauptmann zog wütend sein Schwert und stieß es dem Knaben ins Herz. Yasid fiel mit gekreuzten Armen auf die Erde. Er war auf der Stelle tot. Ein kleines Lächeln lag auf seinem Gesicht, als das Blut aus seinem Mund quoll.

Der Hauptmann stieg auf sein Pferd. Ohne seine beiden Adjutanten eines Blickes zu würdigen, ritt er zum Tor hinaus.

Die Nacht brach herein. Der Himmel, der vor wenigen Stunden einem brennenden Inferno geglichen hatte, war jetzt dunkelblau. Zuerst erschienen zwei Sterne, dann immer mehr, bis ganze Sternenhaufen den Himmel bedeckten. Die Feuer waren erloschen, und alles war finster, so wie es vor tausend Jahren gewesen sein mußte, als das Land unbebaut war und es weder Behausungen gab noch Lebewesen, um darin zu wohnen.

Der Zwerg saß mit schreckensstarrem Blick auf der Erde, Yasids Leichnam in den Armen, und wiegte sich sacht hin und her. Seine Tränen fielen auf das Antlitz des toten Kindes und vermengten sich mit seinem Blut.

»Wie kommt es, daß ich allein noch am Leben bin?« Unaufhörlich wiederholte er die Frage. Er wußte nicht, wie oder wann er einschlief oder wann die verfluchte Morgendämmerung einen neuen Tag ankündigte.

Seit dem Augenblick, da Ibn Basit ihm berichtet hatte, er habe vor al-Hudayl eine Streitmacht von mehreren hundert christlichen Soldaten gesehen, war Suhayr unaufhörlich geritten, bis er den Zugang zum Dorf erreichte. Tiefe Falten durchfurchten sein Gesicht, von den Schläfen bis herab zu den Mundwinkeln. Seine Augen, sonst schwarz und glänzend, wirkten farblos und stumpf in ihren tiefen Höhlen. Zwei Monate Kampf hatten ihn beträchtlich altern lassen. Es war eine klare Nacht, als Suhayr durch den Stechginster galoppierte; seine Gedanken waren nicht bei seinen Männern, sondern bei seiner Familie und seinem Heim.

»Friede sei mit dir, Suhayr bin Umar!« rief eine Stimme.

Suhayr hielt sein Pferd an. Es war ein Meldegänger von Abu Said.

»Ich bin in Eile, Bruder.«

»Ich wollte dich warnen, bevor du nach al-Hudayl kommst. Dort ist nichts übriggeblieben, Suhayr bin Umar. Die Christen sind bezecht und erzählen es allen in Gharnata, die es hören wollen. Sie sind von Sinnen heute nacht.«

»Friede sei mit dir, mein Freund«, sagte Suhayr, den Blick ausdruckslos in die Ferne gerichtet. »Ich gehe selbst nachsehen.«

Fünfzehn Minuten später war er bei al-Sindiqs Höhle angelangt. Halb hoffte, halb betete er, der alte Mann möge dort sein, um seine Ängste zu beschwichtigen. Die Einsiedelei war verlassen. Al-Sindiqs Manuskripte und Papiere waren da, ordentlich gebündelt, als hätte der alte Mann sich angeschickt, für immer fortzugehen. Suhayr ruhte ein paar Minuten aus und tränkte das Pferd. Dann ritt er weiter. Er zügelte das Pferd, als er einen Bergausläufer umrundete und den Blick auf die vertraute Gegend richtete. Das fahle Licht des Tagesanbruchs schien auf verkohlte Überreste. Wie in Trance ritt er zum Haus. Die schlimmsten Befürchtungen bestätigten sich. Als er die Ruinen von ferne sah, war Rache sein erster Gedanke. »Ich werde sie aufspüren und einen nach dem anderen töten. Beim Haupte meines Bruders schwöre ich vor Allah, daß ich dieses Verbrechen sühnen werde.«

Als er in den Hof einritt, erblickte er das Haupt seines Vaters, aufgespießt auf einem fest in den Boden gerammten Speer. Suhayr sprang vom Pferd und zog den Speer vorsichtig heraus. Liebevoll sah er seinem Vater ins Antlitz. Er trug den Kopf zum Bach und wusch das Blut aus Haaren und Gesicht. Dann trug er ihn zum Friedhof und hob mit bloßen Händen die Erde aus. In seiner Raserei übersah er den Spaten, der wenige Fuß entfernt lag. Nachdem er seinen Vater bestattet hatte, ging er wieder in den Hof, und erst jetzt bemerkte er den Zwerg, der sich sacht wiegte, mit Yasid in seinen Armen. Suhayrs Herz tat einen Sprung. War Yasid etwa am Leben? Dann sah er das stille, blutige Antlitz seines Bruders.

»Zwerg! Zwerg! Bist du am Leben? Wach auf, Mann!

Erschrocken schlug der Zwerg die Augen auf. Seine Arme waren so steif wie Yasids Leichnam, den sie umfingen. Als er Suhayr erblickte, hob der Zwerg zu wehklagen an. Suhayr umarmte den Koch und nahm ihm sacht Yasids Leichnam ab. Er küßte seinem toten Bruder die Wangen.

»Ich habe meines Vaters Haupt begraben. Wir wollen Yasid waschen und zur letzten Ruhe betten.«

Sacht entkleideten sie den Leichnam und badeten ihn im Bach. Dann trugen sie Yasid zum Familienfriedhof. Erst als er unter der Erde lag und sie das Grab mit frisch ausgehobener Erde zugeschüttet hatten, brach Suhayr, der eine übermenschliche Ruhe bewiesen hatte, schreiend zusammen. Der ungehemmte Schmerz löste die Tränen. Es war, als fiele Regen auf Yasids Grab.

Die beiden Männer umarmten sich und setzten sich neben die frischen Gräber auf den grasigen Hügel.

»Ich will alles wissen, Zwerg. Jede Einzelheit. Alles, dessen du dich entsinnen kannst, muß ich wissen.«

»Wäre ich nur tot und Yasid am Leben. Warum soll ich noch am Leben sein?«

»Ich bin froh, daß jemand überlebt hat. Erzähle mir, was geschah.«

Der Zwerg begann mit seinem Bericht und hielt nicht inne, bis er an die Stelle kam, als er Yasid hatte gehen lassen. Da begann er zu wehklagen und sich die Haare zu raufen. Suhayr strich ihm über das Gesicht.

»Ich weiß, ich weiß, aber es ist vorüber.«

»Das ist noch nicht das Schlimmste. Er hatte den Deckel ein Stückchen offengelassen, und ich hörte, wie sie ihn ergriffen und ihm Fragen stellten. Du wärest sehr stolz auf ihn gewesen, hättest du gehört, wie er ihrem Hauptmann antwortete, diesem Fürsten des Bösen, dessen Absicht es von Anbeginn war, uns alle zu morden.«

Als der Zwerg seinen Bericht beendet hatte, blieb Suhayr lange Zeit sitzen, den Kopf zwischen den Händen.

»Hier ist alles zu Ende, sie haben unseren Mond auf immer verfinstert. Laß uns fortgehen. Hier sind wir nicht mehr sicher.«

Der Zwerg schüttelte den Kopf »Ich bin in diesem Dorf geboren. Mein Sohn ist hier bei der Verteidigung eures Palastes gefallen. Auch ich will hier sterben, und ich fühle, es wird nicht mehr lange dauern. Du bist noch jung, ich aber mag nicht weiterleben. Geh fort und laß mich hier in Ruhe sterben.«

»Zwerg, auch ich bin hier geboren. Zu viele sind hier schon gestorben. Warum ihre Zahl vermehren? Überdies habe ich einen Auftrag, den nur du ausführen kannst. Ich brauche dich.«

»Solange ich hier bin, stehe ich dir zu Diensten.«

»Ich bringe dich zur Küste und an Bord eines Schiffes nach Tanja. Von dort begibst du dich nach Fes und suchst Ibn Daud und meine Schwester auf. Ich werde ihr einen Brief schreiben, und du kannst ihr alles berichten, was sie wissen will.«

Hierauf hob der Zwerg wieder zu weinen an. »Habe Mitleid mit mir, Suhayr bin Umar. Wie kann ich der Herrin Hind vor die Augen treten? Mit welcher Zunge soll ich ihr sagen, daß ich ihren Yasid sterben ließ? Es ist grausam, mich zu ihr zu schicken. Lasse mich zur Herrin Kulthum in Ischbiliya gehen. Du solltest nach Fes ziehen und dort bleiben. Sie werden dich auf dieser Halbinsel nicht leben lassen.«

»Ich kenne meine Schwester Hind sehr gut. Sogar besser, als sie selber ahnt. Sie wird nur dich anhören wollen, Zwerg. Sie wird das Bedürfnis haben, daß jemand aus der Heimat ihr zur Seite steht. Andernfalls wird sie den Verstand verlieren. Willst du der Banu Hudayl nicht diesen letzten Dienst erweisen?«

Der Zwerg wußte, daß er unterlegen war.

»Mein Vater sagte, daß in den Kellergewölben stets einige Beutel mit Gold aufbewahrt wurden. Die nehmen wir am besten mit. Ich werde sie brauchen, um unsere Kriege zu führen, und du nimmst einen, um die Reise zu bestreiten und dich in Fes einzurichten.«

Sobald die fünf Lederbeutel mit Goldmünzen ans Licht befördert waren, sattelte Suhayr sein Pferd und trieb auch eines für den Zwerg auf. Er stellte die Steigbügel für die kurzen Beine des Mannes ein. Als sie fortritten und das Dorf hinter sich ließen, brach Suhayr das Schweigen.

»Wir wollen nicht noch einmal anhalten und zurückblicken, Zwerg. Wir wollen es in Erinnerung bewahren, wie es einst war, ja?«

Der Koch antwortete nicht. Er sprach nicht, bis sie die Küstenstadt al-Jazira erreichten. Sie fanden ein Schiff, das früh am nächsten Morgen in See stach, und buchten eine Passage für den Zwerg. Nach kurzer Suche fanden sie eine behagliche *funduq*, wo man ihnen ein Zimmer mit zwei Betten zuwies. Als sie zu Bett gingen, sprach der Zwerg zum erstenmal, seit sie den Vorhof des Hauses in al-Hudayl verlassen hatten.

»Ich werde das Feuer, das Stöhnen und die Schreie nie vergessen. Noch kann ich den Ausdruck in Yasids Gesicht vergessen, nachdem die Wilden ihn getötet hatten. Deswegen kann ich mich nicht an die fernere Vergangenheit erinnern.«

»Ich weiß, aber es ist die einzige Vergangenheit, an die ich mich erinnern möchte.«

Suhayr schrieb seinen Brief an Hind. Er berichtete ihr von seinem Zweikampf mit Don Alonso und den tragischen Folgen. Er schilderte die Zerstörung des Dorfes und des Hauses und bat sie inständig, niemals zurückzukehren:

Welch Glück für Dich, daß Du einen Mann wie Ibn Daud fandest, der Deiner würdig und so weitblickend ist. Ich denke, er wußte seit langem, daß wir unseren Kampf gegen die Zeit verlieren würden. Der alte Mann, der Dir diesen Brief überbringt, ist von Reue erfüllt ob des Vergehens, am Leben zu sein. Nimm Dich seiner an.

Ich habe die letzten Tage sehr viel an Dich gedacht, und ich wünschte, wir hätten mehr miteinander gesprochen, als wir in demselben Hause lebten. Ich will Dir gestehen, daß ein Teil von mir gerne mit dem alten Mann nach Fes gekommen wäre. Um Dich und Ibn Daud zu sehen. Um Dich Kinder gebären zu sehen und ihr Oheim zu sein. Um ein neues Leben zu beginnen, fern von den Qualen und dem mannigfachen Tod, die über diese Halbinsel gekommen sind. Und doch, ein anderer Teil von mir sagt, daß ich meine Gefährten inmitten dieser Schrecknisse nicht im Stich lassen kann. Sie zählen auf mich. Mutter und Du, Ihr dachtet immer, ich sei willensschwach, leicht von allem zu überzeugen und zu keiner Beständigkeit fähig. Ihr hattet vermutlich recht, aber ich glaube, ich habe mich sehr verändert. Weil die anderen auf mich bauen, muß ich eine Maske tragen, und diese Maske ist so sehr ein Teil von mir geworden, daß sich schwer sagen läßt, welches mein wahres Gesicht ist.

Ich werde in die al-Pudjarras zurückkehren, wo wir über Dutzende von Dörfern gebieten, und wo wir leben, wie wir vor der Re-

conquista zu leben pflegten. Abu Said al-Ma'ari, ein alter Mann, der Dir sehr gefallen würde, ist überzeugt, daß sie uns hier nicht mehr lange leben lassen werden. Er sagt, es sei nicht so sehr die Bekehrung unserer Seelen, wonach es sie verlangt, sondern unser Wohlstand, und ihr einziges Mittel, unserer Ländereien habhaft zu werden, sei es, uns für immer auszulöschen. Wenn er recht hat, sind wir zum Untergang verdammt, einerlei, was wir tun. Unterdessen werden wir weiterkämpfen. Ich sende Dir alle Papiere unseres alten al-Sindiq. Verwahre sie gut und lasse mich wissen, wie Ibn Daud über ihren Inhalt denkt.

Wenn Du mich erreichen willst, und ich bestehe darauf, daß Du es mich wissen läßt, wenn Euer erstes Kind geboren ist, schickst du am besten eine Nachricht zu unserem Oheim in Gharnata. Und eines noch, Hind. Ich weiß, daß ich von heute an, bis ich sterbe, jeden Tag um meinen toten Bruder und unsere Eltern weinen werde. Keine Maske, die ich trage, kann daran etwas ändern.

Dein Bruder
Suhayr

Der Zwerg hatte nicht mehr als ein paar Stunden schlafen können. Als es schließlich tagte, stand er auf und verließ das Zimmer, um seine Waschungen vorzunehmen. Als er zurückkam, saß Suhayr im Bett und betrachtete das Morgenlicht, das durch das Fenster fiel.

»Friede sei mit dir, alter Freund.«

Der Zwerg sah ihn mit Entsetzen an. Suhayrs Haare waren über Nacht weiß geworden. Kein Wort wurde darüber verloren. Unter der Habe des Zwerges hatte Suhayr die Schatulle mit Yasids Schachfiguren bemerkt.

»Er ließ sie bei mir zurück, als er hinaufging, die Herrin Subayda zu suchen.« Der Zwerg begann zu weinen. »Ich dachte, die Herrin Hind möchte sie vielleicht für ihre Kinder.«

Suhayr lächelte, während er die Tränen unterdrückte.

Eine Stunde später war der Zwerg an Bord eines Handelsschiffes. Suhayr stand am Ufer und winkte zum Abschied.

»Allah beschütze dich, Suhayr al-Fahl!« rief der Zwerg mit seiner Altmännerstimme.

»Das tut er nie«, sagte Suhayr vor sich hin.

EPILOG

Zwanzig Jahre später ging der Sieger von al-Hudayl, der nun auf der Höhe seiner Macht stand und allgemein als einer der erfahrensten Heerführer des katholischen Königreiches Spanien galt, an einem Gestade, Tausende Meilen von seinem Heimatland entfernt, von Bord seines waffenstarrenden Schiffes. Er setzte den alten Helm auf, den er nie ausgewechselt hatte, obgleich ihm zwei Helme aus purem Silber zum Geschenk gemacht worden waren. Er trug jetzt einen Bart, dessen rötliche Farbe zu manchen zotigen Späßen Anlaß gab. Seine beiden Adjutanten, unterdessen selbst Hauptleute, hatten ihn auf diese Mission begleitet.

Viele Wochen reiste die Expedition durch Sümpfe und Wälder und mußte dabei so manche Gefahr bestehen, doch eine glückliche Fügung des Schicksals wie auch das große militärische Geschick des Hauptmanns sorgten immer wieder dafür, daß die Kastilen auf ihrem einmal eingeschlagenen Weg stetig vorankamen.

Als er sein Ziel erreicht hatte, wurde der Hauptmann von Botschaftern des Herrschers empfangen, die in Gewänder von unvorstellbaren Farben gekleidet waren. Sie brachten den Fremden kostbare Geschenke dar. Dann geleitete man sie zur Hauptstadt des Kaisers.

Die Stadt war auf Wasser errichtet. Nicht einmal im Traum hatte der Hauptmann sich vorzustellen vermocht, daß sie so aussehen könnte. Die Pracht und der Reichtum ihrer Pyramiden, Tempel und Paläste waren schier unermeßlich.

»Wahrhaft bemerkenswert«, raunte der Hauptmann einem seiner Adjutanten zu, während das Boot, das sie von einem Teil der Stadt zum anderen übergesetzt hatte, am Palast des Kaisers anlegte. »Du mußt dir den Namen dieses Ortes ein für allemal einprägen, hörst du?«

»Gewiß doch: Te-noch-ti-tlan.« Der Soldat war sichtlich stolz, daß er den schwierigen Namen nahezu fehlerfrei herausgebracht hatte.

»Ja, und der Kaiser heißt Moc-te-zu-ma«, wetteiferte ihm sein Kamerad nach.

»Ein großes Vermögen wurde für die Errichtung dieser Stadt aufgebracht«, sagte der Hauptmann.

»Die Azteken sind ein sehr reiches Volk, Hauptmann Cortes«, wurde ihm entgegnet.

Der Hauptmann lächelte.

Erklärungen, Namen und Orte der Handlung

Abu	Vater
Afriqija	Nordafrika
al-Andalus	das maurische Spanien
Albaicin	das alte Stadtviertel von Gharnata (Granada)
al-Gharb	der Westen
al-Hama	Alhama
al-Hamra	die Alhambra
al-Djazira	Algeciras
al-Mariya	Almeria
al-Pudjarras	Berge, Gebirge
al-Qahira	Kairo
al-Tunisi	der Tunesier
Ama	Kinderfrau
Bab	Stadttor
Balansiya	Valencia
Banu	Sippe, Familienclan
Bin	umgangssprachl. für Ibn = Sohn
Dimaschk	Damaskus
Djihad	heiliger Krieg
Faqih	fromme Scholaren oder Gelehrte
Funduq	Herberge für reisende Kaufleute
Gharnata	Granada
Hadith	Sprüche des Propheten Mohammed
Hammam	Badehaus
Iblis	Teufel; Oberhaupt der gefallenen Engel
Ibn	Sohn
Imam	Vorbeter in der Moschee
Isa	arabischer Name für Jesus
Ischibiliya	Sevilla
Ischkanderiya	Alexandria
Kaaba	höchstes Heiligtum des Islam in Mekka
Kaschtalla	Kastilien
Khutba	Freitagspredigt
Madresseh	Religionsschulen
Maghreb	der westliche Teil der arabisch-muslimischen Welt: Tunesien, Nord-Algerien, Marokko
Malaka	Malaga
Maristan	Hospiz für Kranke und Irre
Medina	die von einer Mauer umgebe Altstadt
Mezquita	Moschee
Muezzin	Ausrufer, der auf dem Minarett die Zeiten zum Gebet verkündet
Musa	arabischer Name für Moses
Quadi	Richter
Qurtuba	Cordoba
Rabbad	Straße
Ramadan	9. Monat des islamischen Mondjahres; der Fastenmonat
Riwaq	Studentenwohnquartier
Reconquista	die Rückeroberung der von den Mauren besetzten iberischen Halbinsel durch die Christen
Rumi	Römer
Sadjal	beliebte Strophengedichte, als Stehgreif im umgangssprachl. Arabisch von al-Andalus komponiert und seit dem zehnten Jahrhundert mündlich überliefert
Sarkusta	Saragossa
Sufi	islamischer Mystiker
Tanja	Tanger
Tulaitula	Toledo
Umm	Mutter - gebräuchliche Anrede verbunden mit dem Namen des erstgeborenen Kindes
Ummi	Mutter
Wa Allah!	bei Gott!
Ya Allah!	oh Gott!

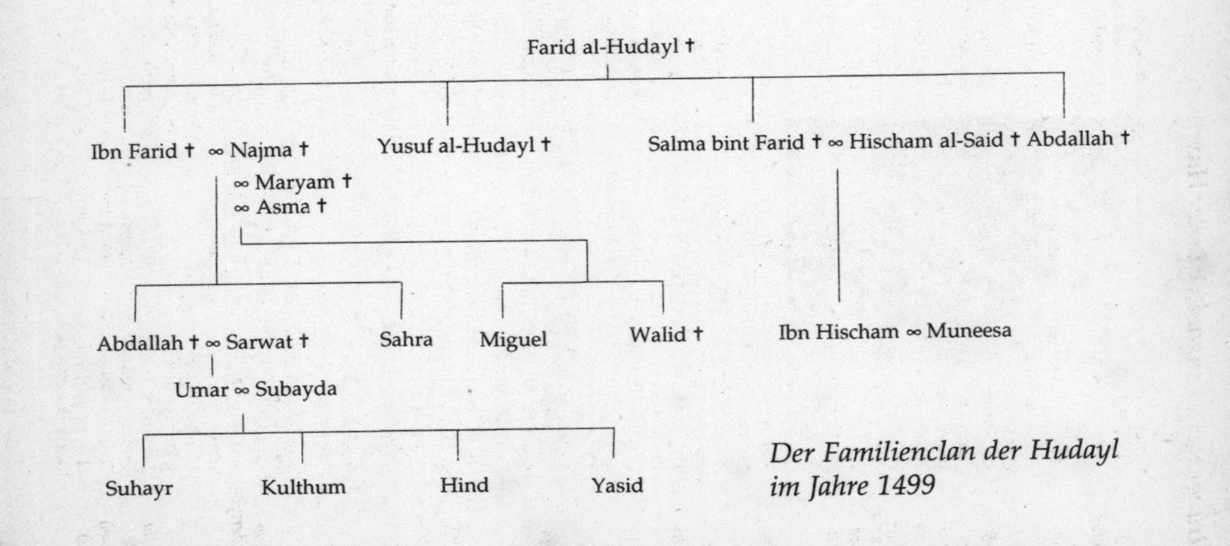

Der Familienclan der Hudayl im Jahre 1499